Guerre civile et compromis

Janine Garrisson

Guerre civile et compromis

1559 - 1598

Éditions du Seuil

C'est Anne-Marie Cocula-Vaillières
qui a relu les épreuves de cet ouvrage
avec patience et compétence.
Qu'elle en soit ici amicalement remerciée.

EN COUVERTURE :
Gérard, *Entrée d'Henry IV à Paris*,
22 mars 1594 (détail), Versailles.
Archives Roger-Viollet.

ISBN 2-02-013050-5 (série complète)
ISBN 978-2-02-013689-1

Introduction

Dans l'histoire d'un pays, il est des dates fatidiques, celle de 1559 en est une. Le traité du Cateau-Cambrésis, signé en avril, démobilise alors la noblesse militaire après une quarantaine d'années de longues et dures guerres extérieures. Le 10 juillet meurt Henri II, personnage clé d'une organisation monarchique forte.

Une faille s'élargit dans le tissu politique et social du royaume par laquelle jaillissent les crises, les tensions, les frustrations des sujets que l'autorité des premiers Valois d'Angoulême, soutenue par des conditions conjoncturelles favorables, avait contenues dans un équilibre relatif. Or l'économie européenne se trouble, devenant dans les dernières décennies du siècle catastrophique, creusant à la ville comme à la campagne les écarts sociaux. Sur une population dont la démographie ascendante est à peine freinée par les « mortalités », s'abattent les malheurs : la famine, la peste, la guerre. Dans un enchaînement néfaste, chacune de ces calamités agit comme facteur de l'autre, la troisième se faisant dès les années 1580 un déterminant de la conjoncture. Les hommes demandent alors compensation au mal-être, on cherche des responsables, on remet en cause l'autorité et, par la violence cathartique, on tente de conjurer le sort défavorable. L'affirmation dans le royaume d'une nouvelle religion joue comme révélateur de ces malaises enchevêtrés, faisant office partiellement de catalyseur de ces déchirures politiques et sociales.

1

Des hommes pour la guerre

L'heureux temps de Louis XII, celui où s'équilibraient une population en vigoureuse croissance et les ressources agricoles, s'achève durant la décennie 1520-1530. Les blocages d'une production rigide, incapable d'augmenter, fonctionnent comme autant de coups d'arrêt à ce foisonnement humain. Celui-ci nourri par une forte natalité n'en persiste pas moins, mais la courbe ascensionnelle s'arrête parfois du fait des famines et des épidémies. 13 famines générales accablent le royaume entre 1520 et 1600 sans compter les « mortalités » locales qui conduisent au tombeau des dizaines de milliers d'individus, enfants, hommes et femmes. Provoquées, on le sait, par une suite de mauvaises récoltes, elles-mêmes dues aux aléas climatiques, ces crises de subsistances scandent tragiquement la vie des Français des XVIe et XVIIe siècles. Or les conditions atmosphériques se font plus ingrates dans les deux dernières décennies du siècle ; le « petit âge glaciaire » évoqué par Emmanuel Le Roy Ladurie [1] entraîne hivers froids, étés pluvieux avec gel précoce des semences ou tardif des jeunes tiges et donc pourrissement et maturation retardée. Parmi ces crises particulièrement meurtrières, citons celles de 1529-1530, 1538-1539, 1562-1563, 1573-1574, 1585-1588, 1593...

Le pain incertain.

Le mécanisme de ces famines soigneusement démonté par les historiens économistes vaut cependant que l'on s'y arrête pour les conséquences sociales qu'elles engendrent.

Une famine provoquée par deux ou trois mauvaises récol-

1. Le Roy Ladurie Emmanuel, *Histoire du climat depuis l'an mil*, Paris, Flammarion, coll. « Champs », 1983, 2 vol.

tes céréalières consécutives produit ses effets d'abord dans les campagnes. Pris à la gorge par les exigences incontournables des redevances, le paysan conserve pour sa propre consommation une part résiduelle. A peine les épis sont-ils moissonnés que surgit le fermier du curé, de l'abbé ou de l'évêque décimateur qui prélève une gerbe sur 12 ou une gerbe sur 8 (dans le Midi) ; lorsque sur l'aire, mulets, chevaux ou bœufs tirent la pierre en forme de roue qui libère le grain de son enveloppe, le propriétaire ou son intendant attentif regarde, comptant les sacs afin de les partager selon les termes du bail de métayage. Ailleurs, dans le nord de la France, le producteur apporte au marché voisin partie de sa récolte pour acquitter le prix annuel de son fermage en argent, alors que dans tout le royaume le paysan vend quelques sacs de céréales pour payer les impôts royaux. Lorsque est mise de côté la part destinée à la semence de l'automne et du printemps prochains, les réserves dévolues à la nourriture familiale, reposant avant tout sur le pain, se réduisent d'autant que la récolte est mince. Lorsque l'agriculteur cultive ou possède en propre une propriété suffisamment vaste, il peut tenir le temps de deux ou trois mauvaises moissons ; celui qui, comme c'est le cas le plus fréquent, ne détient qu'un lopin étriqué se trouve contraint d'emprunter du grain pour la semence ou pour la subsistance, de l'argent pour les impôts. Très vite, il ne peut rembourser et doit céder une portion de ses terres au prêteur ; phénomène banal dans les sociétés rurales que l'on retrouve de nos jours en Inde ou au Pakistan. Souvent, épuisées les ressources des champs, mangé le pain d'herbes, d'écorce, de fougère, le paysan, à bout de dénuement, rongé par la faim, gagne avec sa famille la ville où il espère vendre son bétail encore vivant, profiter des distributions charitables, travailler contre un bol de soupe, enfin, mendier.

Ici, à l'abri des murs, la disette puis la famine ne s'installent que plus tard. Les signaux d'alarme se perçoivent par les femmes ; allant quérir au marché du grain pour cuire leur pain, ou l'achetant chez le boulanger, elles trouvent les prix bien élevés. En quelques jours le blé-froment, l'avoine, le méteil, autant de céréales panifiables, doublent, triplent, quadruplent, atteignant des chiffres inabordables pour un budget moyen. Les couches populaires des manœuvres, gagne-deniers, compagnons, celles petites-bourgeoises des artisans, voire de la basse magistrature ou de la marchandise, s'appauvrissent, réduites à la survie par le seul achat du pain quotidien. En revanche, ceux qui possèdent quelque capital pratiquent des achats massifs dans le même temps que ceux qui détiennent des réserves les conservent jalousement, les uns et les autres se proposant de les vendre lorsque la hausse atteindra son maximum.

Durant la période de soudure avant que ne soit moissonnée la nouvelle récolte, c'est-à-dire durant le printemps et le début de l'été, la situation en ville s'aggrave considérablement. Certes, les autorités municipales portent tous leurs efforts sur l'approvisionnement des marchés. Dans les villes de parlement, celui-ci multiplie les arrêts interdisant le stockage des grains, prescrivant même des visites domiciliaires. A Paris, ville royale à l'épiderme fragile du fait de son énorme population, les différents pouvoirs font acheter des céréales panifiables dans de lointaines provinces plus épargnées et même dans les pays étrangers. La monarchie promulgue des édits interdisant l'exportation du blé français, les états provinciaux font de même à l'intérieur de leurs ressorts respectifs. Peu de résultats, sinon à Paris, où les habitants connaissent moins la famine qu'ailleurs, excepté pendant le siège mené en 1589 et 1590 par Henri III puis Henry IV afin de réduire la ville ligueuse. Les hôpitaux regorgent de malades, les gens mangent n'importe quoi, souffrent de maladies intestinales, périssent d'inanition ; les femmes, lorsqu'elles sont enceintes, perdent leur fruit et, du fait de la faiblesse de leur organisme, ne peuvent plus concevoir. Le curé enregistre les morts, ajoutant parfois un commentaire désespéré lorsque le décès concerne l'un de ses paroissiens ; nombre d'errants, étrangers à la ville, n'ont même pas l'honneur de cette inscription au livre des sépultures ; anonymes, ils sont jetés sans sacrement dans la fosse commune ou périssent dans un fossé du grand chemin.

La mortalité creuse un trou béant dans la population jusqu'à sans doute plus d'un million de morts ; elle provoque ensuite le phénomène des classes creuses puisque cette année-là peu de naissances ou de conceptions s'effectuent ;

mais la vie reprend, et les vides rapidement comblés font que durant tout le siècle et encore au suivant la population française connaît une stabilisation à un niveau élevé, celui de 1340, d'avant la Peste Noire, autour de 18 millions d'habitants. Même les guerres n'ont, semble-t-il, pas affecté ce capital humain qui fait du royaume le pays le plus peuplé d'Europe. Ce « monde plein » que remplit constamment l'excédent des naissances n'en subit pas moins de plein fouet les répercussions de ces crises de subsistances propres à toutes les sociétés rurales figées, « froides ».

La condition paysanne.

Dès le deuxième tiers du XVIe siècle, les campagnes connaissent une situation contradictoire où l'effet de surpopulation se conjugue à celui des crises de subsistances pour bouleverser un équilibre péniblement reconstitué depuis le milieu du XVe siècle.

Dans les toutes premières années du XVIe siècle, les paysans, immense majorité de la population, possèdent l'essentiel des terres du royaume. Ce sont des tenures consolidées sur lesquelles pèsent des droits seigneuriaux plus ou moins lourds selon les régions. Au nord d'une ligne tendue de Bordeaux à Genève ceux-ci sont lourds mais, sinon en Bourgogne, en Bretagne et en Auvergne, n'entament pas le revenu paysan autant que l'on a bien voulu l'écrire trop souvent. Le cens demeure très symbolique de l'ancien pouvoir seigneurial ; en revanche, les banalités, les corvées en travail ou en charroi, les champarts arrivent à peser sur le budget de l'exploitant. Le sire de Gouberville, qui tient domaine dans les environs de Cherbourg, s'arrange pour faire moissonner sa réserve par ses censitaires, usant ainsi de son droit de corvée, et il afferme à bon prix le moulin banal où les sujets de la seigneurie doivent obligatoirement porter le grain à moudre ; cependant, les terres qu'il possède en propre pourvoient presque entièrement à son autoconsommation. Ici une seigneurie parfois pesante, souvent tracassière, là dans le Midi en revanche une seigneurie plus légère, parfois absente car les alleux sont plus nombreux. Emmanuel Le Roy Ladurie calcule qu'en 1480 autour de Montpellier un hectare de terre paie 6 sous de censive annuelle, somme négligeable d'autant qu'elle est ridiculisée par l'inflation séculaire, au point qu'après 1570 ces 6 sous représentent seulement 1 % de la récolte brute.

Pour propriétaires qu'ils soient, les paysans ne le sont pas tous au même titre. Pour autant que l'on puisse cerner ce monde complexe et, contrairement à ce que l'on croit, très mouvant au cours de ce siècle, une distinction s'opère entre trois grands groupes. Les petits propriétaires sont de loin les plus nombreux. Possesseurs d'un hectare ou deux, accrochés au jardin paysan, ils ne peuvent joindre les deux bouts qu'en louant leur force de travail ; ils sont brassiers, manouvriers, artisans à domicile, parfois métayers. Les études de Jean Jacquart en Hurepoix [1], celles de Pierre Goubert en Beauvaisis [2] prouvent que, dans ces « pays », les trois quarts de la paysannerie appartiennent à cette masse de propriétaires parcellaires. La crise, surtout à partir de 1560, les frappe durement, les contraignant à s'endetter puis à errer faute de pouvoir garder leur lopin.

Les possesseurs d'une plus vaste étendue, entre 3 et 10 hectares dans le Bassin parisien, entre 7 ou 8 et 20 hectares dans le Midi aquitain ou méditerranéen, prennent en location — fermage ou métayage — une dizaine ou une vingtaine d'hectares supplémentaires. Pour cultiver cet ensemble, ils détiennent des animaux de traits et un train de charrue ou d'araire. Ils peuvent arriver à vivre si la conjoncture leur assure de bonnes récoltes, mais celle-ci se détériore dès les années 1520-1530, et cette détérioration, à laquelle viennent s'ajouter les troubles des guerres de Religion, les contraint à s'endetter, laissant aller parcelle après parcelle leur propriété dans les mains des acheteurs la plupart du temps non exploitants.

Enfin, la dernière catégorie, la plus mince en nombre des gens de la terre, englobe les grands propriétaires. Peuvent être ainsi dénommés ceux possédant de 15 à 20 hectares et au-delà dans le Bassin parisien, ceux possédant dans le Midi

1. Jacquart Jean, *La Crise rurale en Ile-de-France, 1550-1670*, Paris, Colin, 1974.

2. Goubert Pierre, *Beauvais et le Beauvaisis de 1600 à 1730*, Paris, EPHE, coll. « Démographie et sociétés », 1960.

de 25 à 30 hectares, et que l'on appelle ici *pagés* ou *ménagers*. Parfois opulents, souvent à leur aise, ces agriculteurs sont à l'abri des mauvaises récoltes, car ils protègent leurs arrières. Souvent ils pratiquent un second métier lucratif et deviennent par exemple marchands. Trafiquants de blé et de céréales, il leur arrive même de s'enrichir en vendant au prix fort dans les périodes de pénurie. Tenant une auberge, un cabaret, une tuilerie, un moulin, ils s'offrent une manière de suprématie sur leurs semblables moins chanceux. Enfin, faisant fabriquer à domicile toiles et étoffes de laine, ils occupent un marché local, voire régional, entrant en relation avec le négociant de la ville. Cette bourgeoisie rurale ne se laisse pas d'avoir le sens des affaires, prenant en fermage les réserves des seigneuries, leurs droits sur les censives ou affermant les dîmes des abbayes, monastères, évêchés, et même celles afférentes à de simples cures. Ces laboureurs possèdent dans leurs écuries ou leurs étables des animaux de trait, chevaux ou bœufs qu'au cas échéant ils louent à plus dépourvus. Ils n'hésitent guère à envoyer leurs fils aux écoles, celle du village d'abord, plus tard au collège, moyen éprouvé de l'ascension sociale qui permet de fuir le monde des champs.

Ce tableau simplifié d'une société paysanne ne peut rendre compte des disparités. Elles sont innombrables du Nord au Sud, de l'Est à l'Ouest, car la France est un royaume où la géographie et l'histoire se combinent pour créer une multiplicité de « pays » différents où la condition et le statut des paysans ne se ressemblent pas. Au solide laboureur de la Beauce dont le dressoir aligne fièrement les étains s'oppose le misérable métayer breton sous le joug d'un seigneur parfois besogneux et d'autant plus exigeant. Il faut donc s'en tenir à des généralités à défaut de décrire village après village.

La conjoncture du siècle, nous l'avons dit, se révèle néfaste pour les paysans, du moins pour les petits et les moyens propriétaires. Le terme de prolétarisation rurale ne paraît pas en l'occurrence trop fort. Les causes de ce cycle défavorable s'imbriquent étroitement, se renforçant l'une l'autre d'une manière parfois tragique. La surpopulation des campagnes déjà évoquée conduit dans les provinces où les droits successoraux sont égalitaires (en Normandie, dans le Bassin parisien) à un émiettement des héritages. Dans le Midi, la pratique du droit romain réserve au fils (souvent l'aîné) la terre à peine entamée par la dot de la fille et le faible dédommagement proposé aux cadets. L'endettement conduit à la vente des lopins ; le paysan, par le mécanisme bien huilé qui se retrouve de nos jours dans les pays en voie de développement, emprunte du grain pour ensemencer ou pour consommer, de l'argent pour les impôts, engageant ainsi ses terres. La dette grossit, et le débiteur en vient à saisir pour se rembourser de ses avances.

Cet endettement paysan est à notre avis très largement aggravé par les effets désastreux des guerres de Religion. Dans leurs allées et venues les gens de guerre, qu'ils appartiennent aux armées officielles catholiques ou protestantes ou aux bandes officieuses levées par un capitaine de fortune pillent, ravagent, violent, tuent, rançonnent. Les récits des contemporains par tradition catastrophiques sur leur temps suscitent l'émotion par leur sincérité. Le chroniqueur Claude Haton, curé de Provins, prend l'habitude de nommer les nobles protestants ou catholiques les « gentils-pilhommes [1] » ; Pierre de L'Estoile, que l'on connaît attaché à conter les coulisses de la ville et de la cour, n'en relate pas moins les excès de soldats levés par des chefs de hasard dans le Blésois, la Champagne et la Picardie [2]. Les paysans, las de subir les exactions, se soulèvent, comme en Dauphiné en 1579, ou en Périgord et en Limousin en 1594, et refusent de payer les charges fiscales par quelque bord qu'elles soient imposées. Ou, épuisés de privations, ils viennent grossir les troupes de vagabonds, d'errants dans lesquelles la guerre ininterrompue puise sa ration de gens de pied.

La redistribution de la propriété.

Cet important processus où se combinent abandon et vente des parcelles provoque une redistribution dans la possession du sol. La grande propriété progresse dans le royaume aux

1. Haton Claude, *Mémoires contenant le récit des événements accomplis de 1553 à 1587*, éd. Félix Bourquelot, Paris, Imprimerie nationale, 1857, 2 vol.

2. L'Estoile Pierre de, *Journal de... pour le règne d'Henri III (1574-1589)*, éd. Louis-Raymond Lefèvre, Paris, Gallimard, 1943.

mains des « rassembleurs de terre ». La noblesse, lorsqu'elle n'est point trop besogneuse, achète labours et bois. Au sommet de la gentilhommerie, les grandes familles ne laissent pas de joindre leurs hautes fonctions de l'État royal à une activité d'acquisition foncière. Anne de Montmorency gère avec exactitude une fortune terrienne dont le revenu annuel se situe autour de 140 000 livres entre 1560 et 1564, ce qui permet d'évaluer le capital à environ 3 millions de livres ; l'augmentation est considérable si l'on compare avec le capital de 250 000 livres dont jouissait en 1522 Guillaume, le père du connétable. Plus modestes, les hobereaux de province ne manquent pas d'être gagnés par la convoitise de la terre. Gilles de Gouberville note au long de son livre de raison les patientes acquisitions ainsi opérées [1]. En Gâtine poitevine, les gentilshommes s'occupent tout au long du XVIe siècle à réunir les lopins aux mains des tenanciers, faisant jouer à cet effet le retrait féodal, et dissolvent de la sorte les petites exploitations pour constituer de nouvelles unités plus vastes dépassant les 15 hectares et pouvant atteindre 100 hectares [2]. Ces métairies sont données à diriger à un fermier ou à un métayer qui peut, selon les dimensions des terres, faire figure d'entrepreneur de culture, dominant une plèbe de paysans, petits exploitants endettés ou journaliers agricoles misérables. Aussi trouve-t-on autour de Niort, Parthenay, Cholet, Bressuire, une noblesse qui se maintient propriétaire de ses terres jusqu'en 1789.

Dès le début du siècle, la bourgeoisie urbaine investit massivement dans les campagnes le profit obtenu du négoce, les gages payés par le roi, les bénéfices tirés de l'usure. Certes, la noblesse vend ses propriétés et ses rentes, mais probablement moins qu'on ne l'a écrit ; les vendeurs demeurent surtout les paysans en proie à l'endettement et victimes de la cession forcée. Les officiers royaux se montrent gourmands de parcelles même minuscules. La grande robe parisienne accapare patiemment les tenures autour de la capitale mais

1. Foisil Madeleine, *Le Sire de Gouberville : un gentilhomme normand au XVIe siècle*, Paris, Flammarion, 1986.

2. Merle Louis, *La Métairie et l'Évolution agraire de la Gâtine poitevine de la fin du Moyen Age à la Révolution*, Paris, SEVPEN, 1958.

aussi les seigneuries[1] ; les conseillers des cours souveraines de Bordeaux, Aix, Toulouse, Grenoble, Rennes et Rouen ne sont pas en reste. Notaires, avoués, procureurs de plus mince envergure juridique trament dans les bourgs et les villes la toile d'araignée dans laquelle vient se prendre immanquablement le rustre aux abois. Ce procureur au parlement de Dijon achète, entre 1527 et 1529, 22 parcelles de 10 propriétaires différents, se constituant dès lors un domaine de 60 hectares. Les hommes de la marchandise, grands négociants ou gens aux horizons plus limités, pallient les incertitudes du trafic par des achats fonciers. Vezian d'Anthenac, commerçant le pastel à Toulouse, acquiert en 1553 environ 8 hectares de terre au cours de 12 opérations diverses. Le phénomène se répercute ainsi des couches supérieures de la société jusqu'aux plus modestes, puisque maintes fois les artisans se trouvent chez le notaire pour acquérir une parcelle provenant d'une propriété paysanne démantelée par la démographie trop généreuse, par la crise économique et sociale.

Aussi voit-on dans les campagnes françaises une transformation lente dans les premières décennies du XVIe siècle, puis rapide dès le début des troubles religieux. Peu à peu, la moyenne propriété paysanne pulvérisée s'estompe pour céder la place à une foule de micropropriétés, ne dépassant pas un hectare, et à de grands domaines appartenant souvent à des bourgeois au sens étymologique du terme, c'est-à-dire des habitants des villes. Ces lopins se trouvent du fait de la conjoncture d'une extrême fragilité ; derniers recours d'une paysannerie prolétarisée, ils finissent à leur tour par être vendus, laissant le possesseur au hasard de louer sa force de travail, d'errer sur les routes ou de grossir les rangs des bandes protestantes ou catholiques.

L'accroissement de la pauvreté paysanne.

Cette désagrégation du monde paysan autorise l'entrée des gens de ville dans cet univers traditionnel. Les nouveaux propriétaires, qu'ils soient nobles, robins ou marchands, consi-

1. Bezard Yvonne, *La Vie rurale dans la région parisienne de 1450 à 1560*, Paris, Firmin-Didot, 1929.

dèrent leurs domaines comme un investissement qui doit rapporter. Hors les plaines du Bassin parisien où le fermage est de règle, ils préfèrent mettre leurs terres en métayage, bail à mi-fruit comportant des clauses de paiement du loyer en nature, en travail et en charrois. Alors qu'au XVe siècle, et dans les trente premières années du XVIe siècle par souci de mettre en valeur les terroirs dans une société où l'homme est encore rare, ce métayage est « doux », favorable au preneur exploitant, il devient, au fur et à mesure que le siècle s'écoule, « dur », exigeant, laissant peu de place à l'initiative de l'exploitant, et surtout peu de chances d'améliorer ses conditions de vie et de grimper dans l'échelle sociale. Aux alentours de 1600, le célèbre agronome protestant Olivier de Serres dispense avec verve ses conseils éclairés aux propriétaires désireux de tirer le maximum de leurs domaines ; il propose donc de partager strictement les gains à moitié, tout en laissant aux métayers le soin d'assurer certaines dépenses, notamment celles occasionnées par les gages des journaliers qui aident aux semences, sarclages et moissons, par l'entretien du « bétail de labeur », le renouvellement du « fer pour les socs ».

Le fisc royal, malgré la désorganisation de l'État qui s'accélère en partie par la montée en puissance de la Ligue dès 1585, ne se fait pas moins prégnant ; les tailles royales sont multipliées par deux durant le demi-siècle de troubles civils et religieux, même si elles ne sont pas toujours prélevées au profit du gouvernement. Aux côtés des collecteurs — disons officiels ! — interviennent dans les communautés rurales les exacteurs de l'un et l'autre parti prélevant pour leurs besoins propres. La guerre à l'état endémique ou patent exige des paysans des dépenses inhabituelles telles que la mise en défense du village, la nourriture et le logement des gens de guerre appartenant ou non aux armées régulières. Elle désorganise les foires et les marchés, favorise les pillages et les destructions, contribue à la hausse des prix. Certes, celle-ci profite à l'agriculteur qui dispose d'un surplus négociable, mais bien peu se trouvent dans cette position favorable.

Sans doute tout n'est-il pas d'un noir absolu dans cette situation largement catastrophique. Le désordre général autorise un retard dans le versement des rentes et parfois des impôts. Mais les autorités interviennent dans la mesure de leurs moyens effectifs en faveur des ayants droit ; le Parlement de Paris comme celui de Toulouse appuient les revendications de l'Église qui se voit frustrée des dîmes lorsque les paysans, non pas seulement sous l'influence de la Réforme, refusent de les payer, en 1560, 1561, 1562 et jusqu'en 1567. La dureté des temps (mauvaise période climatique, engorgement démographique, ravages de la guerre) profite surtout aux possesseurs du sol, propriétaires nobles ou non qui exercent leur domination d'employeurs sur un prolétariat rural trop nombreux. La seigneurie, fragilisée par la guerre de Cent Ans, reconstituée peu ou prou au XVe et au début de ce siècle, se porte plutôt bien ; elle conserve son influence humaine et économique si même elle ne l'accroît pas au long des troubles civils et religieux. En Ile-de-France, elle connaît même, nous dit Jean Jacquart, une appréciable réorganisation. En Poitou, le rassemblement de terres se fait par le jeu du retrait féodal autour du fief : le noble devient le propriétaire de ses anciennes tenures et les tenanciers se trouvent désormais être métayers. Même si les maîtres des prés et des labours subissent le contrecoup des mauvaises récoltes et donc essuient une baisse des rentes en nature et même en argent lorsqu'il s'agit du fermage, ils ont d'autres ressources pour subsister. Ceci n'est pas le cas des paysans. Sauf, bien entendu, ceux qui, disposant de propriétés suffisantes (plus de 15 hectares dans le Nord, plus de 25 dans le Sud), sont à même de vivre sans emprunter et de pouvoir supporter le choc d'une ou plusieurs années de mauvaises récoltes. Ceux-là, laboureurs ou ménagers, se détachent de plus en plus de la piétaille misérable, constituent une bourgeoisie rurale intermédiaire entre le monde des villes et celui des campagnes. Ils sont en Poitou fermier général du grand propriétaire qu'il soit noble, marchand ou officier ; ils sont fermiers des vastes domaines constitués dans le Bassin parisien, accroissant les revenus tirés de leurs propres terres du ramassage des dîmes ecclésiastiques, du commerce de grains ou de bétail, de l'exploitation de forges, tuileries, tonnelleries. Souvent, ils rachètent les lopins des agriculteurs appauvris de leurs paroisses, arrondissant ainsi les héritages.

Cette bourgeoisie tend à la fin du siècle à dominer la communauté rurale, qui pourtant connaît durant les guerres de Religion de belles heures, car l'union s'affirme nécessaire contre gens de guerre et brigands. Elle se fait solidaire et complice des nouveaux maîtres du sol cherchant à accroître ou à consolider leurs domaines aux dépens des droits immémoriaux de la collectivité paysanne. Par leur volonté, la coutume de la vaine pâture, héritage d'un communisme agraire primitif, est battue en brèche; d'abord prohibée dans certaines parties du terroir, que ce soient prairies, olivettes, vignes, vergers, elle se heurte bientôt aux clôtures de haies, de branches ou de fossés enserrant les labours. Certes, le mouvement n'atteint pas la rapidité et la précision qu'il connaît en Angleterre, mais il s'instaure dès le règne d'Henry IV. D'autre part, ruraux ou bourgeois, ces nouveaux maîtres du sol, ne laissent pas d'être tentés par les communaux; bois, landes ou friches, par usurpation, par ruse ou par achat, sont ainsi achetés aux collectivités désargentées, privant donc les pauvres et les moins pauvres d'un complément de revenus millénaire.

Ainsi va la dislocation d'un monde paysan qui, dans les années 1480-1520, avait atteint un équilibre relatif. L'apparition d'une couche nouvelle de cultivateurs sans terre signale la rupture de cette cohésion. Journaliers, manouvriers, ils travaillent sur les grands domaines ou encore louent leurs bras aux métayers le temps des semailles, des fenaisons, des moissons et des vendanges. Métayers, ils ont déjà plus de chance, car, pour l'être, il faut justifier d'un apport en grains ou en argent, en bêtes de travail. Cependant, pour les premiers comme pour les seconds, les aléas de la production réduisent facilement à la misère. Ceux des montagnes descendent vers la plaine, ainsi les Cévenols vers le Languedoc, les Dauphinois vers la vallée du Rhône. D'autres quittent franchement le royaume pour gagner l'Espagne ou l'Italie, ainsi ces paysans des pays de l'Aude émigrent en Catalogne, las de la pauvreté et des ravages des soudards.

Les révoltes.

Cet appauvrissement généralisé ne va pas sans soubresauts de révolte, sans cris de haine. Comme ils l'ont fait en Guyenne en 1548, les paysans se révoltent contre leurs oppresseurs.

Dans les années 1560, le refus de payer les dîmes accompagne les progrès de la Réforme. En 1579-1580, le Dauphiné connaît une jacquerie dont le carnaval de Romans ne constitue qu'un des épisodes tragiques ; en 1590, c'est au tour des « Gauthiers » du Perche et du Bocage normand ; en 1592, en Comminges, les gens du plat pays forment une ligue qu'ils appellent « campanères » ; quelques années plus tard, en 1594 et 1595, l'insurrection s'étend sur une aire plus vaste encore en Quercy, Marche, Agenais, Saintonge, espace fragile qui, au XVIIe siècle, s'enflammera ensemble ou partiellement maintes fois encore [1]. Ces soulèvements nous apparaissent, aussi clairvoyant que puisse être un observateur de la fin du XXe siècle, lucides et mieux aptes à saisir les responsables de la détresse paysanne que les mouvements plus univoquement dirigés contre le fisc royal. Les grèves du paiement décimal [2] affectent la vallée de la Garonne et le Languedoc, régions où le prélèvement ecclésiastique pèse lourdement sur les récoltes, puisqu'il peut atteindre jusqu'à 12 % de la production céréalière, mais aussi la Saintonge et la Normandie. Suivant Monluc, on a beaucoup dit que les ministres protestants, dénonçant les dîmes, cherchaient à engager la barque protestante en eau profonde ; localement, le trait peut être tenu pour véritable, mais l'on peut prêter aux fidèles des paroisses rurales une suffisante lucidité capable de discerner l'usage non évangélique du dixième des fruits agricoles. Emmanuel Le Roy Ladurie, évoquant cette résistance à l'impôt de l'Église, en mesure les effets sur les revenus de l'institution, mais celle-ci, dans l'immense flot de plaintes et de récriminations qu'elle produit au Conseil royal après 1598, grossit démesurément les pertes et les destructions subies pendant les guerres de Religion. Renâclant contre la dîme, les paysans en colère n'en distinguent pas moins d'autres ennemis. Le fisc royal paraît bien être l'adversaire numéro un des mécontents à la fois paysans et gens des villes lorsque, en

1. Bercé Yves-Marie, *Histoire des Croquants*, Paris, Éd. du Seuil, 1988, et *Croquants et Nu-pieds*, Paris, Gallimard-Julliard, coll. « Archives », 1974.

2. Le Roy Ladurie Emmanuel, *Paysans du Languedoc*, Paris, SEVPEN, 1966, 2 vol.

1579, ils se soulèvent en Dauphiné. Quoique les doléances soient adressées aux États de la province en forme traditionnelle, la révolte prend des aspects violents de jacquerie [1]. On réclame plus de justice dans l'assiette de la taille, que les privilégiés nobles paient la taille pour leurs biens roturiers, que les rôles des taxes prélevées depuis vingt ans soient révisés par des contrôleurs choisis par le tiers état de l'assemblée provinciale. Au passage, on s'élève contre la charge que représentent les garnisons nombreuses en ces régions de passage, contre l'administration de la gabelle par des agents étrangers à la province, contre la manière dont sont levés rentes et droits seigneuriaux. Les mécontents proposent même que les impôts supplémentaires exigés par la royauté ne puissent être levés « sans le consentement du peuple ». En 1594-1595, les Tards Avisés ou Croquants réclament certes contre le fisc, mais s'élèvent tout autant contre les exactions de la noblesse tant protestante que catholique, allant jusqu'à refuser de travailler leurs terres. Comme leurs semblables dauphinois, ils se constituent en « tiers état du plat pays », désignent un avocat qui dépose sur le bureau des états du Périgord leurs revendications. Henry IV, soucieux d'apaiser le soulèvement, remet dès le mois de mai 1594 les arriérages des tailles tout en mettant les croquants en demeure de déposer les armes. Ceux-ci restent sur pied jusqu'en 1595, finissant par être écrasés le 26 août 1595 à Saint-Crépin d'Auberoche, dans l'actuel département de la Dordogne, par une troupe composée de nobles de la province.

L'épidémie de sorcellerie.

D'une autre manière, la flambée de sorcellerie qui se projette sur le devant de la scène européenne et donc française dès la seconde moitié du XVIe siècle atteste de cette rupture de l'équilibre rural. Certes, le phénomène décrit en maints

1. Le Roy Ladurie Emmanuel, *Le Carnaval de Romans, de la Chandeleur au mercredi des Cendres, 1579-1580*, Paris, Gallimard, 1979. Voir aussi Jacquart Jean, « Immobilisme et catastrophes, 1560-1660 », in *Histoire de la France rurale*, sous la direction de Georges Duby et Armand Wallon, Paris, Éd. du Seuil, 1975, p. 340-341.

ouvrages par Robert Muchembled[1] apparaît complexe et rampant, mais il revêt à cette époque une importance majeure, tant pour les campagnes que pour les élites urbaines. Sorciers et sorcières détenteurs des secrets de la magie blanche, guérisseurs des pauvres, dotés de pouvoirs mystérieux par la communauté, tous vivent et agissent depuis des siècles à l'intérieur de celle-ci. Craints, sollicités, tenus en lisières, ils n'en constituent pas moins une figure familière. Peu à peu, ils deviennent boucs émissaires, responsables des « malheurs du temps », agents de ces changements néfastes que les mentalités traditionnelles ne peuvent expliquer qu'en termes de mauvais sort, de punition et de vengeance divines. Sorciers et sorcières représentent dès lors ceux qui doivent périr pour que vivent la paroisse, le village, le bourg rural. A la prise de conscience des fauteurs du désordre, il fallait une étincelle. Elle vient de la ville où, depuis la fin du XVe siècle, des intellectuels, clercs ou laïcs, s'appliquent à dénoncer les entreprises maléfiques de subversion du monde terrestre et divin par les puissances sataniques dont les femmes surtout sont les propagatrices. Nommons ici le *livre*, celui dont le nombre d'éditions au XVIe siècle (25 entre 1486 et 1600) atteste le nombre de lecteurs, celui que les juges civils ou religieux compulsaient avant et pendant les procès de sorcellerie, *Le Marteau des sorcières*, rédigé en 1486 par deux inquisiteurs dominicains, Henry Institoris et Jacques Sprenger. Il s'agit bien du « manuel de base du chasseur de sorcières », ces êtres voués à Satan que les bons esprits incitent à détruire comme autant d'ombres menaçantes obturant le champ clair de leur jeune raison[2] et de leur culture supérieure. Bien d'autres facteurs interviennent qui expliquent cette immixtion des juges de la ville dans ce monde traditionnel de la nature où jusqu'alors les paysans évoluaient à l'aise. Volonté des élites s'implantant à la campagne de la mater, de l'aligner par la *force*, passion de dominer les puissances obscures, irrationnelles,

1. Delumeau Jean, *La Peur en Occident*, Paris, Fayard, 1978, chap. 11 et 12, et Muchembled Robert, *La Sorcière au village*, Paris, Gallimard-Julliard, coll. « Archives », 1979.

2. Institoris Henry et Sprenger Jacques, *Le Marteau des sorcières*, Grenoble, Jérôme Millon, 1990.

toujours présentes en chaque homme et avec lesquelles les ruraux vivent depuis des millénaires en bonne intelligence, désir des médecins comme des agents de la justice royale de se saisir de cette obscure réalité qui grouille aux portes des cités, pour y distiller son savoir et sa loi. Bref, le bourgeois nanti du *Marteau* apparaît qui suscite la dénonciation. Ce faisant, les dénonciateurs éprouvent l'âcre jouissance de défendre leur espace, de regrouper les rangs contre un adversaire commun, de gommer le fossé qui, séparant les coqs de village des brassiers, tranche désormais au vif le tissu social des labours et des bois.

Prise dans cette alliance aussi délétère qu'involontaire, la sorcière ne peut que subir le sort à elle promis par Institoris et Sprenger, la mort par le feu purificateur. Mais elle ne quitte pas le champ sans chercher à son tour quelque revanche que lui autorisent ses dernières gouttes de vie, à son tour elle dénonce : voisins, voisines, parents, elle les a vus rencontrer un homme, un renard, un animal le soir dans un pré, elle les a vus toucher furtivement cet enfant qui subitement mourut, elle les a vus se glisser dans l'étable qui quelques jours après devint le tombeau d'un bétail brutalement frappé. Le juge se rend à nouveau au bourg rural, fait comparaître et interroge les témoins, procède à des arrestations et retourne parfaire le beau et le bon procès dont rêve chacun des magistrats en chacun des sièges du royaume. Rapports névrotiques, alliance malsaine entre la ville et la campagne dont les victimes par centaines sont condamnées aux flammes. L'enjeu inégal de ce combat de la culture contre la nature, s'il ne reconstitue pas l'unité primitive de la communauté rurale définitivement rompue, appartient aux citadins qui en pourchassant à mort sorcières et sorciers acquièrent la certitude d'avoir abattu les agents d'un anti-monde irrationnel et magique, et d'avoir à tout jamais éteint en eux les traces de mystères, d'instincts, de croyances obscures et de savoir atavique. L'homme de la ville se dresse désormais, libre de ses liens passés avec le monde naturel, éclairé par la lumière crue de la raison précartésienne, impitoyable à détruire ceux qui font obédience à d'autres formes de connaissance.

La détérioration des rapports sociaux dans les villes.

Le peuple des villes n'est guère moins épargné que celui des campagnes par la mauvaise conjoncture du siècle où surpopulation, hausse des prix et crises de subsistances se mêlent pour provoquer une prolétarisation des salariés et, dans certains cas, des artisans.

L'évolution n'est cependant pas linéaire, elle comporte des paliers. De 1490 aux années 1520-1530, l'inflation, on s'en souvient, est modérée ; elle aide la production industrielle et le commerce sollicité par l'ouverture de nouveaux marchés intérieurs et extérieurs. Les producteurs, qu'ils soient marchands-fabricants, simples artisans, ou apprentis et compagnons, connaissent un niveau de vie correct. La situation se dégrade après 1530 lorsque les crises de sous-production agricole se multiplient, provoquant flambée des prix des céréales et du pain alors que la hausse soutenue des prix ronge le salaire réel. Cependant, l'essor industriel se maintient alors qu'après 1570 il se ralentit considérablement du fait de l'appauvrissement des salariés touchés par l'énorme augmentation des prix agricoles et le chômage.

A l'intérieur de ces phénomènes de grande amplitude s'opère une transformation des rapports de production. Le développement d'un secteur pris en charge par les méthodes du capitalisme commercial s'affirme, voire progresse. Le négociant ou marchand-fabricant fournit aux artisans, qui peuvent être aussi des paysans, travaillant à domicile matière première et parfois outils. Il centralise ensuite le produit fini pour le vendre dans le royaume ou à l'extérieur. Pour les paysans, cette manufacture rurale constitue un apport en argent salvateur puisque, nous dit Pierre Goubert, elle représente la principale activité secondaire. En revanche, les artisans des villes travaillant pour le négociant perdent leur indépendance, car ils sont transformés en salariés soumis aux commandes. Souvent même, ils deviennent étroitement liés à ce marchand par un jeu complexe de dettes comparable en quelque sorte à l'infernal réseau qui étreint le paysan pauvre. Ainsi à Lyon, les canuts, récemment encore maîtres-artisans, passent sous le contrôle des négociants ; seuls ceux-ci disposent d'une assise pécuniaire capable d'assurer un approvisionnement en matières premières terriblement onéreuses telles que fils d'or, d'argent, de soie, destinés à fabriquer ces tissus somptueux qui enchantent les peintres [1]. De la même manière s'organisent la draperie normande, la sayetterie d'Amiens, la toilerie bretonne. Dans les secteurs ainsi organisés, la production demeure florissante jusqu'en 1570 environ et ne connaît qu'ensuite un marasme provoqué par les troubles religieux et politiques, et par l'appauvrissement des campagnes et des villes. Ainsi, à Amiens et dans son plat pays, 6000 sayetteurs fabriquent de 40000 à 50000 pièces de ce lainage léger. A Tours, vers 1550, 8000 métiers battent pour tisser la soie, alors qu'à la même date à Lyon 5000 salariés fabriquent des étoffes de soie ouvragées. L'imprimerie, dont nous connaissons déjà le développement exemplaire, exige un investissement coûteux en machines, papiers, caractères, formes, dans le même temps qu'elle demande une main-d'œuvre de typographes et de correcteurs hautement spécialisés aux salaires élevés. On comprend que la production de livres se concentre en quelques villes, Lyon, Paris, Rouen, qui distribuent dans tout le royaume et à l'étranger.

Au-delà de ces organisations de type précapitaliste, l'essentiel de la production est assuré par les artisans travaillant en famille ou avec l'aide d'apprentis et de compagnons, que ces artisans appartiennent à un métier libre ou à un métier juré ou corporatif (système le moins répandu). En ce domaine, il serait léger de sous-estimer l'autoproduction à la campagne comme dans les villages, tels le filage et le tissage des vêtements et du linge de maison, les travaux de forge, de maçonnerie, la fabrication du pain et celle des tuiles.

Les conditions conjoncturelles propres au XVIe siècle dont les maîtres mots sont inflation et croissance démographique induisent dans ces systèmes traditionnels et précapitalistes des rapports sociaux tendus et difficiles. Certes, le profit existe et avec lui l'ascension sociale, la marchandise alliée à la manu-

1. Gascon Richard, *Grand Commerce et Vie urbaine au XVIe siècle : Lyon et ses marchands (vers 1520-1580)*, Paris-La Haye, Mouton, 1971, 2 vol.

facture conduit plus ou moins rapidement à l'achat d'offices et à celui de terres nobles ou roturières permettant de mener un train de vie détaché des contingences mercantiles ; de toute manière, la hausse des prix profite à ceux qui vendent, agriculteurs disposant d'un profit, négociants n'ayant point de frais de production et de matières premières trop importants, artisans jouissant d'un savoir-faire rare comme les joailliers, pelletiers, argentiers. Mais l'immense majorité des producteurs, qu'ils soient maîtres de métier ou salariés, connaît dès le deuxième tiers du XVIe siècle des difficultés qui ne cessent de croître.

Jusqu'aux environs de 1565, avant la date charnière de 1570, les salariés ne connaissent pas une situation trop difficile. Non point que leurs revenus augmentent beaucoup, puisque l'abondance de la main-d'œuvre autorise les patrons à ne pas abandonner trop de terrain, mais ils suivent tant bien que mal la hausse des prix. Nombre d'ouvriers reçoivent le fruit de leur travail en nature (logement, vêtement, nourriture) complété par une partie en numéraire. Certes, ils subissent les contrecoups des crises de subsistances dont la fréquence augmente, car le maître-artisan, ne pouvant assurer la charge du pain quotidien trop élevée, les licencie sachant qu'il n'aura point de peine à les remplacer. En temps normal, ce mode de paiement protège les compagnons, manœuvres, gagne-deniers, de l'augmentation des prix. Certes, le chômage demeure, menaçant, mais la véritable détérioration matérielle s'opère après 1570 lorsque s'effondre le salaire réel en nature ou en argent et que les renvois se multiplient.

Crises, chômage et conflits du travail.

Pour nombre d'ouvriers et d'artisans cette détérioration des conditions de vie tant sur le plan matériel que sur le plan de la sécurité de l'emploi ne peut être compensée par une augmentation des heures de travail. En effet le catholicisme qui baigne cette société impose le rythme de son calendrier festif ; or les fêtes religieuses, liturgiques, paroissiales, votives ou corporatives imposent le repos, la fermeture de l'atelier-boutique, du chantier, de l'entreprise, et donc la perte du salaire. En moyenne annuelle les jours ouvrables se chiffrent à 5 par semaine, sans compter ceux dus aux intempéries saisonnières, en particulier pour les métiers du bâtiment. En 1539, lors de la grande grève des ouvriers imprimeurs lyonnais, l'une des revendications avancées demande que les ateliers soient ouverts les jours chômés et que le travail fait alors soit payé [1]. Sans que l'on puisse discerner ici ce qui tient du comportement religieux, car les compagnons du livre sont dans cette période proches des idées de la Réforme, et ce qui relève de la nécessité économique, remarquons cependant l'accent mis sur cette multiplication des fêtes catholiques.

Ponctuellement dégradée jusqu'alors, la condition des ouvriers et souvent de leurs employeurs maîtres-artisans devient catastrophique dès 1570. A cet égard, le cas de Lyon minutieusement étudié par Richard Gascon fournit un miroir valable pour les autres places industrielles et commerciales françaises. S'attachant à calculer le coût de la vie par rapport aux salaires réels entre 1535 et 1600, il démontre qu'à partir de 1570 ces derniers s'établissent de manière constante très largement au-dessous du premier, alors que, dans les décennies précédentes, ils ne l'avaient été qu'en 1563 et 1566. De cette situation souffrent essentiellement les manœuvres, les gagne-deniers payés à la tâche plus que les compagnons relativement protégés par leurs salaires en nature. Il s'ensuit ce tableau dramatique et limpide où sont mises en exergue les années durant lesquelles, pour certaines catégories de salariés, le seuil de pauvreté est franchi, c'est-à-dire que le salaire entier suffit à peine ou ne suffit pas à l'achat du pain quotidien.

	Compagnons	**Manœuvres**	**Gagne-deniers**
1475-1499	0	1	5
1500-1524	0	0	12
1525-1549	0	3	12
1550-1574	0	4	20
1575-1599	1	17	25

1. Hauser Henri, *Ouvriers du temps passé*, Paris, Alcan, 1909.

Les conséquences de cet appauvrissement progressif se révèlent redoutables pour la société française, et, qui plus est, de longue durée. Les conflits du travail dans une tonalité moderne se déroulent au début de cette évolution dans les villes où existe une élite ouvrière consciente de ses droits ; les grèves des compagnons imprimeurs de Lyon et de Paris ont à cet égard un aspect exemplaire. Ainsi à Lyon, haut lieu du livre dans le royaume, les ouvriers, qu'ils soient correcteurs, typographes, compositeurs, tireurs, constituent une société secrète qu'ils appellent le « Tric ». Sur le modèle des confréries, celle-ci possède des statuts, des chefs élus, se cimente d'un serment mutuel et de la promesse de quitter le travail dès qu'un compagnon aurait à se plaindre de son maître ; un fond de secours est prévu en cas d'urgence. La grande grève éclate en 1539 sur des motifs précis [1] ; les ouvriers se plaignent de la mauvaise nourriture, part effective du salaire réel, de l'augmentation dans chaque atelier du nombre des apprentis concurrençant les chances de travail des compagnons ; ils protestent enfin de la fermeture sans appel les jours de fêtes religieuses. La grève dure ; lorsque la caisse de secours mutuel est épuisée, les ouvriers s'inscrivent à la Grande Aumône. Sûrs de leurs droits, ils entreprennent de faire procès à leurs employeurs devant le tribunal du sénéchal. Celui-ci condamne le principe de la grève mais accorde une augmentation du salaire/nourriture. Venant en appel au parlement, les compagnons du Tric reçoivent satisfaction partielle puisque la cour de justice ordonne aux maîtres imprimeurs de diminuer le nombre de leurs apprentis. Poursuivant sans peur leur cause jusqu'au Conseil du roi, les salariés du livre se voient durement déboutés de leur plainte, qualifiés de rebelles et expédiés à ce titre au sénéchal de Lyon pour y être jugés. Procès est fait dans ce sens où sont prononcées des sentences condamnant les grévistes à la prison, au bannissement, à la peine capitale même. Comme un point d'orgue à cette attitude autoritaire et répressive émerge de l'ordonnance de Villers-Cotterêts cet article :

« Nous défendons à tous les maîtres et aux compagnons

1. Davis Natalie, « Grève et salut à Lyon », in *Les Cultures du peuple*, Paris, Aubier, 1979, et Hauser Henri, *op. cit.*, chap. 10.

et serviteurs de tous métiers de faire aucune congrégation ou assemblée grande ou petite... n'avoir aucune intelligence les uns avec les autres du fait de leur métier... »

Car cette mesure royale, qui pourrait ne sembler que riposte immédiate aux compagnons imprimeurs, réprime avec le Tric les nombreuses confréries ouvrières qui, dans ces mêmes années, se constituent. Groupant uniquement les ouvriers, elles ne ressemblent plus guère aux confréries des corporations où se retrouvaient dans un vain et désuet unanimisme maîtres, compagnons et apprentis d'un même métier. Secrètes, ces associations n'ont laissé que de minces traces de leur existence que l'on peut suivre à Lyon, à Toulouse, à Paris, à Poitiers où, en 1538, la municipalité interdit la confrérie des garçons menuisiers.

Les idées de réforme pénètrent tôt, semble-t-il, dans ce monde cisaillé de tensions qu'est celui des artisans et de leurs serviteurs. Les historiens du protestantisme, parmi d'autres, s'attendrissent sur les cardeurs de Meaux, les tisserands de Rouen, les imprimeurs de Lyon, les selliers parisiens qui peuplent les premières assemblées des dissidents religieux, chantent des psaumes par les rues et s'en viennent plus tard communier sous les deux espèces. Quelques-uns exaltent ainsi la présence populaire dans les rangs des calvinistes, évitant dès lors d'y voir l'importante majorité des notables ; d'aucuns suggèrent que la voie réformée répond mieux aux aspirations de justice sociale des humbles que ne le fait l'Église traditionnelle. En réalité, le nombre des artisans et des compagnons n'est globalement que peu élevé en proportion de leur importance numérique dans le corps social ; ils seront en revanche autrement plus nombreux chez les ligueurs. D'autre part, on a parfois voulu voir dans le désir des compagnons de travailler les jours de fêtes catholiques l'affirmation d'une foi protestante ; Natalie Davis semble en convenir dans le périmètre lyonnais, mais l'historienne nuance son propos montrant que les ouvriers appartenant à la nouvelle Église s'en détachent assez vite, las de la surveillance du consistoire et des interdits de la *Discipline ecclésiastique* [1].

1. Davis Natalie, « Grève... », *op. cit.*, p. 31.

Blocage du système corporatif.

Sur le plan général, l'on assiste au XVIe siècle dans le domaine des corporations, qui, rappelons-le, ne représentent qu'un petit nombre de métiers, à une double évolution. En effet, le système corporatif tend à gagner du terrain sur les métiers libres par la pression qu'exercent sur les travailleurs manuels la royauté et les villes. Ces dernières cherchent à augmenter les jurandes, car elles y trouvent une source de gain et une occasion de contrôle. De son côté, le gouvernement monarchique, par souci d'unification et d'encadrement, prétend soumettre au régime corporatif tous les métiers demeurés jusqu'alors libres ; les édits de 1581 et de 1597 sont promulgués à cette fin, sans toutefois arriver à un résultat puisque la plupart des métiers demeureront libres jusqu'à la Révolution. En cette affaire comme en beaucoup d'autres, constatons que la royauté transgresse sa propre légalité puisque, dans le même temps qu'elle voudrait insérer tous les « mécaniques » dans le système des jurandes, elle vend des lettres de maîtrise, c'est-à-dire des dérogations permettant d'accéder au statut de maître-artisan sans passer par les étapes d'apprenti et de compagnon, sans les exigences dressées par les règlements corporatifs aux ouvriers voulant devenir patrons. D'autre part, le privilège royal exclut les « ouvriers suivant la cour » des contraintes de leurs jurandes ; ces derniers accèdent directement à la maîtrise. Il est vrai, ce sont plus des artistes que des travailleurs manuels puisque nombreux sont parmi eux les sculpteurs, peintres, graveurs, horlogers, orfèvres, parfumeurs, logés par Henri III et Henry IV dans la grande galerie du Louvre.

Autre évolution, elle marque cruellement le monde des travailleurs manuels au XVIe siècle ; il s'agit d'un mouvement interne propre aux corporations. Celles-ci cessent d'être des organismes souples où la promotion du compagnon à la maîtrise pouvait s'accomplir aisément selon la vieille tradition médiévale. De par l'étroitesse de son salaire, l'ouvrier ne peut accumuler le capital nécessaire à l'acquisition d'une boutique-atelier et de l'outillage afférent, blocage qui joue pour les métiers libres comme pour les métiers jurés. Dans le cadre de ces derniers intervient un nouveau handicap, celui des formalités mises par les règlements corporatifs lors de l'accession à la maîtrise. De leur côté, les maîtres saisis par la nécessité familiale réservent à leurs fils leurs acquis, aggravant ainsi la rigidité sociale à l'intérieur des jurandes. L'on voit les patrons demander aux compagnons par la voix de leurs représentants au sein de l'organisation un chef-d'œuvre de plus en plus coûteux en travail et en matière première. Ainsi, chez les teinturiers de soie et de toile parisiens, la confection du chef-d'œuvre nécessite dix jours durant lesquels le compagnon n'est pas payé. D'autres exigences durcissent encore la situation ; le compagnon en passe de devenir maître doit offrir un banquet à ses futurs pairs, offrir des cadeaux aux jurés de la corporation, faire un don en argent à la confrérie, payer des droits d'entrée, autant de dépenses onéreuses auxquelles son strict salaire rongé par l'augmentation du coût de la vie peut de moins en moins prétendre à mesure que le siècle va vers sa fin. Ainsi la distance s'accroît entre l'ouvrier et son patron, le premier se voyant fermée l'ascension vers la maîtrise, condamné par manque de capital et par népotisme à demeurer compagnon sa vie durant [1]. En face se fige la classe des maîtres de métier ; le fils, dispensé d'apprentissage et de chef-d'œuvre, profitant de conditions d'entrée dans la fonction moins onéreuses, succède facilement à son père. Des avantages analogues favorisent les artisans qui épousent les filles ou les veuves de maîtres. Au point que, contrairement à la position de plus en plus difficile de l'ensemble des travailleurs manuels, dans certaines villes et notamment à Paris, les riches et anciennes corporations des orfèvres, pelletiers, tisserands de soie, dont les patrons se sont constitués en caste, possèdent *intra muros* une influence certaine, siègent aux instances municipales, parvenant aux rouages de la politique. Tel ce Claude Marcel, orfèvre de renom, administrateur de la ville de Paris, homme de confiance de Catherine de Médicis, prévôt des marchands de

1. Gascon Richard, « La France du mouvement : les commerces et les villes », *in* Chaunu Pierre et Gascon Richard, « 1450-1660, l'État et la ville », in *Histoire économique et sociale de la France* (sous la direction de Fernand Braudel et d'Ernest Labrousse), Paris, PUF, 1977, t. I, p. 427.

1570 à 1572 ; après l'édit de Saint-Germain en 1570 signé entre le gouvernement et les protestants, il devient rapidement le porte-drapeau des bénéficiaires des confiscations des biens huguenots, partisans du *statu quo* et de la non-restitution, hostiles à toute réconciliation et donc farouches catholiques. Claude Marcel possède une lourde responsabilité dans le massacre populaire de la Saint-Barthélemy ainsi que dans le gigantesque pillage qui s'ensuivit [1].

Au-delà de ces rares exemples individuels et collectifs, la paupérisation des travailleurs « mécaniques », réelle chez les artisans devenus salariés, chez les compagnons, manœuvres et gagne-deniers, relative cependant chez les maîtres-artisans indépendants, entraîne une dégradation de leur statut social. Cette évolution se perçoit à travers la diminution de leur rôle politique dans les villes. S'ils participent encore aux assemblées générales, ils appartiennent de moins en moins aux conseils urbains et au conseil municipal proprement dit. Le pouvoir de décision à l'intérieur des murs leur échappe au profit d'une élite urbaine composée de riches marchands, d'avocats, de notaires et parfois d'officiers. A Lyon, où les chefs de métiers sont représentés à l'assemblée générale à raison de un ou deux par branche, les métiers nouveaux n'y siègent pas, ou du moins ils y siègent tardivement, seulement en 1568. Ailleurs, les artisans se voient franchement exclus des fonctions municipales, dès 1512 à Nevers, en 1530 à Sens, en 1595 à Reims.

On ne s'étonnera guère de constater dans les couches dirigeantes l'émergence quasi parallèle d'un grand mépris pour les « vils mécaniques », qu'ils soient maîtres de métier ou salariés. La morgue des élites urbaines à l'égard des travailleurs manuels signe-t-elle la conscience de leur appauvrissement, la crainte devant leur accroissement numérique, ou la peur de leurs réactions incontrôlées ? Bref, le peuple des petits bourgeois et des prolétaires qualifié de « canaille » dans les textes de l'époque est définitivement rayé de la carte des dignités sociales par le juriste Loyseau. Celui-ci fait publier en 1610 à Paris un *Traité des ordres* ; l'ouvrage, véritable théâtre de

1. Garrisson Janine, *La Saint-Barthélemy*, Bruxelles, Complexe, 1987, p. 94.

la société telle qu'elle veut se voir, propose une classification de la population française selon des critères d'honneur et de naissance. Arrivé au chapitre des producteurs manuels, l'auteur explique qu'ils ne peuvent prétendre à nulle reconnaissance sociale, car, explique-t-il :

« Nous appellons communément méchanique ce qui est vil et abject. Les artisans étant proprement méchaniques sont réputés viles personnes. »

La disqualification du travail féminin.

De cette disqualification généralisée du monde ouvrier, artisanal et paysan, le travail des femmes subit le contrecoup mortel. Celles-ci sont, au-delà des tâches domestiques et de l'éducation des enfants, engagées dans la production artisanale à titre personnel dès le Moyen Age. Or, au XVIe siècle, la marginalisation féminine se précise dans un contexte largement défavorable aux femmes. Ce dernier, rappelons-le, ouvre un vaste champ au patriarcat dont le roi, père des sujets et donc le seul à savoir distinguer pour eux le bien du mal, est l'exemple vivant. A ce discours justifiant l'autorité royale vient se greffer celui des juristes imbus de droit romain, ainsi Tiraqueau ou Dumoulin tissent patiemment les liens qui font de la femme un être sous la subordination maritale, juridiquement incapable. De fait, la société civile et religieuse (protestante et catholique) s'intéresse passionnément au mariage, nécessité politique, institution de rangement humain et de régulation économique ; or, dans le mariage, la femme doit jouer son rôle second d'épouse et de mère, se départant d'autres occupations indépendantes incompatibles avec sa fonction familiale. En ce domaine comme en d'autres, l'économie renchérit sur l'évolution des mœurs et de la politique. Pour cerner le phénomène, force est de retourner quelques siècles en arrière, au Moyen Age, lorsque les femmes travaillaient pour leur propre compte à l'intérieur des métiers mixtes ou dans ceux exclusivement féminins et dits de grande adresse. De ce fait, les filles tout comme les garçons sont mises en apprentissage, acquièrent une formation professionnelle, accèdent à la maîtrise. Ce phénomène s'exprime par la sémantique puisque les vocables de compagnonnes, de maîtresses, d'apprenties coexistent avec leurs homologues masculins. Plus largement circulent les termes de tisserandes, fileresses, drapières, « bateresses » d'étain au même titre qu'ils sont employés en acception virile. Les femmes, maîtresses de métier, siègent dans les assemblées de corporation, exercent les fonctions d'inspecteurs (jurés), agissent au sein des confréries lorsqu'il s'agit de corporations strictement féminines [1].

Le contexte propre au XVIe siècle accélère la disqualification féminine ; en ce sens jouent plusieurs facteurs. Les nouvelles industries de la soie développées à Lyon et à Tours exigent une parcellisation des tâches dont la femme est victime ; elle s'occupe du dévidage, du doublage, alors que l'homme tisse des pièces entières. Des métiers de l'imprimerie elle est écartée par son manque d'instruction, alors que cette lacune ne l'excluait pas dans une société médiévale presque totalement analphabète. A la campagne même où se répand le *domestic system*, le paysan/ouvrier tisse sur un métier parfois bricolé, installé dans un appentis, tandis que sa compagne file tout en vaquant aux travaux ménagers. Ceux-ci ne constituent pas, loin de là, son unique labeur, puisque la femme des champs partage les travaux de sarclage, fenaison, moisson, élagage des vignes et vendange ; l'iconographie ne nous laisse pas ignorer cette communauté rustique de l'effort. Or, aux XIIe et XIIIe siècles, quand les salaires journaliers d'un ouvrier et d'une ouvrière agricoles sont les mêmes, la disparité intervient dès le XIVe, lorsque cette dernière ne reçoit que les trois quarts de la paie de son compagnon, et s'aggrave au XVIe siècle puisque, à peine égale, la femme ne touche plus que la moitié des gages masculins.

En ville, la conjoncture propre à l'époque accélère le processus de marginalisation du travail féminin puisque en ce temps d'abondance de la main-d'œuvre, de crises économiques et donc de chômage, ce travail devient le concurrent du travail masculin. Une évolution analogue à celle qui se produit à l'égard des ouvriers bloqués dans leur devenir s'établit ; les femmes ou les filles des maîtres-artisans décédés rencontrent des obstacles grandissants à succéder à leur mari ou père à la tête de la boutique/atelier, les dirigeants des cor-

1. Hauser Henri, *Ouvriers...*, *op. cit.*

porations s'y opposent. Les recours s'avèrent peu efficaces, car dans le même temps les maîtresses de métier, du moins celles qui peuvent encore se prévaloir de ce statut, ont perdu le droit d'assister aux assemblées de jurandes. Dans le même temps, s'estompent les spécialisations féminines : le tissage des fils d'or, le travail des pierres précieuses, les différentes branches de la couture appartiennent désormais aux hommes ; à l'intérieur des métiers libres, la mixité n'est plus de mise, seules les professions de la lingerie, du ruban et de la dentelle demeurent ouvertes aux deux sexes. Dans le livre des métiers parisiens, seuls ceux de bouquetières, lingères et linières-chanvrières continuent à être au début du XVIIe siècle réservés aux femmes ; encore qu'un conflit éclate dès le début du XVIIe siècle entre la jurande des lingers et celle des lingères, les premiers voulant imposer aux secondes des contrôleurs du travail masculins ; en 1641 cependant, les ouvrières obtiennent gain de cause, faisant admettre une surveillance féminine de leur corporation, sinon que l'une des deux maîtresses jurées ne devra pas être mariée. Ainsi parallèlement à la perte accélérée de leur identité juridique, les femmes dans le monde du travail se voient contraintes, par la pression de facteurs économiques néfastes, à abandonner l'indépendance professionnelle, la reconnaissance équitable de leurs tâches salariées ; désormais, au-delà de leur utilité domestique, elles seront cantonnées dans des besognes parcellaires, secondes, sous-payées et ingrates. Elles traîneront plusieurs siècles encore dans les séquelles d'une condition inférieure imposée par les mœurs au sein d'un paternalisme triomphant et par une désastreuse crise sociale et économique.

Colères et coups de chaleur à la ville.

Ce n'est pas sans révoltes que le peuple subit la dure loi du XVIe siècle, celle qui transforme les maîtres-artisans en salariés, qui fait d'un compagnon un ouvrier à vie, qui ronge les salaires réels au point qu'ils demeurent presque toujours égaux ou inférieurs au coût de la vie. Les paysans, nous le savons, se lèvent en armes contre l'impôt, contre les gens de guerre, contre la dîme et les prélèvements seigneuriaux ;

en ville, les colères différentes en leur formulation gestuelle saisissent hommes et femmes lorsque des taxes nouvelles pénalisent la production principale de la région (vin, draperie), lorsque le pouvoir royal intervient pour limiter l'autonomie municipale, lorsque le prix du pain augmente par trop chez le boulanger... La période 1520-1540 apparaît à Richard Gascon comme l'une des plus agitées du siècle par les conflits urbains de toute sorte. La comparaison surgit d'avec les villes castillanes, valenciennes, allemandes et flamandes zébrées aux mêmes dates de fureurs populaires. La Grande Rebeyne de Lyon se déchaîne en 1529, parfaitement décrite par le médecin Symphorien Champier, également conseiller de cette ville ; le petit peuple se rend maître de la grande cité, contraint les responsables municipaux à se réfugier dans le cloître Saint-Jean, pille quelques opulentes demeures, vide le grenier communal et les réserves en grains d'une riche abbaye au bord de la Saône[1]. Devant la carence des pouvoirs locaux, le lieutenant du roi se fait le restaurateur de l'ordre, organisant avec les consuls revenus à eux-mêmes une troupe, ce qui leur permet de contrôler la situation. Les élites lyonnaises ont ainsi tremblé devant le soulèvement de la canaille qui est châtiée de manière exemplaire. Émeute grave, sédition de la faim, les contemporains s'en sont émus dans le royaume entier. Différente est la révolte bordelaise de 1548 alors que les Pitauds parcourent les campagnes du Sud-Ouest et que le menu peuple urbain pactise avec les paysans en émoi devant l'augmentation de la gabelle. Violente et meurtrière — il y aurait, le 21 août 1548, 20 morts à Bordeaux, dont le représentant du roi, Tristan de Moneins —, la révolte s'en prend à ceux qui de près ou de loin pactisent avec la gabelle, soit commis, soit fermiers, soit gestionnaires ou encore protecteurs des officiers du sel. Ici, en ce cas, le pouvoir royal s'est affolé — le peuple n'a-t-il pas crié : « Vive l'Angleterre » ? — à tel point que la répression menée par le connétable de Montmorency est sauvage autant qu'impitoyable[2].

1. Chartier Roger et Neveux Hugues, « *La ville dominante et soumise* », in *Histoire de la France urbaine*, t. 3, sous la direction de Georges Duby, Paris, Éd. du Seuil, 1981, p. 214-215.

2. Bercé Yves-Marie, *Croquants et Nu-Pieds*, *op. cit.*, p. 33.

La révolte de Romans en 1579-1580 où prend place l'alliance tant redoutée des notables, celle du petit peuple de la ville avec les paysans, acquiert, semble-t-il, une autre dimension plus sociale. Fort de sa collusion avec les gens du plat pays, le « populaire » de Romans s'insurge contre l'oligarchie municipale dévoreuse de l'argent des pauvres dont il arrache le pouvoir au profit d'une commune composée des « plus mécaniques et plus séditieux artisans ». Ce gouvernement fonctionne durant presque un an grâce à la paralysie d'un pouvoir royal en proie aux troubles civils, mais s'effondre lorsque les notables au cours de la nuit du carnaval 1580 en massacrent les meneurs aidés par Mongiron, le lieutenant du roi victorieux des paysans. Les tensions entre riches et pauvres, les frustrations des travailleurs manuels exclus de la municipalité, les revendications pour une meilleure répartition de la fortune et des taxes à l'intérieur de la ville se lisent en clair à travers les discours des insurgés placardés çà et là, les slogans criés et le gestuel d'inversion mis en place lors du carnaval meurtrier [1].

Dans la vie tumultueuse des villes du royaume à partir de 1550, les coups de chaleur — ceux de 1562 et de 1572 notamment contre les huguenots, ceux de 1588 contre le roi Henri III — révèlent-ils des conflits sociaux, des malaises dus à la dégradation de la vie populaire ? Peut-être verra-t-on une haine amplifiée lorsque le riche est de surcroît un hérétique que l'on accuse des malheurs du temps dispensés par un Dieu vengeur. Le pillage des maisons à Paris en août 1572 et dans les autres périmètres urbains ensanglantés par la Saint-Barthélemy constitue de ce point de vue un indice. Ces émotions sanglantes dénotent plus banalement une disponibilité populaire, un potentiel de violence qui trouve son vrai théâtre dans les troubles civils et religieux du XVIe siècle. A l'inverse avancera-t-on que l'adhésion massive des villes au protestantisme, quel que soit le caractère éphémère de cette adhésion, représente une volonté des notables et du peuple de reconstituer une unité communale dramatiquement fracturée par les distorsions économiques et les pesées de l'État

1. Chartier Roger et Neveux Hugues, « *La ville...* », *op. cit.*, p. 215-216.

centralisateur. L'enthousiasme ligueur reflète plus fidèlement encore cette volonté de trouver à nouveau un unanimisme perdu. Huguenotes ou ligueuses, les villes de la seconde moitié du XVIe siècle s'exaltent à la passion religieuse, masque traditionnel du désarroi social.

Les autorités et les nouveaux pauvres.

Cet accroissement de la misère en ville ou à la campagne — mais surtout en ville quand les pauvres sont par trop visibles — ne laisse pas de préoccuper les autorités. Le phénomène constaté par tous les historiens du XVIe siècle s'aggrave des guerres intestines autant qu'il les nourrit, mais il pousse ses racines tôt dans le siècle aux alentours de 1530, lorsque le niveau de la population dépasse celui des subsistances. A Lyon, en 1590, il arrive que 20 % de la population tombe au-dessous du seuil de la pauvreté, soit de 10000 à 15000 personnes. Face à cette marée grandissante de la guenille et de la faim, la royauté se déclare impuissante ; en 1566, l'ordonnance de Moulins contraint chaque ville et chaque village à nourrir ses pauvres ; le souci de maintenir l'ordre public en bloquant (sur le papier du moins) la mendicité et le vagabondage provoque la mesure plus que celui de pallier l'inquiétant problème du paupérisme ; d'ailleurs, le Conseil du roi délègue à la maréchaussée le soin de poursuivre les errants, pour les envoyer aux galères ou aux travaux forcés des fortifications. Aux pouvoirs locaux, civils et religieux, de s'occuper des misérables. A cet égard Lyon précède les autres villes du royaume en organisant à partir de 1534 la Grande Aumône. L'Église séculairement maîtresse de la charité ne suffit plus ici et ailleurs pour gérer la pauvreté qui, dès lors, devient une affaire sociale prise en main par la municipalité et concernant tous les habitants. Après la Grande Rebeyne de 1529, à la suite de la dure famine de 1531, la ville décide de lever sur les habitants « bien-aisés » une taxe afin de constituer un fonds d'assistance, arrondie par des dons ecclésiastiques. Celui-ci permet de distribuer chaque dimanche aux nécessiteux nourriture et argent selon une liste préalablement dressée et qui les autorise à posséder un papier en guise de passeport pour l'aumône[1]. Bien évidemment, la mendicité qui n'est plus de mise est interdite, et, de ce fait, la charité individuelle. Les mendiants professionnels valides, s'ils ne veulent pas être chassés de la ville, doivent œuvrer dans l'intérêt public, au nettoyage des rues, à la construction des fossés. Les pauvres « passants » traversant Lyon reçoivent pour une fois seulement la « passade ». Mais la société lyonnaise s'érigeant en responsable efficace de la pauvreté s'efforce de prendre le mal à la racine. Deux hôpitaux, au-delà du vieil Hôtel-Dieu administré par le clergé et réservé aux malades, sont créés pour loger et nourrir les orphelins ; on leur apprend à lire et à écrire ; les bons éléments parmi les garçons sont par la suite instruits gratuitement au collège, les moins doués mis en apprentissage. Quant aux filles, elles sont placées comme servantes ou comme ouvrières dans la soie ; dotées, elles peuvent plus aisément trouver mari. L'organisation lyonnaise, où prévalent les idées humanistes de la pauvreté, prend valeur d'exemple pour d'autres villes du royaume, et des bureaux de charité, gérés par des laïcs, se mettent en place à Paris en 1544, à Dijon, à Troyes, à Amiens. Dès 1560 et 1561, dans les bourgs et les cités devenus entièrement protestants, municipalité et église collaborent à régler rationnellement le problème de la pauvreté. A Nîmes, à Montauban ou à La Rochelle, tout un système s'organise financé par la « bourse des pauvres » gonflée des collectes, legs et dons des huguenots ; diacres ou anciens, responsables de leurs quartiers, rapportent au consistoire les misères rencontrées ; le même consistoire décide alors de l'aumône accordée et de sa durée. A Nîmes, un chirurgien des pauvres est appointé par la municipalité, un régent salarié de l'église enseigne les enfants nécessiteux ; à Montauban, les malheureux sont soignés gratuitement ; à Orthez, les écoliers démunis sont habillés, chaussés, pourvus de livres et de cahiers, suivis médicalement sur les fonds de l'Académie[2].

1. Davis Natalie, « Assistance, humanisme et hérésie », in *Cultures...*, *op. cit.*, p. 40-112. Voir aussi Gutton Jean-Pierre, *La Société et les Pauvres. L'exemple de la Généralité de Lyon (1534-1789)*, Paris, 1971, et du même auteur, *La Société et les Pauvres en Europe (XVIe-XVIIIe siècle)*, Paris, PUF, 1974, p. 108-109.

2. Garrisson Janine, *Protestants du Midi (1559-1598)*, Toulouse, Privat, 1981, p. 260-261.

De ces réalisations où les laïcs prennent en charge la charité sourdent de nouvelles attitudes de la société à l'égard des pauvres. Non pas que s'efface d'un coup l'image du miséreux comme un autre Christ, *pauper alter Christus*, auquel l'aumône faite entre dans la comptabilité des bonnes œuvres, car elle subsiste longtemps encore dans l'âme et le cœur des chrétiens qui invectivent les sbires chargés d'expulser les mendiants et plus tard de les enfermer. Mais la société change, ses élites s'imprègnent de l'éthique du travail terrestre et de l'utilité sociale. Érasme ne vitupère-t-il pas au début du XVIe siècle les moines mendiants pour leur crasse, leur arrogance et leur paresse ?

L'humaniste espagnol Vivés rédige en 1527 l'ouvrage *De subventione pauperum* dans lequel il s'élève contre les charités ponctuelles et sans discrimination. Quelques années plus tard, Calvin parlant de ceux qui tendent la main les nomme de « petits brigandeaux ». Dans toutes les villes européennes, le gonflement important du nombre des pauvres provoque une prise de conscience des dirigeants municipaux et gouvernementaux, inquiets de ces éléments que l'on soupçonne d'être vecteurs de la peste et fauteurs de trouble. De là le souci d'organiser une charité rationnelle et donc l'intervention des laïcs en ce domaine traditionnellement départi à l'Église romaine ; à cet égard les nouvelles Églises luthériennes ou calvinistes, suivant en cela la logique du salut par la foi et partageant les idées modernes sur la nécessité du travail, agissent en accord avec les autorités civiles de la même manière. Il s'agit bien de distinguer les bons pauvres (veuves, orphelins, chômeurs, malades, invalides) des mauvais (mendiants valides, fainéants, vagabonds et gens sans aveu) afin de ne pas faire d'aumônes inconsidérées susceptibles d'encourager le vice. Dans le cas des honorables miséreux, l'éducation des enfants semble à la société une tâche nécessaire pour éviter l'engrenage du paupérisme, assurer à chacun les moyens de trouver un travail correspondant à ses capacités. Mais cette modification des mentalités fait émerger dans le même temps une attitude ambiguë à l'égard de la pauvreté. Le misérable, parce qu'il est porté sur des listes, sur des rôles, est désormais désigné comme tel et donc différencié du reste de la population comme appartenant à une catégorie spéciale du corps social. Ne voit-on pas, lors de la famine de 1573, la municipalité d'Amiens où artisans et ouvriers sayetteurs émargent en masse au Bureau des pauvres demander à l'évêque de ne point marier les ouvriers hommes de moins de 25 ans et les femmes de moins de 18 ans pour que ce groupe ne se reproduise pas trop abondamment ? Surtout, la crainte du pauvre pénètre les esprits des possédants ; celui-ci, dans la mesure où il n'obéit pas aux règles propres à sa condition, devient un être dangereux, inquiétant. Parmi les livres qui circulent en Europe au XVIe siècle, rappelons le succès de ceux qui dénoncent durement ou ironiquement les pratiques des mendiants étalant à la face des honnêtes gens de faux ulcères, des infirmités simulées ; ils s'évertuent à démonter les rouages de leur organisation secrète, de leur argot particulier, les érigeant du même coup en contre-société menaçante pour la vraie société. Le *Liber vagatorum*, rédigé à la fin du XVe siècle, imprimé en Allemagne en 1509, connaît un grand succès que confirment ses nombreuses rééditions, dont l'une préfacée par Luther ; il passe en revue toutes les catégories de mendiants, montrant leurs ruses ou leurs mensonges aux fins d'attirer la pitié. La littérature de la gueuserie fleurit en Angleterre avec *La Fraternité des vagabonds* ou *Les Catégories de filous*, en Espagne avec les romans picaresques ; en France, elle s'avère moins riche, sinon que les faux mendiants peuplent le 8e chapitre des *Propos rustiques* publiés en 1547 par Nicolas du Fail, se profilent dans le *Livre des monstres et des prodiges* d'Ambroise Paré en 1573, et occupent toute la scène dans *La Vie généreuse*... imprimé à Lyon en 1596. Ce dernier ouvrage connaît une carrière triomphante ; réédité plusieurs fois, il passe en 1627 dans le fonds de Nicolas Oudot, l'imprimeur de la Bibliothèque bleue de Troyes, faisant dès lors le régal des chaumières [1].

Cependant, autant que le sont ces méfiances, ces mises en garde littéraires, est inefficace la police de la pauvreté en ville et sur les routes. Certes, les aumônes municipales, les organisations protestantes qui gèrent la misère comme un fait de

1. Chartier Roger, *Figures de la gueuserie*, Paris, Montalba, 1982, p. 11-46, et Geremek Bronislaw, *Truands et Misérables dans l'Europe moderne (1350-1600)*, Gallimard-Julliard, Paris, coll. « Archives », 1980.

l'ensemble social, jouent leur rôle actif, mais la tradition de la charité individuelle demeure trop enracinée pour que les passants ne la pratiquent plus. Au siècle suivant, ces sentiments s'atténuent, du moins dans les couches cultivées ; les élites, alors, envisagent d'exclure complètement les pauvres de la ville en les enfermant. Lyon, n'en soyons pas totalement surpris, se met une fois encore à l'avant-garde sur le front du paupérisme ; ici se fonde, en 1614, le premier hôpital général.

Paysans fuyant la famine à la ville, ils ne regagnent jamais leurs terres. Compagnons, manœuvres, gagne-deniers au chômage, ils mendient, vagabondent, prêts à toutes les aventures. Cadets de famille nobles ou non, sans travail, ils ne trouvent guère de place lorsque les hommes pullulent et que se figent les structures de la société. En Espagne et au Portugal, où les conditions économiques ne sont pas plus favorables, les colonies constituent un exutoire sans fin où viennent mourir ou éclore les rêves de gloire, d'argent, les élans vitaux et les soifs de découverte ou de puissance. Rien de tel en France qui demeure au XVIe siècle platement hexagonale ; en 1534 et 1535, les tentatives de Jacques Cartier au Canada, celles de Villegagnon au Brésil, en 1555 les expéditions de Jean Ribault et de Goulaine de Laudonnière en Floride en 1562 et 1565, se révèlent, du moins pour les deux dernières, sans lendemain. Celles-ci ne sont pas sans ajouter de l'eau à notre moulin puisqu'elles sont patronnées par l'amiral Gaspard de Coligny. Celui-ci, converti au protestantisme, souhaite procurer à ses coreligionnaires des lieux d'asile en même temps qu'il voudrait grignoter les flancs de l'empire hispano-portugais où le soleil ne se couche jamais ; mais il rêve dans le même temps de transformer ces bases fragiles en aires de lancement de colonisation et d'expéditions où huguenots et catholiques se retrouveraient au coude à coude contre un adversaire ibérique commun.

Car Coligny, s'il pense essentiellement en termes nobiliaires, perçoit à quel point le royaume constitue une poudrière si les affrontements se déroulent en champ clos. Or le pire arrive puisque, au long de quarante ans de troubles religieux et civils, les Français utilisent leurs énergies inemployées, leurs avidités inassouvies, à s'exterminer mutuellement. Car la guerre intestine trouve en ce pays un réservoir d'hommes presque inépuisable. Les jeunes, du moins ceux que les sources nomment ainsi (« fils de famille », « enfants », « très jeunes compagnons »), participent avec violence au grand débat du temps ; on les trouve du côté protestant ou du côté catholique dans les journées sanglantes. En 1562, lorsque les huguenots sont massacrés à Meaux, à Troyes, à Sens, à Toulouse..., en 1567 lors de la Michelade nîmoise où les papistes se font exterminer, en 1572 lors des Saint-Barthélemy, lorsque les chroniqueurs s'horrifient de ces garçons traînant des nourrissons emmaillotés vers la Seine purificatrice. Dans son langage imagé, l'historienne américaine Natalie Davis ne manque guère de noter la passion des « teenagers » lors des émeutes religieuses, suggérant même que les sociétés festives des jeunes en ville ou au village servirent de base de départ aux pulsions catholiques ou protestantes [1]. La démographie française explosive serait dès lors responsable avec la crise économique de ces excès juvéniles. Les adultes ne sont pas en reste, car n'importe qui dès 1559 se montre capable de constituer une bande, de s'intituler capitaine au service de l'une ou l'autre Église, de courir la route et la campagne. Comme les corsaires/pirates, ils se battent au long des hostilités officielles aux côtés d'un camp ou de l'autre, mais, lorsque reviennent les paix éphémères, ils s'enkystent dans un village, parfois un nid d'aigle, rançonnent, pillent, terrorisent. Que penser de ce capitaine Fabre, paysan des Corbières, de cet autre nommé Baccou, fils d'un maréchal-ferrant rouerguat, du cordonnier Montendre devenu sergent, de ce chaussetier nîmois se proclamant maréchal des logis, du charpentier Caput, enseigne du capitaine Pierre Céllerié, lui-même récemment encore orfèvre ? Ces hommes trouvent dans la guerre une évasion, un mode de vie, un moyen de faire fortune que la société bloquée du second XVIe siècle leur refuse.

1. Davis Natalie, « Les rites de violence », in *Cultures...*, *op. cit.*, p. 286. Le vocable se trouve dans l'article originel publié dans *Past and Present*, n° 59, mai 1973, sous le titre « The Rites of Violence : Religious Riot in Sixteenth-Century France ».

D'autant que, au-delà de ces aventuriers aux titres ronflants, convaincus de défendre d'un côté comme de l'autre la vraie religion, les vrais chefs rompus au métier de la guerre ne manquent guère. Le traité du Cateau-Cambrésis, signé en 1559 entre la France et l'Espagne, démobilise, nous le savons, des milliers de gentilshommes et plus encore de soldats. Beaucoup de bons esprits comprennent, alors même qu'ils se trouvent sous le coup de l'événement, la portée de celui-ci pour le devenir français ; plus de quarante ans de luttes extérieures, de soldes assurées, de pillages certains, ont accoutumé nobles et roturiers combattants à la vie des camps et des batailles. Ils ne peuvent retourner paisiblement à la condition de civils ; lorsque se forment les partis en armes, les voilà prêts à reprendre du service, la guerre est leur métier !

2
Hommes et femmes du pouvoir

Dans ce royaume que la crise économique perturbe déjà et que la guerre civile s'apprête à déchirer, la personnalité des gouvernants et des conseillers proches du roi acquiert une valeur nouvelle. Car, dans le tumulte des ambitions déchaînées autour d'un trône occupé par de très jeunes gens, dans l'effervescence des passions religieuses portées à un degré extrême, le tempérament propre à chacun des individus disposant à quelque titre du pouvoir se révèle capable de créer l'événement comme de servir à la constitution de modèles ou d'anti-modèles.

Catherine de Médicis ou le compromis.

Lorsque le 10 juillet 1559, meurt Henri II percé de la lance de Montgomery au cours d'un tournoi de fête, Catherine de Médicis, épouse trompée mais reine reconnue pour avoir été régente lors des absences guerrières de son royal époux, entre dans l'Histoire. Dès cette date et plus encore dès 1560, lorsque meurt François II et jusqu'à sa mort en 1589, Catherine projette sur la politique française sa haute stature entourée d'éternels voiles de deuil [1]. Elle est le personnage que ses contemporains comme la postérité se sont acharnés à décoder, à décrypter, dénoncer ou dédouaner, entassant sur son compte ragots, médisances, mensonges et parfois, moins souvent il est vrai, admiration et bienveillance. Ici n'est pas le lieu de disserter longuement de la réalité du personnage et de ses actes, ni d'alourdir le courant critique, voire haineux,

1. Le personnage de Catherine de Médicis suscite de nombreuses études et biographies. Nous avons suivi Cloulas Ivan, *Catherine de Médicis*, Paris, Fayard, 1979.

qui l'enveloppe, non plus que de la disculper des macules dont l'Histoire l'a couverte. A travers les siècles, elle a joué le rôle de victime émissaire, permettant aux Français d'oublier le goût amer laissé par les guerres de Religion et d'effacer la mauvaise conscience qu'ils en éprouvent. Telle qu'elle est, Catherine, il est vrai, tient ce rôle de manière tout à fait présentable.

Fille de Laurent de Médicis, volontiers considéré par la gentilhommerie du royaume comme banquier plus que comme potentat, et mécène florentin, elle descend par sa mère Madeleine de La Tour d'Auvergne d'une illustre famille française, mais cette origine n'est que fort rarement portée à son actif. Italienne certes, elle s'entoure de familiers venus de la péninsule, mais les Italiens participent de la vie politique, culturelle et économique de ce pays depuis plus d'un siècle. Petite-nièce du pape Léon X, elle voit cette parenté, qui aurait pu la gratifier auprès des catholiques rigides, la desservir plutôt ; tantôt on l'accuse de favoriser les desseins de Rome, tantôt on l'implique dans les débordements de cet autre Médicis. Femme point trop belle comme la présentent ses portraits, elle n'est pardonnée par l'opinion virile de rien de ce qu'elle a pardonné à Diane de Poitiers ou à Marguerite de Valois ; même sa fidélité à l'époux disparu semble suspecte comme si l'absence de vie amoureuse lorsqu'elle est à quarante ans veuve constituait une tare en soi. Mère assurément de quatre fils dont trois régneront et de trois filles dont deux épousent des rois, ses sentiments maternels pourtant sincères jouent en sa défaveur puisqu'on l'accuse d'exercer à travers eux sa passion du pouvoir. Amie comme l'était son père et son grand-père des lettres et des arts, elle apparaît dépensière, gaspillant le Trésor royal en jardins, châteaux, orfèvreries, fêtes et ballets. Superstitieuse ainsi que tous ses semblables à l'époque, son goût de la divination est transformé volontiers en pratique politique lui permettant d'éliminer en temps voulu ses adversaires. L'on discerne les racines de cette antipathie, l'on en comprend la croissance, l'on en saisit la pérennité à tel point qu'il semble ardu de lever ces voiles pour discerner une régente plus réelle. Car, pendant trente ans, cette femme occupe le devant de la scène française en matière de politique intérieure et extérieure, et, si les circonstances créées par les partis religieux et les clans nobiliaires l'ont souvent contrainte de louvoyer, elle n'en possède pas moins quelques opinions politiques auxquelles, contre vents et marées, elle s'est accrochée. Fervente de Machiavel peut-être, on le lui a reproché, mais les élites françaises sont à cette époque comme à d'autres suffisamment bornées pour ne savoir lire correctement ce qu'écrit le Florentin. Catherine possède un sens suffisant de l'État. Le doit-elle à son beau-père François 1er avec lequel elle entretient de fort amicaux rapports, à son mari Henri II ou à l'esprit du temps qui conduit à conférer aux princes un pouvoir autoritaire ? Tout au long de sa vie, elle s'est battue pour maintenir la royauté au-delà des passions, cherchant à l'élever au-dessus de la mêlée sans la confondre avec les aspirations de l'un ou l'autre des clans, de l'un ou l'autre des partis religieux. De là une ligne politique hésitante en apparence, mais constante dans son déroulement. Jamais, comme le font les catholiques intransigeants, elle ne souhaite exterminer par les armes la minorité protestante dont elle mesure la puissance et la ténacité. Toujours elle recourt aux moyens pacifiques de conciliation nationale. Lorsque en 1560 meurt son fils, le roi François II, et que s'estompe la part prise par les Guise dans la politique de répression religieuse — en cela ils sont continuateurs des volontés d'Henri II — Catherine, devenue régente pour le trop jeune Charles IX, instaure une tolérance de fait qui lui est naturelle. Les rigueurs antiprotestantes s'apaisent, le prince du sang Louis de Bourbon-Condé est libéré de sa prison, le nouveau chancelier Michel de L'Hospital, homme de conciliation, réunit les états généraux convoqués, il est vrai, par le roi défunt, puis convoque pour 1561 une nouvelle réunion. Le colloque de Poissy, tentative pour dresser un compromis gallican entre les deux religions, est assemblé à l'initiative de la reine mère et de son chancelier. L'édit de Janvier 1562 accorde aux protestants la liberté de conscience et une relative liberté de culte. C'est encore à l'influence de Catherine que l'on doit en 1570 le traité de Saint-Germain fort avantageux pour les protestants pourtant battus par les troupes royales, car, dans l'esprit de la « gouvernante » de France, il s'agit bien de ne pas désespérer un adversaire battu et, ce faisant, de s'aligner sur le parti catholique extrémiste conduit par les

Guise. La Saint-Barthélemy, violence majeure d'une royauté aux abois contre les huguenots, n'est pas à imputer totalement à Catherine, même si, pour ce qui est du crime politique, elle demeure la principale responsable. Cette macule irréparable, elle l'assume seule devant le tribunal de l'Histoire alors que quelques jours auparavant, mariant sa fille Marguerite avec Henry de Navarre, chef des réformés, elle s'apprêtait à faire une fois encore œuvre de réconciliation nationale ; mais, en cette circonstance tragique, elle n'a su (ou pu) dominer les événements.

Lorsque son fils Henri III, plongé dans une situation inextricable par les progrès de la Ligue, veut en desserrer l'étreinte en faisant assassiner les Guise à Blois, elle se souvient de l'échec du coup de force étatique d'août 1572 et s'inquiète mortellement. « Ah ! le malheureux », aurait-elle dit alors, « je le vois se précipiter à la ruine et je crains qu'il ne perde le corps, l'âme et le royaume. »

Dans ce royaume en « proie », les ordinaires moyens de gouvernement se révèlent inefficaces ; gérer le pays depuis Paris ou des autres lieux royaux en Ile-de-France ou sur la Loire, comme le fera plus tard Henry IV, devient une gageure dans une France où féodaux et partis s'enracinent dans les provinces. Pour tenter de relier les fils embrouillés de cet écheveau dépenaillé, Catherine paie de sa personne. Elle écrit, voulant croire à la vertu des mots fragiles qui pourraient rattacher à la personne royale de ses fils les hommes, les villes, les institutions qui s'écartent de la voie monarchique. Des milliers de lettres, dictées à une centaine de secrétaires, partent pour tracer de fragiles ponts entre les provinces et le gouvernement central ; réunies pour la plupart au XIXe siècle, elles constituent aujourd'hui la matière de 10 gros et grands volumes [1]. Catherine se déplace pour rencontrer les gens, les deviner, les séduire ou les apitoyer, voyages longs, difficiles, de plus en plus fatigants lorsqu'elle prend de l'âge, mais la litière où elle se fait porter lui sert en même temps de cabinet de travail ; secrétaires et écritoire ne la quittent guère.

1. De la Ferrière Hector et Baguenault de Puchesse Gustave, *Lettres de Catherine de Médicis*, Paris, Documents inédits de l'histoire de France, 1880-1909, 10 vol., et index.

Reprenant les méthodes de François 1er, soucieux de montrer au royaume la majesté royale en personne, Catherine entreprend après la première guerre de Religion et les violences du peuple protestant et catholique un immense périple à travers le pays [1]. De 1564 à 1566, il s'agit bien de faire voir aux populations béates le jeune roi Charles IX afin de raviver le zèle monarchique singulièrement altéré en ces temps de minorités et donc de régences, de conflits entre grandes familles et de luttes civiles. Immense caravane où arrivent à se côtoyer jusqu'à 20000 personnes parmi lesquelles le gouvernement en son entier, la tournée royale s'attarde plus volontiers dans les régions où le protestantisme a trouvé des adeptes. On séjourne à Lyon, dans la vallée du Rhône, en Provence, en Languedoc, puis on fait halte à Bayonne. En juin 1565, Catherine de Médicis rencontre ici le duc d'Albe; cette fameuse entrevue sur laquelle l'historiographie s'est longuement interrogée a acquis au cours des âges une sinistre réputation, tant la rencontre de l'homme de Philippe II et de celle que l'on jugera responsable de la Saint-Barthélemy fut perçue comme un préparatif aux futurs massacres; en réalité, les discussions entre le plénipotentiaire espagnol et la régente de France piétinèrent, la dernière souhaitant pour ses enfants d'appétissants mariages ibériques, le premier rêvant à une extermination sanglante des chefs huguenots, à une expulsion de la secte hérétique du royaume, à un renvoi du trop conciliant Michel de L'Hospital. L'Italienne pas plus que l'Espagnol ne fléchirent d'un pouce.

Après les fêtes, les *paseos* et les négociations de Bayonne, la cour s'étire à nouveau au long des chemins de France; le Béarn puis la Saintonge et le Poitou, un crochet par la Bretagne avant d'atteindre Moulins et les châteaux de la Loire; en l'été 1566 on regagne Paris délaissé depuis plus de deux ans.

Jusqu'à la fin de sa vie, en janvier 1589, pour l'unité du royaume et la conservation de l'intégrité du pouvoir royal, elle ne cesse de parcourir la France, se rendant à maintes reprises dans le Centre-Ouest et le Midi largement contrô-

1. Boutier Jean, Dewerpe Alain, et Nordman Daniel, *Un tour de France royal. Le voyage de Charles IX (1564-1566)*, Paris, Aubier, 1984.

lés par les huguenots. Rencontres fréquentes avec son gendre Navarre, leur protecteur, qui la conduisent à Nérac en 1579 pour ensuite inspecter et pacifier la Provence ravagée par une guerre entre clans rivaux, les razés et les carcistes ; en été elle gagne le Dauphiné où, sans y réussir, elle s'efforce de calmer les esprits allumés par les questions fiscales et les tensions sociales. Au long des années suivantes, souvent malade, assurément vieillissante, elle se rend sur le terrain dès que l'unité du royaume et l'intégrité de la couronne sont en jeu. Démarcheuse infatigable pour le compte du roi son fils, elle court inlassablement dans sa litière à Bourgueil en avril 1580, à La Fère en 1581, à Château-Thierry en 1584 pour retenir Monsieur, le duc d'Alençon, son fils cadet toujours prêt à s'allier contre son frère avec les protestants, à tenter de grouper autour de lui les mécontents du régime. A partir de 1585, lorsque la Ligue devient le parti extrémiste décidé à jouer son va-tout, elle se déplace en Champagne, à Épernay afin de conférer avec les Guise, puis à Châlons où elle négocie la paix de Nemours. En 1586, en accord avec Henri III, elle se déplace à nouveau dans le Centre-Ouest au château de Saint-Brice entre Cognac et Jarnac afin de rencontrer Henry de Navarre et d'obtenir de lui qu'il retourne à la cour faire contrepoids aux ligueurs, sans succès d'ailleurs. L'année suivante, elle se rend à nouveau en Champagne tenter d'adoucir Henri de Guise et ses frères. Lorsque en mai 1588, au cours de la journée des Barricades, le roi se trouve chassé de sa capitale par la population exaspérée par son gouvernement autant que travaillée par les extrémistes catholiques, Catherine demeure à Paris, presque en otage, tentant de sauver ce qui encore peut l'être. Étonnantes pérégrinations d'une femme qui pour éviter les troubles, les dissidences, les ligues, se plaît à croire qu'elle saura convaincre en personne ses adversaires ! Étonnante méthode de gouvernement où la reine mère se déplace d'un point du royaume à l'autre, allant rencontrer sur leur terrain les hommes prêts à réduire en miettes le pays ; plutôt que de recourir aux armes, elle privilégie la négociation, la discussion, le compromis. Étonnante image d'un pays où, embusqués dans leurs provinces, les princes prédateurs se jouent de Catherine de Médicis.

En politique extérieure, dans une Europe fracturée par les

divisions religieuses, Catherine et avec elle ses deux fils rois, Charles et Henri, s'efforcent à tenir l'indépendance nationale entre états protestants et états catholiques, d'autant que la France affaiblie par les guerres civiles constitue une proie facile pour de gourmands voisins. L'Espagne, dont le souverain Philippe II devient le champion du catholicisme européen, s'intéresse de près aux affaires du royaume, inquiète d'y voir grandir le parti huguenot. Les réformés français suivent de près les affaires des Pays-Bas où les Gueux entament en août 1566 une révolte nationale et religieuse contre la domination espagnole ; Guillaume d'Orange en est le chef, et son frère, Ludovic de Nassau, ami des leaders protestants, incite ceux-ci à aider la rébellion. L'intervention en Flandres où le duc d'Albe conduit une répression sauvage parmi les dissidents religieux constitue une sorte de détonateur à la Saint-Barthélemy. Car Catherine pas plus que ses conseillers ne souhaite la rupture avec l'Espagne — Philippe II n'est-il pas son gendre et le monarque le plus puissant du monde ? Avec le Vatican, la régente poursuit la politique gallicane propre à la monarchie française. En 1563 prend fin le concile de Trente, et le cardinal de Lorraine, chef de la délégation française, prétend en faire approuver les canons par le Conseil du roi au titre de lois du royaume ; en 1564, la reine mère et son chancelier Michel de L'Hospital s'y opposent avec une absolue détermination. De la même manière, lorsque Paul IV appelle à Rome en 1563 pour les juger 7 évêques français accusés d'hérésie et qu'en 1564 il prononce la déposition de Jeanne d'Albret convertie au protestantisme, Catherine élève de vigoureuses protestations sur les interventions pontificales dans le royaume gallican. A un niveau plus domestique, lorsqu'elle veut passionnément unir sa fille au huguenot Navarre et que la dispense papale nécessaire à ce mariage tarde à venir, plus soucieuse d'union nationale que de sainte autorisation, elle fait célébrer le mariage avant que n'arrive la dérogation.

Élisabeth d'Angleterre, tout autant que Philippe II dans son Escurial, regarde de son île les déboires français avec jubilation. Souventes fois mais point trop largement, la reine Tudor secourt les protestants français en argent, en hommes, en matériel de guerre ; durant la première guerre de Religion par le traité de Hampton Court en 1562, elle obtient de Condé et de Coligny qu'ils lui livrent Le Havre en échange de 6000 hommes et de 100000 couronnes. Plus tard, elle aide les Rochelais révoltés après la Saint-Barthélemy, elle fournit des renforts humains et financiers à Henry de Navarre lorsque, protecteur des huguenots, il conduit la sixième et la septième guerre de Religion contre la royauté. La reine anglaise s'entend donc fort bien à attiser le brasier français, Catherine s'évertue à la neutraliser. Par de petits moyens certes, mais en a-t-elle vraiment de grands à sa disposition ? Elle tente d'amadouer Élisabeth en lui proposant tour à tour en mariage son fils Henri puis son cadet François d'Alençon. Bref, une politique extérieure sans grande envergure, très lòin des audaces de François Ier ou de l'acharnement anti-Habsbourg d'un Henri II, mais la situation intérieure absorbe les énergies des gouvernants.

Catherine, « gouvernante de France », en proie aux clans nobiliaires, qu'elle soit régente ou qu'elle dirige le pays en « dyarchie » avec son fils Henri III, gère les affaires en collaboration avec des hommes dévoués issus de la roture ou des milieux de la noblesse de robe. Jamais ses conseillers intimes ne furent choisis parmi les Grands : d'instinct elle se méfie de leurs appétits de puissance comme de leur intégration à un parti religieux ; Montmorency, Guise, n'appartiennent pas à son entourage proche, mais bien plutôt ces secrétaires d'État dont on a vu grandir l'influence dans les rouages de l'État royal sous François Ier et Henri II. Elle les utilise à des tâches auxquelles les règnes précédents ne les avaient point encore conviés ; négociateurs, ambassadeurs, inspecteurs, ils deviennent les agents à tout faire de cette femme de terrain, et ils l'accompagnent dans ses multiples pérégrinations. Elle s'associe donc à ce titre du Fresne, Nicolas de Neufville, Claude Laubespine puis son fils, Simon Fizes, Brulart, Révol, Pomponne de Bellièvre. Tous hors des passions de l'époque, bien que Neufville, sire de Villeroy, soit un catholique ardent, pour la plupart ils serviront plus tard Henry IV avec fidélité. Dans le souci qui l'anime de maintenir la monarchie au-dessus des clans et des partis, Catherine tout en leur accordant une importance politique accrue les contrôle fermement, exigeant de lire toutes les dépêches qu'ils

Tableau simplifié de la famille royale des Valois

Henri II *roi* de 1547 à 1559
épouse Catherine de Médicis

François (II)	Élisabeth	Claude	Charles (IX)	Henri (III)	Marguerite	François
né en 1544 *roi* (1559-1560)	née en 1545 épouse Philippe II roi d'Espagne	née en 1547 épouse Charles III de Lorraine	né en 1550 *roi* (1560-1574)	né en 1551 *roi* (1574-1589)	née en 1552 épouse Henri de Navarre roi (1589-1610)	duc d'Alençon 1554-1584

reçoivent et prenant connaissance de celles qu'ils expédient. La reine entretient avec eux des rapports amicaux, ayant soin de les choisir jeunes, lettrés, amoureux des fêtes et du luxe curial. Claude II Laubespine et Nicolas de Neufville, âgés d'à peine vingt-cinq ans lorsqu'ils occupent leurs postes de secrétaires, cultivent les poètes, sont mécènes et amateurs de châteaux comme d'objets d'art.

Pour autant que durant presque trente ans Catherine de Médicis s'implique totalement dans le gouvernement de la France, pour autant qu'elle travaille avec acharnement, pour autant qu'elle sillonne jeune, moins jeune, souvent mal portante, les chemins du royaume, que le pouvoir s'exerce, dans le même temps il se montre, il se représente. Les leçons de François 1er, celles d'Henri II portent, en ce domaine, leurs fruits, se mariant avec le tempérament de la reine mère ainsi que la tradition culturelle des Médicis qu'elle perpétue avec succès. Dans son esprit la cour, qu'elle et son fils Henri III rendent particulièrement somptueuse, signifie la richesse de la France et la puissance de la royauté. Fêtes, ballets, tournois autant que le rituel serré démontrent la majesté royale comme ils retiennent les gentilshommes tentés de gagner les provinces où tout s'agite autour de la famille régnante. Catherine, tout comme son époux Henri II, s'intéresse à la poésie et subventionne comme lui les poètes de la Pléiade, Ronsard, Baïf, Dorat, Belleau. Avec ses fils, elle goûte la musique à l'italienne, favorise la carrière de Roland de Lassus. Elle se passionne comme son beau-père, son mari et comme plus tard son gendre Henry IV pour les bâtiments, autant de pierres en forme de joyaux de la couronne. Au Louvre, les travaux d'embellissement et d'agrandissement remontent au règne précédent et se continuent sous l'œil vigilant de la reine mère que ne rebutent point devis et plans d'architecte. Lorsque en 1578 s'éteint Pierre Lescot, Jean Bullant le remplace, auquel Catherine confie la construction du somptueux palais des Tuileries, entouré de jardins, de fontaines et de canaux. A son usage personnel la régente entreprend de faire édifier en plein cœur de Paris, non loin du Louvre, l'Hôtel dit de la Reine, plus tard de Soissons, où elle travaille à la fois proche de la cour mais protégée des courtisans.

Les fils régnants de Catherine.

De Catherine, la chronique, la légende disent à satiété de quel amour elle a couvert ses fils. L'aîné, François II, à la mort de son père, a l'âge de seize ans requis par les lois du royaume. De santé fragile comme ses frères, le roi marié à Marie Stuart s'étiole pendant un an durant lequel les Guise, oncles de la jeune reine, dominent le Conseil et la personne du souverain. Charles IX lui succède en 1560, il n'a que dix ans ; sur l'avis d'Antoine de Bourbon, soucieux d'éloigner du trône les Lorrains, le Conseil désigne Catherine comme « gouvernante du royaume [1] ». Au souverain lui-même, déclaré majeur à quatorze ans en 1563 à Rouen, l'histoire ne tresse pas de lauriers. Son règne bref — il meurt en 1574 ! — s'ensanglante de la Saint-Barthélemy ; certains pamphlétaires dans l'excès de leur indignation l'accusent d'avoir tiré sur les protestants fuyant les massacreurs à l'aide d'une arquebuse de chasse, d'où le surnom de chasseur déloyal formé des lettres de son nom que lui décerne, dans *Les Tragiques*, Agrippa d'Aubigné. Sa mère règne à sa place, le souverain s'adonnant aux plaisirs de la chasse, à tel point qu'il rédige un traité de vénerie. Doit-on prêter l'oreille aux rumeurs des coulisses, celles des mémorialistes, historiens prétendus et libellistes véritables, lorsqu'elles évoquent la mortelle jalousie de Charles à l'égard de son frère cadet Henri ? Celui-ci aurait été, dit-on, le favori de sa mère, auréolé de ses victoires de Jarnac et Moncontour, ce qui aurait excité l'envie du souverain. Aussi lorsque en 1571 se présente l'affaire des Pays-Bas où les protestants voudraient engager le royaume contre Philippe II aux côtés de Guillaume d'Orange-Nassau, Charles IX, hanté par la gloire militaire, aurait pris feu et flamme pour cette cause plaidée par Coligny. Lorsqu'il meurt en 1574, rongé comme tous les Valois par la tuberculose, les ombres des morts le poursuivent dans son agonie.

Avec une autre stature se présente devant la postérité Henri III [2]. La tragédie politique, il est vrai, atteint durant

1. Bourassin Emmanuel, *Charles IX*, Paris, Arthaud, 1986.
2. Chevallier Pierre, *Henri III*, Paris, Fayard, 1985, et Boucher Jacqueline, *La Cour de Henri III*, Ouest-France, 1986.

son règne à des degrés extrêmes sans que la légende ait besoin d'y ajouter son grain de sel. Général brillant et victorieux au cours de la troisième guerre de Religion, il s'en va ceindre en 1573 la couronne offerte par la Diète polonaise dûment travaillée par les envoyés de Catherine de Médicis. Ce pays froid et austère l'ennuie à périr ; la délivrance vient par le messager annonçant la mort prématurée de son frère qui ne laisse point d'héritier, sinon un bâtard, Charles de Valois, plus tard d'Angoulême, élevé à la cour. Le duc d'Anjou devient ainsi roi de France, le 30 mai 1574, alors qu'il réside encore en Pologne et qu'il doit presque s'enfuir de ce lointain pays. De retour dans le royaume en septembre 1574, il affirme sa personnalité de souverain autoritaire, grand travailleur, réduisant le nombre de conseillers directs, exigeant de contrôler les dépêches des secrétaires d'État, disposant des grands offices de la Couronne pour les confier à des favoris dont il a éprouvé la fidélité.

De belle taille comme son grand-père François, doté d'un physique agréable, d'indéniables qualités intellectuelles, Henri III a la malchance de régner dans une période critique. D'une extrême nervosité, il connaît en 1582 et 1583 une dépression nerveuse qui le contraint à la retraite loin de la cour ; d'un tempérament excessif et religieux — on ne lui pardonne guère de participer à des processions de flagellants —, constamment sur le qui-vive de crainte d'être trahi, il est probablement le souverain français le plus couvert d'opprobre en son temps comme l'est sa mère Catherine. Cependant, unis par une même volonté, ils tentent de maintenir la couronne au-dessus des partis et des passions. Aussi l'un comme l'autre naviguent-ils à l'estime, gouvernant au coup par coup, privés de cette franchise sans angles de la politique menée par Henri II. L'entourage des mignons, la garde des *Quarante-cinq*, l'isolement dans lequel il se tient volontiers en dehors de périodes frénétiques de divertissements ou d'exaltation religieuse, témoignent de la nécessité d'assurer sa protection physique dans une époque où l'assassinat devient une méthode politique. Son attitude à l'égard de la Ligue, tantôt s'en déclarant le chef en 1576, tantôt s'effaçant devant les Guise, ses leaders, en 1585, pour les faire enfin exécuter à Blois en 1588, démontre sa lucidité face à ce mouvement et ses efforts pour le contourner ou le dominer. Il en va de même avec l'autre Henry, celui de Navarre, protecteur des huguenots, qu'il combat en 1574, en 1577, et en 1579, puis plus tard en 1587 lorsque ses troupes sont défaites à Coutras ; mais, durant les vastes plages chronologiques où Navarre demeure en Guyenne, le dernier souverain Valois ne perd jamais le contact avec ce beau-frère rebelle ; sa mère lui sert de négociateur qu'il envoie en ces provinces du Sud-Ouest ; l'épaisse correspondance qu'il entretient avec le Béarnais reflète la volonté de le voir revenir à la cour, de le faire se convertir au catholicisme pour qu'enfin il devienne un prétendant au trône acceptable par tous les Français. Car Henri III, sans descendant mâle, s'inquiète de sa succession alors même qu'en 1584 meurt son frère François d'Alençon et que l'héritier présomptif, selon les lois fondamentales du royaume, serait justement ce Navarre honni par la Ligue.

Est-ce pour compenser la réalité de cette monarchie battue en brèche par les ambitions et les passions qu'Henri III et sa mère s'efforcent à travers la cour d'en donner une représentation aussi ritualisée que se peut ? Sur les conseils de Catherine, le roi publie entre 1582 et 1585 plusieurs règlements précisant l'étiquette à laquelle ce petit monde doit se soumettre, relevant la majesté royale, souvent entamée par le coude à coude quotidien, réglant l'emploi du temps des courtisans sur celui du souverain. Comme sous les règnes précédents, cour et gouvernement demeurent étroitement imbriqués, les conseils se tenant auprès du monarque chaque matin entre six heures et neuf heures et demie, et dans l'après-midi d'une heure à quatre heures. Certes, c'est à la noblesse que sont réservés les offices curiaux des différentes maisons princières et royales, mais les gens de la robe, secrétaires ou conseillers d'État, participent au cérémonial et aux fêtes. Cet organisme tend à se fixer à Paris, ville qu'Henri et Catherine goûtent particulièrement.

La cour des Valois.

Société nombreuse, plus de 3 000 personnes y servent à des titres divers, formant ainsi une ville dans la ville, elle est aussi société complexe. Malgré les conseils prodigués par les auteurs des manuels curiaux, la violence régit parfois les rapports des courtisans, comme en témoignent les duels sanglants entre les gentilshommes qu'Henri III s'efforce de limiter sans y parvenir complètement. La brutalité qui défraie la chronique à la cour comme à la ville masque des rapports de force qui, pour n'être pas physiques, n'en sont pas moins violents, car la cour de Charles IX et surtout celle d'Henri III servent de fidèle miroir à la France de cette époque. Les souverains en place tentent de fixer auprès d'eux les Grands afin de contrecarrer leurs projets sécessionnistes. C'est par exemple pour Catherine et Charles IX un grand soulagement de voir revenir à la cour en 1571 Gaspard de Coligny, devenu le chef des huguenots après la mort de Condé en 1569. De la même manière, après la Saint-Barthélemy, ils gardent dans cette geôle dorée mais sous haute surveillance les deux cousins Bourbons, Navarre et Condé, afin qu'ils ne puissent prendre la tête du parti huguenot. C'est dans la même perspective de le contrôler et de le surveiller que Catherine et Henri III multiplient auprès d'Henry de Navarre les invitations à venir à la cour lorsque, après sa fuite en 1576, celui-ci s'enferme dans sa province de Guyenne. Inversement, les puissants gentilshommes que sont les Guise connaissent de quelles royales inquiétudes s'accompagne leur départ en 1578, puis en 1584 après la mort d'Alençon.

Mais la cour en ces temps troublés devient pour les rois et Catherine un organe indispensable à la reconstitution des fidélités ébranlées par les troubles civils et religieux. Les fameux mignons dont Henri III ne se sépare guère, se répartissent certes nombre d'offices curiaux, mais ils recréent des liens de solidarité avec le souverain que les guerres et les dissensions intestines relâchent voire dissolvent ; de là l'élévation rapide des ducs d'Épernon et de Joyeuse et encore les mausolées spectaculaires construits pour Maugiron et Quélus par le dernier Valois, symbolisant leur fidélité au souverain, lorsqu'ils meurent dans un combat de clan les opposant en 1578 aux favoris du duc d'Alençon.

En 1578 encore, le dernier Valois crée un nouvel ordre de chevalerie, l'ordre du Saint-Esprit. Ses 26 membres ont à faire preuve d'une noblesse séculaire, d'un catholicisme sans tache, et prêtent un serment de fidélité au grand maître, c'est-à-dire au roi lui-même. Henri III trouve là un nouveau moyen de s'attacher la gentilhommerie peu tentée par les aventures navarraises ou guisardes, comme il s'efforce d'élargir le groupe des Grands en érigeant en quinze ans de règne 11 duchés-pairies [1].

Miroir des affrontements du temps, la cour n'en demeure pas moins l'espace privilégié du divertissement de l'art et de la littérature. De plus en plus italianisé tant par ses suivants que par ses spectacles et ses fêtes. Représenté en 1581, le *Ballet comique de la Royne*, mêlant déclamation, chant et danse, est une œuvre magistrale. Les spectacles de théâtre s'inspirent de la *commedia dell'arte* dont les personnages, Pantalon, Zanni, Arlequin, deviennent familiers aux courtisans. Les troupes de comédiens italiens, les *Gelosi*, les *Confidenti*, jouent à la cour en 1576-1577, puis en 1584-1585. Les fêtes où se mêlent mascarades, danses et musiques se déroulent fastueuses, créant entre tous les courtisans cet unanimisme auquel les souverains voudraient croire encore. Les poètes, les écrivains sont pensionnés par la famille royale ou par les courtisans, leurs œuvres lues ou chantées, ainsi celles de Belleau, Baïf, Yver, Ronsard, Desportes...

Lieu du pouvoir et du gouvernement, reflet des tensions du siècle, organe d'élévation sociale, milieu culturel, la cour des derniers Valois maintient les traditions mises en place sous François 1er.

Autour de la « gouvernante de France » et de ses trois fils s'agitent de gigantesques appétits féodaux, comme la France en connaît et en connaîtra encore lorsque, le temps d'une minorité, d'une régence, le trône semble presque vide.

Les princes du sang : François d'Alençon.

François d'Alençon, fils de Catherine et d'Henri II, appartient à cette meute carnassière, sinon que la religion intervient peu dans la justification de ses entreprises [2]. Ce jeune

1. Constant Jean-Marie, *Les Guise*, Paris, Hachette, 1984, p. 123.
2. François d'Alençon n'a pas suscité l'intérêt passionné des historiens et des biographes. Voir Mariejol Jean-H., « La Réforme et la Ligue. L'Édit de Nantes (1559-1598) », t. VI de *L'Histoire de France*, sous la direction d'Ernest Lavisse, Paris, Hachette, 1904, p. 167-207.

homme physiquement ingrat, sans doute homosexuel, tient le rôle tant de fois joué par les cadets de famille régnante, celui de l'éternel mécontent prêt à mettre le royaume à feu et à sang pour acquérir quelques avantages, voire plus platement prouver son existence. En 1573, en accord avec les protestants, François prend la tête du parti des Politiques et participe à plusieurs complots contre la vie ou du moins la Couronne de Charles IX. Ses relations avec Henri III ne sont guère meilleures — les deux frères se haïssent ! —, et il s'allie de nouveau avec les réformés durant la cinquième guerre de Religion ; ceux-ci sont en effet très gourmands d'avoir parmi eux des princes du sang susceptibles de porter leur cause au plus haut niveau de la monarchie. Plus tard, à partir de 1577, il soutient le vieux projet huguenot d'intervention aux Pays-Bas et noue des contacts avec les amis de Guillaume de Nassau. Toujours en effervescence pourvu qu'elle soit dirigée contre ses frères rois, il cherche à grossir sa clientèle nobiliaire, induisant à la cour querelles, affrontements et provocations. Duels et assassinats soulignent le climat de tensions qu'il entretient entre 1574 et 1579 ; le paroxysme en est bien la fameuse bataille rangée où s'opposent en 1578 les mignons d'Alençon et ceux d'Henri III. S'il s'éloigne de la cour, Catherine s'inquiète de ses menées ; à bon droit, puisque François à partir de 1579 tente de mener pour son compte une politique souveraine. Enhardi par son projet de mariage fort avancé avec Élisabeth d'Angleterre, il reprend le vieux rêve de Coligny d'intervention aux Pays-Bas. Ses motivations, si elles ne transpiraient l'ambition, pourraient sembler pures : ressouder la noblesse française dans une guerre contre l'ennemi héréditaire, agrandir le royaume de quelques villes flamandes, soutenir les meurtris de Philippe II et du duc d'Albe. Mais l'affaire tourne mal, même si Catherine, soulagée de voir son fils s'agiter ailleurs que dans le royaume, soutient son action par de l'argent et des hommes. Les états généraux lui proposent la souveraineté en 1580 par le traité de Plessis-lez-Tours à condition qu'il promette d'obtenir l'aide du roi son frère en faveur des révoltés. La manière brutale dont Alençon et les Français se conduisent à Anvers (la « furie d'Anvers ») conduit les Flamands à plus de méfiance ; ils refusent d'ouvrir leurs villes au prince qui, en 1583, se retire à

Dunkerque et licencie son armée. C'est l'échec total, mais déjà le ronge la tuberculose qui l'achève l'année suivante.

Au-delà des inquiétudes liées aux aspirations débridées de François d'Alençon, la royauté se trouve aux prises avec des familles particulièrement puissantes et carnassières auxquelles le sens de l'État échappe totalement, occupées qu'elles sont à se tailler des principautés à l'intérieur d'un royaume que cisaillent déjà les conflits religieux. Ces Grands occupent de droit des places aux conseils royaux, détiennent de grands offices de la Couronne, des sièges ecclésiastiques nombreux et opulents, dirigent les armées royales, assurent les fonctions de gouverneurs, touchent des pensions majestueuses, jouissent d'une clientèle étendue, disposent d'une parentèle soigneusement entretenue par des mariages judicieux. Leur fortune en terres, revenus fonciers et immobiliers, en gages et dons royaux, quoique d'inégale dimension, est immense si on la compare aux modestes avoirs du commun des mortels, fussent ceux d'un noble ordinaire. On appelle « Grands » les princes de sang royal, les princes étrangers (les Lorraine, les Rohan, les Clèves, les Gonzague-Mantoue...), les ducs et pairs, et les ducs sans pairie [1].

Les princes du sang : les Bourbons.

Antoine de Bourbon est le premier prince du sang qui détient une dignité et un rang considérables puisque selon la loi salique, après les quatre « fils de France », il est considéré comme l'héritier présomptif de la Couronne. Ce titre prestigieux dissimule un personnage sans grands moyens financiers. Certes, il possède, dispersés au nord de la Loire, des comtés et des baronnies, Vendôme, Condé-en-Brie, La Fère ; surtout le lignage Bourbon s'apparente à la très haute noblesse française ; les Guise, les Montpensier, les Nevers même lui sont apparentés à un degré ou à un autre. Par son mariage, Antoine acquiert une autre dimension. Jeanne d'Albret, vicomtesse de Béarn, reine de Navarre, figure comme la repré-

1. Jouanna Arlette, *Le Devoir de révolte. La noblesse française et la gestation de l'État moderne, 1559-1661*, Paris, Fayard, 1989, p. 35.

sentante de la dernière grande Maison féodale du royaume [1]. Puissance territoriale puisque, outre le Béarn et la Navarre que les Albret détiennent souverainement, ils possèdent nombre de seigneuries dispersées dans le Sud-Ouest, la vicomté de Limoges, le comté de Périgord, celui de Foix. Ils disposent donc d'un réseau luxuriant de vassaux, fidèles et clients qu'accroît encore la charge de gouverneur de Guyenne, traditionnellement confiée au roi de Navarre par le souverain français. Celui-ci, d'ailleurs, depuis François 1er, veille jalousement à amarrer à la famille régnante celle des Albret ; le premier Valois d'Angoulême donne à Henri sa sœur bien-aimée Marguerite, grand-mère du futur Henry IV ; Henri II d'Albret à son tour contraint sa fille Jeanne à épouser après quelques péripéties Antoine de Bourbon. Plus tard, Jeanne d'Albret et Catherine de Médicis s'accordent pour marier en août 1572 leurs enfants Henry et l'autre Marguerite, que ses frères Valois surnomment Margot.

Lorsque, en 1560, Jeanne d'Albret se convertit au protestantisme — par conviction ou par fidélité vassalique ? —, un grand nombre de gentilshommes du Sud-Ouest et du Centre-Ouest la suivent dans cette voie, ce qui fait de cette vaste région un ensemble particulièrement redoutable pour la monarchie des Valois [2]. Antoine de Bourbon son époux, un instant tenté par la nouvelle religion, demeure catholique ; à la mort de François II, comme auraient pu l'y inciter les traditions françaises, il renonce à la régence du royaume qu'il laisse à Catherine, mais prend le titre ronflant de lieutenant général. Il meurt tôt en novembre 1562, au siège de Rouen entrepris par les troupes royales alors que les protestants tiennent la ville. Son titre de premier prince du sang passe à son fils Henry âgé d'environ sept ans, mais son frère Louis devient alors le chef de la famille des Bourbons.

Louis de Bourbon-Condé, entré avec vigueur dans la cause protestante, utilise dès 1559 la religion pour justifier ses

1. Roekler Nancy, *Jeanne d'Albret, reine de Navarre*, Paris, Imprimerie nationale, 1979. On trouve dans cet ouvrage maintes informations sur Antoine de Navarre. Voir encore sur les comportements de ce Bourbon, Mariejol Jean-H., *op. cit.*, p. 27, 28, 40, 70.

2. Garrisson (Janine), *Protestants du Midi (1559-1598)*, Toulouse, Privat, 1981, p. 27.

Les Bourbons :
chefs du parti protestant

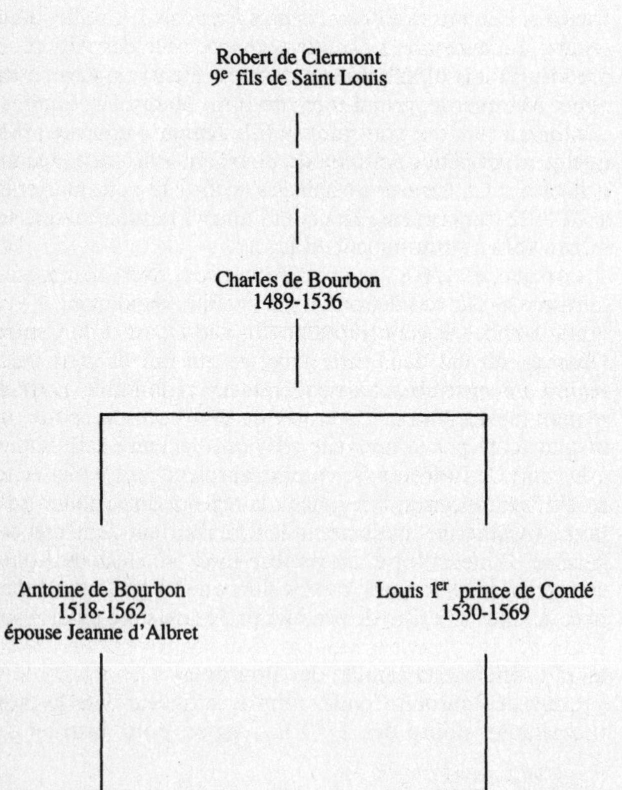

actions contre les Guise, qui couvent jalousement le jeune roi François II et qui continuent la rigoureuse répression anti-réformés entamée par Henri II [1]. L'entreprise d'Amboise qui, si elle avait réussi, aurait conduit à l'emprisonnement et au jugement de François de Guise et de son frère, le cardinal de Lorraine, s'avère un lamentable échec où nombre de protestants perdent la vie [2]. Louis, enfermé à Orléans, risque sa tête lorsque survient à point nommé la mort du roi, l'effacement des Guise et l'installation d'une politique de tolérance. Avant que ne démarre la première guerre de Religion, lorsque au début de 1562 la régente, pour avoir donné trop de gages aux calvinistes, amorce un rapprochement avec les catholiques du Conseil et que, dans le pays, les troubles opposent déjà catholiques et protestants, Louis de Condé prépare la lutte qu'il sait inévitable et qu'au bout du compte il souhaite. Il exige donc des jeunes Églises protestantes de lui fournir des soldats, puis il conçoit la tactique des prises de villes qui est celle des réformés au long des premiers troubles. Plus tard, en 1567 et en 1568, il est en partie responsable de la seconde et de la troisième prise d'armes, trouvant la mort à Jarnac en 1569. Car Condé, en gentilhomme frustré de ses droits par la pesanteur guisarde, transforme le protestantisme en parti luttant pour la conquête du pouvoir. Cherchant à justifier aux yeux de l'opinion nationale et internationale sa rébellion contre son souverain, il n'hésite pas à promulguer en 1562 de vigoureuses déclarations, accusant les Guise de tenir sous leur tutelle le roi et la reine, protestant qu'il en veut les libérer [3]. En 1567, il agit de même, faisant courir plusieurs livrets annonçant qu'il ne prend pas les armes pour défendre les seuls protestants, mais pour le peuple tout entier, « sans aucune acception de personnes ni de religion ». A ce titre, il réclame une assemblée des états généraux pour procéder à la réforme du royaume. Bref, une nouvelle ligue du

1. Mariejol Jean-H., *op. cit.*, p. 13, 14, 61, 62, 68, etc.
2. Sur la conjuration d'Amboise, voir Naef Henri, *La Conjuration d'Amboise*, Genève, Droz, 1922, et Kingdon Robert, *Geneva and the coming of the Wars of Religion in France*, Genève, Droz, 1956.
3. *Déclaration faicte par monsieur le Prince de Condé pour montrer les raisons qui l'ont contrainct d'entreprendre la défense de l'authorité du Roy...*, S.I., pièce.

Bien public[1] ! D'ailleurs, tous ces féodaux, mus entre autres motivations par leur désir de puissance, cherchent à légitimer leurs révoltes armées par des appels au sentiment national, à la défense des intérêts publics menacés. Montmorency-Damville, Henry de Navarre, Henri de Guise, multiplient semblables adresses ou les font rédiger par leurs plumitifs sans y être impliqués nommément. Il est vrai, nous le verrons, que la période des guerres civiles connaît l'avalanche des mots dits ou écrits plus qu'aucune autre époque antérieure.

A la mort de Louis de Condé dont le fils Henri sera beaucoup plus intransigeant que son père sur la religion et l'éthique calvinistes, Jeanne d'Albret ainsi que son fils Henry de Navarre deviennent les figures princières derrière lesquelles s'alignent gentilshommes et roturiers huguenots. Depuis 1565 Jeanne fait du protestantisme la religion officielle du Béarn, s'efforçant d'y faire régner l'éthique calviniste par lois d'État (les ordonnances ecclésiastiques) ; les catholiques n'ont plus droit de cité dans la vicomté. Elle prend le relais de Louis de Condé, fait reconnaître par l'armée l'autorité de son fils comme prince du sang et chef des réformés, manifestant ainsi l'ambition qui la dévore d'obtenir pour lui et pour elle une place de premier plan dans le royaume.

Lorsque s'achève la troisième guerre de Religion en 1570 par le traité de Saint-Germain, les pourparlers reprennent pour le mariage d'Henry de Navarre et de Marguerite de Valois ; Jeanne d'Albret meurt à Paris au printemps 1572 avant qu'il ne soit célébré en août de la même année. Le jeune roi de Navarre devient donc le prince des huguenots et l'adversaire-né du clan catholique des Guise qui souhaite dominer le Conseil du roi et donc infléchir à son avantage politique et religieux la prérogative monarchique[2].

Agé à l'époque d'à peine dix-neuf ans, le prince du sang

1. Mariejol Jean-H., *op. cit.*, p. 97, et Yardeni Myriam, *La Conscience nationale en France pendant les guerres de Religion*, Paris-Louvain, Nauwelaerts, 1971, p. 132-133.

2. Sur Henry de Navarre, futur Henry IV, la production historique est très abondante. Les deux dernières biographies sont de Babelon Jean-Pierre, *Henri IV*, Paris, Fayard, 1982, et de Garrisson Janine, *Henry IV*, Paris, Éd. du Seuil, 1984.

Bourbon a déjà changé trois fois de religion — la quatrième se situe après la Saint-Barthélemy lorsque, avec son cousin Condé, il est contraint d'abjurer la Réforme —, il a participé à deux grandes batailles, voit ses amis et ses vassaux massacrés dans la cour du Louvre et dans le périmètre du palais. Durant quatre ans, prisonnier de la cour, il en suit les déplacements comme les fêtes, guetté, espionné, cajolé quand les nécessités du moment l'exigent. De cette période, il acquiert une grande maîtrise de lui-même, un scepticisme profond à l'égard des êtres et sans doute un certain dégoût de la violence. Il retient sans doute de sa qualité d'otage une certaine considération pour lui-même et pour les atouts qu'il sera susceptible de détenir. Évadé en 1576, il redevient calviniste après mûre réflexion, jugeant positivement l'appui politique et financier que lui offrent les protestants, et, entre cette année-là et 1589, ne repassera jamais la Loire. Henry, protecteur des huguenots et gouverneur de la Guyenne pour le roi, car telle est la manière qu'a trouvée Catherine de Médicis de le rendre moins dangereux, réside dans le Sud-Ouest et le Centre-Ouest, exerçant sa double et contradictoire charge. Navarre attend son heure ; sa mère lui a instillé la conviction profonde de son rang et de sa dignité. Prince du sang, il peut, par d'heureux hasards biologiques, être appelé un jour à ceindre la couronne royale ; la force qui l'anime au long de ces années de retraite où il préfère être le premier en Guyenne que le second au Louvre est irrésistible, tant il sait que de grands destins l'attendent assurément. Louvoyant entre Catherine, Henri III et les Églises protestantes, connaissant que les Guise sont ses adversaires premiers, sachant habilement mettre ses droits contestés par la Ligue en valeur lorsque en 1584 il devient, par la mort d'Alençon, héritier présomptif de la Couronne. A la Sorbonne et au Parlement de Paris, hautes autorités morales du royaume, il adresse de longs textes où, faisant miroiter sa conversion, il se montre l'authentique successeur d'Henri III ; prenant avec adresse le contre-pied de la Ligue, il met en avant ses qualités de vrai Français, face aux Guise d'origine et d'implantation lorraines, face aux alliances espagnoles pratiquées par ces chefs catholiques et leurs séides extrémistes. La victoire de Coutras remportée en octobre 1587 sur les troupes royales commandées par Joyeuse signifie certes la victoire d'un prince rebelle sur son souverain, mais aussi celle des bons Français sur les partisans de l'étranger. Après Coutras, Navarre se garde bien de pousser à fond son avantage en fonçant vers le Nord, vers Tours, où se trouve le gouvernement d'Henri III, mais demeure en Guyenne ; il fait enterrer avec les honneurs de la guerre les vaincus, n'exige aucun prisonnier ni rançon, mais au contraire dicte à l'usage du dernier Valois une lettre demeurée célèbre :

« ... Je suis bien marri qu'en cette journée, je ne pus faire différence des bons et naturels Français d'avec les partisans de la Ligue. Mais pour le moins ceux qui sont restés en mes mains témoignèrent de la courtoisie qu'ils ont trouvée en moi et en mes serviteurs qui les ont pris. »

Bref, Henri III qui, après avoir fait assassiner les Guise à Blois en 1588, se trouve face à une irrésistible montée en puissance de la Ligue se voit forcé de s'allier avec Navarre afin de ne pas être submergé. Ce dernier, qui depuis sa fuite de la cour en 1576 n'attendait que cette alliance, alors qu'avec constance il a refusé toutes les propositions faites pour le faire revenir à la cour, le rejoint avec son armée près de Tours le 30 avril 1589. Henry retrouve là la place due à son rang, il se réinstalle dans les fonctions de premier prince du sang et celles qui lui font frôler le trône royal, celles qu'il convoite depuis de longues années. Il ne sait pas encore que dans trois mois, après qu'Henri III aura succombé sous le couteau de Jacques Clément, il deviendra roi de France.

Les Grands : les Montmorency.

Le rôle du clan Montmorency durant les guerres de Religion, relativement négligé par les historiens fascinés par Guise ou Navarre, mérite cependant d'être souligné. Le connétable Anne de Montmorency, figure de premier plan durant les règnes de François 1er et d'Henri II, se voit sous François II un temps éclipsé par les Guise. Mal à l'aise dans les tensions religieuses qui divisent les grands comme les petits, il demeure par tempérament profondément catholique. A tel point qu'écœuré par l'invasion protestante à la cour où les psaumes se chantent chez Coligny, chez la princesse de

Condé, chez la duchesse de Ferrare, inquiet des désordres provoqués en province par les huguenots, alarmé par les menées de Louis de Condé, le connétable se réconcilie en mars 1561 avec le duc de Guise, son adversaire de longue date. En compagnie de cet autre catholique pur et dur, le maréchal de Saint-André, ils constituent le Triumvirat décidé à défendre les valeurs religieuses traditionnelles de la France[1]. Adhèrent à ce noyau originel de la Ligue le cardinal de Tournon, le maréchal de Brissac. Pour contresigner leur refus de la politique de tolérance dans laquelle la régente vient en accord avec Michel de L'Hospital de s'engager, Montmorency et Guise quittent la cour quelques jours plus tard.

Le connétable, rappelé par la régente lorsque l'année suivante débute la première guerre, prend la tête des armées, remporte la victoire de Dreux, mais se fait tuer à la bataille de Saint-Denis en 1567 au cours des deuxièmes troubles. Deux de ses fils, le maréchal François de Montmorency et Henri Damville, jouent après sa mort un rôle d'arbitres dans l'enjeu politique auquel se livrent les Grands. Ni l'un ni l'autre, tout en demeurant bons catholiques, n'adoptent les positions extrémistes des Guise. Après la mort de leur père, ils se rapprochent même de leurs cousins Châtillon, champions du protestantisme après les princes du sang Bourbon. Au moment de la Saint-Barthélemy, François se trouve absent de Paris, son frère gouverneur de Languedoc demeure en sa province. Après 1572, le maréchal de Montmorency se rapproche du duc d'Alençon, éternel frustré de la famille des Valois, et suscite un parti intermédiaire, dit des Malcontents ou des Politiques, auquel adhèrent des gentilshommes de haut lignage, tels Thoré le cinquième fils du connétable, Turenne futur duc de Bouillon ; les affidés, qui ont des contacts avec les princes Henri de Condé et Henry de Navarre, s'unissent sur un programme simple : à l'intérieur reprendre une politique de tolérance, à l'extérieur intervenir aux Pays-Bas contre l'Espagne aux côtés des partisans de Guillaume d'Orange. Le complot est dénoncé, Montmorency embastillé le 4 mai 1574. Son frère s'allie alors avec les protestants du Midi et publie

1. Sur le triumvirat, voir Pernot Michel, *Les Guerres de Religion en France (1559-1598)*, Paris, SEDES, 1987, p. 64-66.

un manifeste où il exige la réunion des états généraux, la réhabilitation des victimes de la Saint-Barthélemy, la mise en jugement des auteurs du massacre, le libre exercice du protestantisme [1]. Dès cette époque, Damville songe à se tailler en Languedoc une principauté dont il pourrait être comme le vice-roi ; il convoque les états de la province alors que de son côté Henri III, de retour de Pologne, réunit leur équivalent à Villeneuve-lès-Avignon et, par la voie des armes, s'empare de plusieurs villes du Languedoc au nom de l'Union des catholiques et des protestants. Cependant, ce gouverneur rebelle louvoyant entre Henry de Navarre et le gouvernement central ne laisse pas de reconnaître le premier comme héritier présomptif lorsque en 1584 meurt François d'Alençon. Son importance comme celle de son frère François s'avère considérable, car, à la suite du cadet Alençon, ils constituent parmi les Grands l'un des leaders du parti des Politiques qui appuieront Henry IV dans la conquête de son pouvoir royal contesté par la Ligue [2].

Les Grands : les Guise.

D'une autre texture se présente le clan des Guise. Plus monolithique certainement, puisqu'ils défendent de père en fils la tradition catholique avec la même vigueur. Cette famille issue de la branche cadette des ducs de Lorraine fait carrière dans les armées et l'Église françaises. En 1559, le chef, le duc François, jouit d'une solide réputation de courage que confirment ses victoires à Metz et à Calais et que matérialise une balafre fameuse, d'un coup de lance reçu en 1545 au siège de Boulogne. Son frère Charles, cardinal de Lorraine bien introduit à Rome, chef de la délégation française à la dernière session du concile de Trente, participe comme son aîné au Conseil du roi ; tous deux font « main basse » sur le pouvoir lorsque arrive sur le trône leur neveu par alliance Fran-

1. *Déclaration et Protestation par monsieur le mareschal Dampville sur l'occasion pour laquelle il prit les armes pendant l'Union*, 13 novembre 1574.

2. Palm Franck, *Politics and Religion in Sixteenth-Century France. A Study of the Career of Henry of Montmorency-Damville, Uncrowned King of the South*, Boston-New York, 1927.

çois II. La famille ne dispose pas comme celle des Montmorency d'une fortune considérable en terres, seigneuries, rentes et immeubles — leur force est ailleurs. Elle réside dans la cohérence du bloc familial dévoué au chef, le duc, d'abord François puis, après son assassinat en 1563, Henri son fils aîné. Les frères de François, Claude duc d'Aumale, Louis cardinal de Guise, René marquis d'Elbeuf, ne cherchent pas à se tracer un destin particulier, ils suivent celui de leurs aînés, le duc et le cardinal. Il en est de même à la génération suivante où Henri duc de Lorraine, ses frères Charles duc de Mayenne et Louis cardinal de Guise, sa sœur Catherine duchesse de Montpensier, vivent en parfaite communion d'idées et de sentiments. Le même unanimisme les unit à leurs cousins, le duc et le chevalier d'Aumale ainsi que le duc d'Elbeuf. La grande puissance des Lorrains tient encore à l'immense clientèle d'amis, d'obligés, de parents éloignés qu'ils entretiennent avec un soin extrême ; ils s'attachent à leur fournir des postes à l'armée, dans les maisons royales et princières, dans l'Église et dans l'administration. Aussi disposent-ils dans le royaume d'un réseau serré de fidèles qui les appuient en tout lieu et en toute circonstance.

De là le soin apporté par les Guise à façonner leur image de marque, celle-ci leur permet de régner par le prestige et la réputation sans puiser outre mesure dans leur cassette personnelle. François le premier se montre parfait chevalier, suscitant l'admiration de ses contemporains, même celle du protestant François La Noue. A sa suite, son fils Henri, beau, balafré comme son père depuis 1575 à la bataille de Dormans, aimé des dames, dont Marguerite de Valois, cultive la bravoure spectaculaire qui rallie les cœurs. Henri élargit sa clientèle, ne néglige pas de prendre des fidèles dans des couches non nobles de la société parmi les « habitants des villes ». Paris déjà quadrillé par les fidèles du duc François s'augmente de ceux du duc Henri, dont le prévôt des marchands Claude Marcel.

Le plus beau fleuron du clan des Guise, celui qu'ils se plaisent à mettre en valeur, est bien leur catholicisme intransigeant. Déjà François se montre véritable soldat chrétien, tempérant la brutalité de sa soldatesque, communiant avec ferveur ; il se réconcilie avec Montmorency, son ennemi juré,

Tableau généalogique simplifié de la famille des Guise

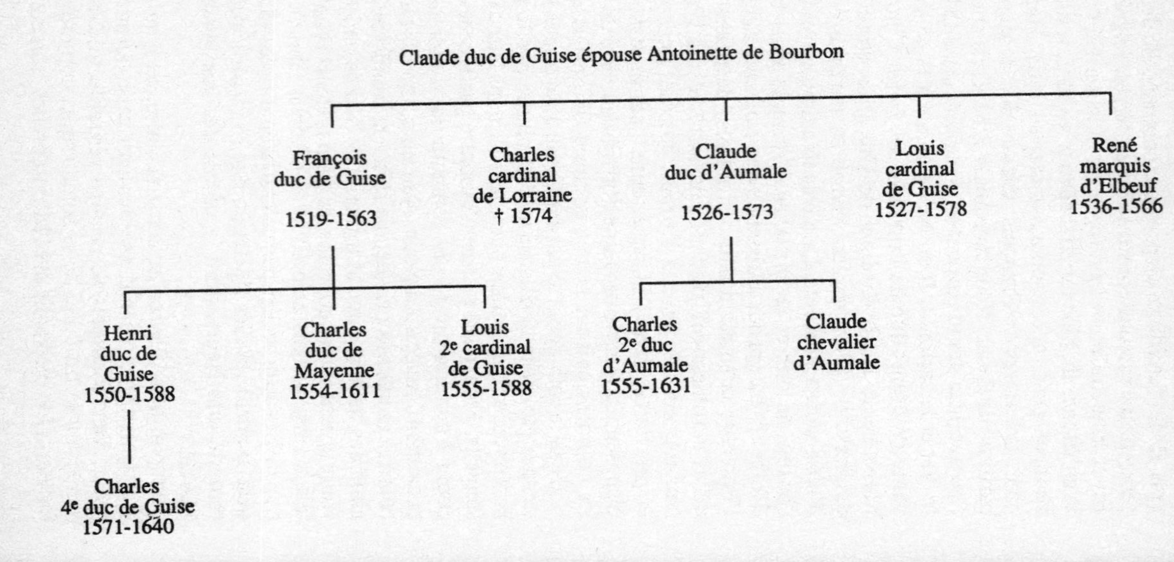

pour sauver sa foi catholique. Son frère le cardinal, bien que de mœurs peu ecclésiastiques, utilise son habileté à faire échouer le colloque de Poissy. Le duc Henri et son oncle s'opposent en 1572 au protestant Coligny, lorsque celui-ci voudrait pousser le Conseil royal à intervenir aux Pays-Bas contre l'Espagne, fer de lance du catholicisme européen. Plus tard, lorsque en 1576 se forme la Ligue, Henri III qui en prend la tête coupe l'herbe sous les pieds de Guise alors que ce dernier est déjà cajolé par les émissaires de Philippe II. Mais lorsque en 1584, à la mort d'Alençon, s'ouvre la crise dynastique, le Lorrain repousse avec horreur le dessein d'Henri III qui est d'obtenir la conversion de Navarre afin d'en faire un prétendant au trône de France acceptable ; si conversion il y a, déclare le duc, il la juge par avance insincère et de pur opportunisme ; aussi saisit-il l'occasion en décidant de se mettre à la tête de la Ligue. Peu après, en décembre 1584, il accepte l'alliance proposée par l'Espagne. Jusqu'à son assassinat en 1588, il s'empare par les armes de villes et de provinces, se créant, de la même manière que l'a déjà fait Henry de Navarre, une principauté éclatée mais un parti structuré.

Quelles ambitions, quels rêves, poussent les Guise à agir ? La défense du catholicisme, certes — leur religion est sincère pour laquelle le duc Henri surtout dépense sans compter, vendant vaisselle, argent, terres, accumulant les dettes afin de payer soldats, armes, fidélités. Certains historiens les soupçonnent de vouloir détrôner à leur profit le roi Henri III sans prestige ni autorité, s'estimant descendre de Charlemagne et de plus ancienne souche royale que les Capétiens et donc les Valois. Il semble, à suivre Jean-Marie Constant, leur dernier biographe, qu'Henri de Guise ait poursuivi une chimère féodale [1]. Redonner à la grande noblesse une place première au gouvernement, revenir à une politique traditionnelle où les Grands sont les conseillers naturels du monarque, orienter en s'appuyant sur les états généraux les choix fondamentaux du souverain dans sa gestion intérieure du royaume et dans ses entreprises extérieures, telle serait l'idéologie chrétienne et nobiliaire d'Henri de Guise ; elle relève d'une vision monar-

1. Constant Jean-Marie, *op. cit.*, p. 231-232.

chique que la pratique du pouvoir par les premiers Valois d'Angoulême a rendu surannée.

Menaces sur les puissants.

Il n'en demeure pas moins que dans cette féodale levée de boucliers couverts du manteau de Noé religieux, protestant ou catholique, contre une monarchie qui s'évertue à ne se laisser dominer par aucun des clans ni des partis, hommes et femmes ont largement payé de leurs personnes et de leurs vies. Catherine de Médicis, on l'a vu, s'épuise à courir les provinces dissidentes, à parlementer avec les Grands rebelles, Guise, Navarre, Damville. Henri III tente de reconstituer une noblesse qui lui soit entièrement dévouée. Tous deux réunissant les états généraux en 1560, 1561, en 1576, en 1588, s'efforcent de trouver avec les représentants traditionnels du pays un consensus au-delà de la mêlée et des passions.

Chacun à leur manière, Catherine comme Henri sont victimes de ces efforts désespérés pour tenir la royauté, donc l'État, hors des clans. Un torrent de boue déversé par les pamphlets, libelles, adresses et déclarations les couvre de l'opprobre lancé par les protestants, les ligueurs, les Politiques même. Le *Discours merveilleux de la vie, actions et déportements de la Reyne Catherine de Médicis...*, sans doute rédigé par un huguenot en détestation de la Saint-Barthélemy, date de 1574; il évoque à mots couverts les « vices monstrueux » de la reine mère, mais se garde de les détailler, faute sans doute de les connaître vraiment bien. Henri III plus qu'aucun autre roi français se voit vilipendé. Le fameux mémorialiste Pierre de L'Estoile recueille les textes de la haine avec gourmandise jour après jour. Henri III est traité de sodomite, de faux dévot, de vrai dilapidateur du Trésor, de tyran, enfin d'assassin..., son discrédit atteint un degré paroxysmique après qu'à Blois le roi a fait exécuter les Guise. L'Estoile en janvier 1589 note dans son *Journal*[1] :

« ... il n'y avait fils de bonne mère à Paris qui ne vomit injures et brocards contre le roi... »

1. L'Estoile Pierre de, *Journal de... pour le règne d'Henri III (1574-1589)*, Paris, Gallimard, 1943, p. 610.

Le dessein de régicide se nourrit des discours enflammés des prédicateurs contre le souverain, de l'attitude de la Sorbonne qui délie des sujets chrétiens de l'obéissance due au souverain, de la propagande vengeresse du clan guisard non tout à fait émasculé par le meurtre de Blois. Jacques Clément opère ce passage à l'acte et tue un roi désacralisé par le malentendu et la calomnie; l'assassinat se produit le 1er août 1589[1].

Henry de Navarre, chef de parti, certes, mais aussi prince du sang, connaît après la mort d'Alençon la crainte d'un éventuel meurtrier. Cette peur s'augmente lorsque en 1588 est empoisonné son cousin Condé et qu'il redoute à son tour mixture mortelle ou dague acérée. Devenu roi, mal accepté, nous le verrons, par les catholiques intransigeants, il échappe de justesse en 1593 et en 1594 à deux tentatives de meurtre; par la suite, sa police découvre de nombreux assassins en puissance jusqu'à ce qu'en 1610 Ravaillac ne conduise jusqu'au bout son dessein dévastateur. Pour le premier souverain Bourbon comme pour son prédécesseur, le malentendu demeure entre le royaume et son souverain.

Les chefs des partis possèdent aux yeux de leurs adversaires un tel pouvoir matériel et symbolique que leur destruction physique apparaît comme une nécessité vitale. Durant les guerres de Religion, les assassinats spectaculaires interviennent comme une composante logique de la politique royale et de celle menée par les Grands. François de Guise assassiné en 1563 devant Orléans par un gentilhomme protestant, Poltrot de Méré, mérite à peine, ose-t-on l'écrire! sa mort. Impeccable capitaine catholique, grand homme de guerre, figure emblématique d'un parti catholique en formation, il est bien le héros qu'il convient de détruire pour que meure avec lui son aura. Le meurtre de Louis 1er de Condé relève de ce même modèle. Le prince, leader des huguenots, homme charismatique, serait entré en compétition en 1567 avec le duc d'Anjou, futur Henri III, pour la lieutenance générale du royaume; l'affaire, dit-on, aurait provoqué la

1. Chevallier Pierre, *Les Régicides*, Paris, Fayard, 1989, p. 28-45.

troisième prise d'armes des huguenots. Or, durant la bataille de Jarnac en 1569 remportée par Anjou, le prince s'effondre, la jambe cassée, sous son cheval ; contre toutes les lois de la guerre, le duc envoie l'un de ses capitaines l'achever d'un coup de pistolet. Non content de cette victoire facile, il poursuit sa vengeance jusqu'après la mort de son ennemi et, pour mieux l'humilier, fait porter son corps sur une ânesse jusqu'à la place de Jarnac où il est exposé contre un pilier. Ici le « rituel de défi » mis en œuvre par le Valois vise à détruire et à rabaisser, non pas le compétiteur de 1567, mais le prince dont la personne et la dignité justifient le combat des protestants contre leur roi.

Autre assassinat non moins spectaculaire, celui de Coligny lors de la Saint-Barthélemy ! En décidant de l'exécution de l'amiral, le Conseil du roi pensait éteindre avec son corps la politique extérieure anti-espagnole qu'il préconisait ; en confiant le meurtre aux Guise, ce même Conseil souhaite les impliquer dans la proscription des chefs protestants, connaissant l'âpre désir de vengeance qui anime le clan des Lorrains depuis la mort de François que l'on a dite commanditée par Coligny.

Lorsque en 1588 Henri III décide de se débarrasser des Guise, il agit comme l'a fait en 1572 Catherine de Médicis, son frère Charles IX et leurs conseillers. Le dos au mur, bafoué en sa dignité royale, il mêle en les faisant exécuter le crime politique et la vengeance d'un prince humilié. Que leurs cadavres aient été brûlés sur l'ordre du souverain signe cette volonté de dissoudre à tout jamais dans l'air les auteurs des injures à la personne du roi comme d'anéantir tout support matériel d'un culte rendu à ceux que les ligueurs héroïsaient.

Période tragique ! porteuse de personnalités étranges, puissantes ou passionnées, fertile en faits divers, en événements dramatiques, elle n'en finit pas de proposer à notre temps échos et correspondances.

3

L'Église et le parti protestants

La dure répression conduite par Henri II et par les parlements ne peut briser la montée en puissance du protestantisme. Les adhérents se recrutent désormais parmi les plus illustres familles de la noblesse, les magistrats des cours souveraines, la haute bourgeoisie urbaine du négoce et des offices, le peuple des villes. Des manifestations publiques comme celle de la rue Saint-Jacques en 1557 et encore celle du Pré-aux-Clercs en 1558 attestent de l'importance et du prosélytisme de la communauté réformée à Paris, ville royale. Ailleurs, de petits groupes se réunissent, de moins en moins clandestinement, communient à la genevoise, lisent les Évangiles, chantent les psaumes. Des pasteurs improvisés, souvent en rupture de l'Église catholique, les animent et, s'ils adhèrent à la Réforme, ils ne se tiennent pas toujours dans l'exacte orthodoxie calvinienne. De nombreux appels montent vers Calvin dont se réclament les réformés français demandant des pasteurs formés à la pure doctrine du maître. Bien souvent, ce sont les notables inquiets des risques de déviance doctrinale, voire sociale, qui écrivent ainsi à Genève, impatients de franchir le pas décisif et d'appartenir enfin à une Église constituée [1].

Or, dès 1555, le Réformateur se trouve libre d'un certain nombre de problèmes d'organisation et, de Genève, il peut avec plus de tranquillité d'esprit tourner les yeux vers la France. Il est entouré dans cette ville par un nombre impressionnant d'émigrés que les rigueurs de François 1er et surtout d'Henri II ont contraints de fuir le royaume ; plus de 3 000 Français vivent ainsi dans la ville du Léman, venus du Languedoc, de la Normandie (presque 1 000 exilés pour ces

1. Garrisson Janine, *Les Protestants au* XVIe *siècle*, Paris, Fayard, 1988, p. 181-182.

deux provinces), d'Ile-de-France et enfin de Guyenne et de Gascogne. Parmi eux, les candidats au ministère, formés à la pure doctrine du Réformateur, rêvent d'aller « apporter l'Évangile » à leurs compatriotes. Calvin ainsi que la « compagnie des pasteurs de Genève » envoient donc en France des ministres dûment intronisés chargés de prendre en main les petits groupes « plantés » pour en faire des églises « dressées ». Entre 1555 et 1562, une centaine d'hommes regagnent leur pays devenu pour eux terre de mission et fondent sur le modèle de l'Église genevoise les premières églises à Poitiers et à Paris en 1555, à Bourges en 1556, puis à Meaux, Angers [1]...

En 1559, Henri II, effrayé des progrès du calvinisme et constatant l'inefficacité des méthodes de répression pratiquées jusque-là, termine en hâte une guerre contre les Habsbourg d'Espagne et d'Allemagne, se prépare à frapper un grand coup afin de venir à bout de cette « abominable hérésie ». Par un paradoxe de l'histoire, dans ce climat d'agressivité, dans Paris où, malgré leur nombre et leur prestige social, les protestants sont haïs par la population, se réunit le premier synode national des Églises réformées françaises. Rue Visconti, dans ce périmètre que l'on appelle déjà la Petite Genève, car les calvinistes y forment un groupe important, se retrouvent les députés, ministres et laïcs, d'une douzaine de communautés. Trois jours de discussions suffisent à l'élaboration de deux textes fondamentaux du protestantisme français : la *Confession de foi* et la *Discipline ecclésiastique*. Ils définissent les points essentiels de la croyance réformée ainsi que les structures des nouvelles églises et les exigences éthiques auxquelles doivent adhérer ces nouveaux chrétiens.

La rupture : les textes et les faits.

Ces textes de la rupture mettent en valeur la distance prise par la Réforme vis-à-vis du catholicisme. En matière de foi, un protestant n'accepte comme vérité que celle de la seule Bible dans laquelle il puise la connaissance des volontés divines. Persuadé de l'irrémédiable déchéance humaine par le

1. Kingdon Robert, *op. cit.*. p. 138-139.

péché originel, il ne doit son salut qu'à la foi, don gratuit de Dieu à ses élus en vertu du sacrifice christique. Les œuvres émanant d'individus perdus dans la noirceur peccamineuse ne peuvent être que mauvaises. La *Confession de foi* française s'affirme dans l'orthodoxie de la doctrine calviniste, mettant cependant une insistance particulière sur la prédestination réservée à ceux que Dieu « en son conseil éternel et immuable... a élu par sa seule bonté et miséricorde en N.S.J.C., sans considération de leurs œuvres, laissant les autres en icelle... corruption et damnation pour démontrer en eux sa justice comme ès premiers il fait luire les richesses de sa miséricorde ». La situation périlleuse dans laquelle se trouvent à cette date les protestants du royaume, l'appartenance sociale des députés majoritairement nobles du synode suggèrent la dimension circonstancielle de cet article de foi ; la persécution à venir ne peut priver le protestant de sa « destination divine » comme elle confère à l'aristocratie synodale une chevalerie supplémentaire. Point crucial à ce moment de l'histoire des réformés français, leurs rapports avec l'État sont évoqués dans les articles 39 et 40 de la *Confession*, les derniers. Ceux-ci affirment la mission divine et civile des pouvoirs temporels et le respect qui leur est dû ; pourtant l'article 40 introduit une ambiguïté dans les limites posées à cette obéissance ; celle-ci s'entend presque totale puisque les pouvoirs doivent être respectés « quand même ils seraient infidèles pourvu que l'empire souverain de Dieu demeure en son entier ». Restriction point innocente ! Les pères synodaux connaissent bien la détermination royale d'extirper par la force l'hérésie ; ont-ils pensé à libérer par avance les consciences protestantes dans la perspective d'une résistance armée et donc de la formation d'un parti religieux autant que politique ?

La *Discipline ecclésiastique* promulguée en même temps que la *Confession* organise l'Église selon le modèle strasbourgeois et genevois. Le pouvoir appartient à la base, à l'église locale, sans primauté aucune : « que nulle Église ne pourra prétendre principauté ou domination sur l'autre » (article I). Existent, cependant, des organes représentatifs, les colloques bisannuels réunissant les députés d'un « pays », soit de 10 à 15 paroisses, les synodes provinciaux rassemblant une fois l'an anciens et pasteurs désignés par les colloques constituant la province. Au sommet, le synode national annuel aurait dû grouper 2 anciens et 2 ministres de chacune des provinces synodales. Les contraintes d'une histoire troublée n'ont point permis cette régularité ; ainsi, entre l'assemblée tenue à Vitré en 1583 et celle de Montauban en 1594, aucune session ne se tient. Les fonctions du synode national sont à l'image de celles de ses homologues provinciaux ou locaux sinon qu'il tranche en dernier ressort les problèmes ecclésiastiques ou civils. A ce titre, les décisions prises à l'échelon national à propos des appels locaux font jurisprudence sur nombre de problèmes et notamment en matière matrimoniale, puisqu'il n'existe pas alors de législation royale du mariage. Cette instance fédérale de l'Église protestante est seule autorisée à remanier la *Confession* ou la *Discipline*. Celle-ci, de 40 articles en 1559, sera constamment remaniée, augmentée, modulée au cas par cas jusqu'au dernier synode tenu à Loudun en 1659.

Au niveau de l'église locale, les pouvoirs spirituels et temporels se répartissent entre le (ou les) ministre(s) et les anciens du consistoire. Le pasteur se voit accorder la fonction de prêcher, de distribuer les deux sacrements évangéliques du baptême et de la cène, de représenter sa communauté aux assemblées. Cependant, il doit être « élu », c'est-à-dire accepté par l'ensemble des fidèles qui peut le récuser en certains cas. Le rôle dévolu aux anciens constitue bien l'une des originalités puissantes de l'ecclésiologie calviniste. Ceux-ci, dans un premier temps émanation du groupuscule clandestin « planté », se cooptent annuellement lorsque l'église est « dressée » selon la *Discipline*. En principe, ils doivent être le miroir du troupeau ; en fait ils appartiennent le plus souvent aux couches supérieures, ne tranchant pas de ce fait outre mesure sur la tonalité sociale de l'ensemble du protestantisme français. Leur fonction dépasse de loin celle accordée par l'ancienne Église aux membres de la fabrique, puisque, présentant le ministre à l'assemblée, ils influent sur la décision finale. Ils sont présents pour un ou deux d'entre eux aux synodes et aux colloques, ils lèvent et gèrent l'argent pour les pauvres et les gages pastoraux, ils entretiennent une correspondance souvent plantureuse avec Genève et avec les autres paroisses, tiennent les livres, ceux de l'état civil, des contributions charitables et de leur affectation, des délibérations consistoriales. Les calvinistes, gens du Livre, éprouvent cette urgence de l'écriture au point que l'église est « dressée » autant par l'ouverture des registres que par la présence d'un pasteur distribuant le sacré. Une mission primordiale est conférée aux anciens par la *Discipline* calviniste, qu'elle soit de Genève ou de France. En effet, au même titre que les ministres avec lesquels ils siègent en assemblée hebdomadaire, ils composent un tribunal de mœurs jugeant les « scandales » et les « fautes » commises par les fidèles contre la loi morale (celle du *Décalogue*) augmentée de nombreux interdits propres à Calvin ainsi qu'à l'éthique de l'époque et à la *Discipline*. Sont appelés à comparaître devant cette étrange juridiction nombre de blasphémateurs, jureurs, bagarreurs, paillards, joueurs, danseurs, buveurs, « profanateurs » du dimanche qui, tant hommes que femmes, violent le code des bonnes mœurs. La grande majorité « avouent » leur faute, « jurent de n'y point retourner » et repartent lavés de leurs péchés. Lorsque l'infraction est grave, le consistoire leur applique les peines ecclésiastiques de l'excommunication provisoire ou définitive en cas de « crimes énormes » passibles du magistrat. Voilà donc un petit groupe de laïcs investis du pouvoir des Clefs, celui de pardonner, d'absoudre, d'excommunier, conformément à la grande idée réformée du sacerdoce universel. Par ailleurs, dans les villes et les bourgs où règne l'ordre calviniste, alors que la guérilla permanente en nombre de provinces isole et compartimente, alors que les tribunaux royaux sont trop éloignés ou trop partisans, le consistoire se fait justice de paix et juridiction de première instance. Un nombre incalculable de conflits mineurs sont ainsi réglés avec sérieux par l'arbitrage des anciens. Ceux-ci, en contact permanent avec les fidèles, mais traitant de plain-pied avec le ministre, accomplissent une tâche considérable, celle de faire régner au sein du troupeau l'ordre politique défini par Calvin. Cet ordre, organisation humaine, certes, mais supérieure à l'ancienne, viciée par le catholicisme, conduit l'homme au service de Dieu en obéissant aux règles établies par le *Décalogue*, les Évangiles... et les Réformateurs de Genève.

Telle qu'elle est construite, selon le modèle que qualifie d'ordinaire cet affreux vocable de « synodo-presbytéral », cette Église ne ressemble guère à sa rivale. La distribution de l'autorité s'effectue à l'inverse de l'appareil catholique ; là tout part du sommet, du pape ou de l'évêque puis, par l'intermédiaire du clergé paroissial, se distille jusqu'aux fidèles. Plus béant sans doute s'ouvre le fossé doctrinal entre les deux confessions. Car l'abandon par les protestants des œuvres dans la dynamique du Salut induit le rejet d'une grande partie des croyances et des institutions catholiques. Le Purgatoire et les millions de messes qu'il suscite s'évanouissent, les pèlerinages, processions, mortifications, offrandes aux saints multiples, à la Vierge tendrement humanisée, les prières et dévotions par les professionnels de l'intercession que sont moines et conventines se révèlent nuls et non avenus. Il convient d'y ajouter l'ascèse sexuelle des prêtres voués au célibat qui ne peut être offrande à Dieu puisque entachée du péché originel... La cène conçue comme une communion spirituelle s'écarte à jamais du mystère de la transsubstantiation opérée par le prêtre. Aussi, le pasteur des nouveaux temps, personnage instruit, « exercé aux bonnes lettres », « doué de la grâce singulière de prêcher », « de bonne vie et mœurs », est-il un homme parmi les autres, marié et chargé d'enfants ; du moins ce ministre idéal ne ressemble-t-il pas au prêtre et au vicaire cibles des lazzi et des critiques au cours du premier XVIe siècle. Instruits pour avoir fait leurs études à Genève ou dans les Académies françaises (Orthez, Nîmes puis Montauban et Saumur), entraînés par leurs études à l'éloquence comme à l'explication des textes évangéliques, ces guides des jeunes églises de la Réforme, souvent issus de familles de l'aristocratie nobiliaire ou bourgeoise, constituent une cléricature fort présentable. La politique, nous le verrons, les attire souvent au détriment de leurs fonctions strictement religieuses, quelques-uns d'entre eux n'échapperont point aux frénésies de l'époque ; d'autres paient de leur vie l'audace de prêcher une nouvelle religion.

Le protestantisme : géographie et société.

Dès 1555, et *a fortiori* après 1559, les églises nanties des solides institutions que l'on sait se multiplient ; les adhésions affluent, les communautés à la genevoise prolifèrent ; l'expansion perdure jusqu'aux environs de 1565 lorsque s'amorce un reflux.

Ces églises ne s'implantent pas à l'intérieur du royaume d'une manière tout à fait homogène. Dans le Midi et le Centre-Ouest, l'impact du protestantisme figure d'une manière éclatante. Un croissant d'églises s'étend du Poitou jusqu'à Lyon, encerclant les hautes terres du plateau central. Là se trouve la majorité des églises (et donc des fidèles) : quelque 700, alors que le nord du pays en regroupe environ 500. Les espaces privilégiés du calvinisme sont les provinces d'Aunis et de Saintonge et le sud du Poitou ; en domaine d'oc, la Guyenne, la Gascogne, le Béarn, le Bas-Languedoc, les Cévennes, le Vivarais ont accueilli la religion réformée, comme le Dauphiné au parler franco-provençal ; les protestants n'y sont pas éloignés de maîtriser les provinces entières ! En revanche, dans la France d'oïl, celle du vieux domaine capétien, les communautés peuvent parfois constituer un manteau serré (ainsi dans la plaine de Caen), mais ailleurs elles s'organisent en ordre dispersé. Certes, il existe de fortes et puissantes églises (Rouen, Lyon, Orléans, Paris...), mais noyées dans un tissu conjonctif catholique. De surcroît, nombre de ces paroisses appartiennent à des seigneurs, et l'existence de l'Église réformée est souvent fonction de la religion du maître [1].

L'adhésion ouverte au protestantisme implique une rupture dont beaucoup n'ont pas mesuré la gravité. Car les réformés se tiennent désormais en marge d'une société française toute pétrie de religion traditionnelle à laquelle la majorité de la population du royaume et les pouvoirs civils continuent de participer. Dès lors, appartenir à une autre église, pratiquer une autre croyance, c'est presque instaurer une société parallèle avec ses groupes et ses milieux divers, ses classes d'âge ou de sexe, ses rapports de force. En nous situant à la période de pleine expansion du calvinisme — entre 1559 et 1565 —, nous pouvons tenter une approche de la matrice sociale dont il constitue l'affirmation religieuse.

1. Garrisson Janine, *Protestants du Midi...*, *op. cit.*, p. 22.

Les Églises réformées au XVIe siècle
Le croissant huguenot
du Midi et du Centre-Ouest
de la France

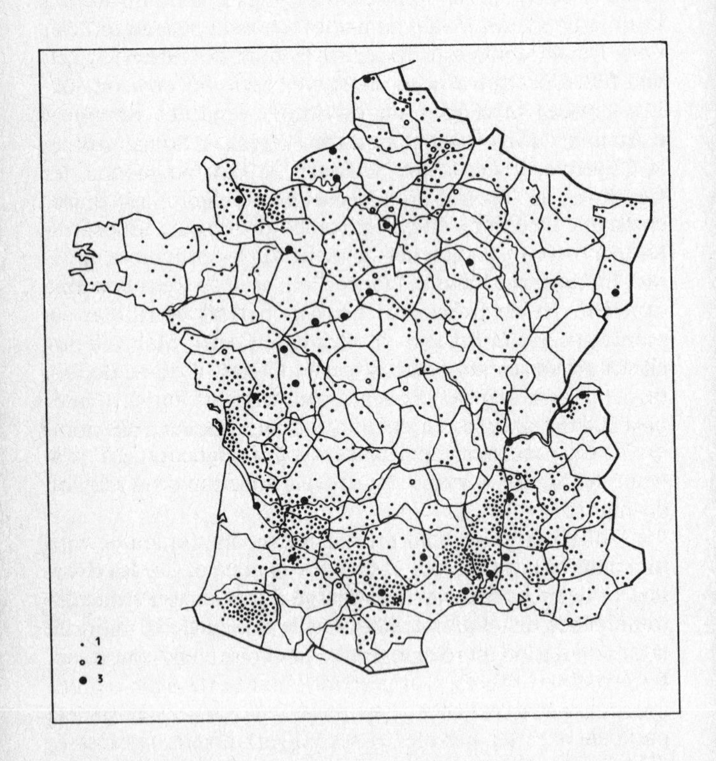

1. Église «dressée» au XVIe siècle (quelle que soit la durée de son existence).
2. Église dont nous ne savons pas si elle a pu être entièrement «dressée».
3. Église ayant eu plusieurs pasteurs.

Source : Pasteur Mours, *Les Églises réformées en France*, Paris-Strasbourg, 1958, p. 51.

Le clergé catholique s'est passionnément investi dans les idées de réforme de l'Église ; nombre de clercs ne reculent pas devant le schisme, même si, après une tentation évangélique, beaucoup retournent à leurs devoirs. Parmi les pasteurs des jeunes églises se trouvent donc d'anciens moines, prêtres, vicaires, qui, après un séjour plus ou moins bref à Genève, se trouvent nantis d'une paroisse dans le royaume. La haute Église romaine ne demeure pas insensible et contribue à favoriser l'installation, voire la consolidation du protestantisme en France. C'est ainsi que l'évêque de Valence, tout en continuant d'exercer sa prélature, « faisait comme un mélange des deux religions » ; il renie le dogme de la transsubstantiation, se montre partisan de la communion des fidèles sous les deux espèces ; il introduit dans son diocèse un rituel du baptême et des prières de type calviniste. De fait, Jean de Monluc est favorable à un projet d'union des deux croyances en une confession nationale. On ne peut s'étonner ici que la religion de Valence ait vu fleurir un nombre exceptionnel d'églises « dressées », mais M. de Valence ne franchit jamais le pas de la conversion. En revanche, Jean de Chaumont, dans son diocèse d'Aix, favorise les ministres protestants en autorisant l'exercice public de la nouvelle religion dans les lieux saints catholiques ; à Noël 1566, du haut de sa chaire en la cathédrale, vitupérant la papauté, il jette publiquement sa crosse et sa mitre, et quitte la ville pour rejoindre l'armée calviniste. Devenu le capitaine Saint-Romain, il mène les guerres de Religion en Languedoc. En mars 1563, un autre prélat est privé de ses bénéfices ecclésiastiques par une bulle pontificale ; il s'agit de cet extraordinaire Odet de Châtillon, frère de l'amiral de Coligny, comte-évêque de Beauvais, cardinal de surcroît. Marié, vivant fastueusement de ses bénéfices ecclésiastiques, il se gouverne en son château épiscopal selon les rites calvinistes jusqu'à ce que, le scandale aidant, il soit obligé de se réfugier en Angleterre.

La noblesse a massivement adhéré à la nouvelle religion. Lors de l'explosion du protestantisme, entre les années 1559 et 1565, la moitié de la noblesse, a-t-on dit, s'est convertie. Chiffre sans doute exagéré, car il convient de nuancer selon les régions ; en Bretagne, les hobereaux, et donc leurs paysans, sont restés catholiques. En Bourgogne, la situation est, semble-t-il, analogue. En revanche, en certaines provinces du sud du royaume, en Normandie, en Brie et en Champagne, existe une gentilhommerie calviniste. De très hautes familles y figurent. De celles qui entrent de droit au Conseil du roi, auxquelles sont réservées les charges de grands officiers de la Couronne et accordés les riches abbayes et les évêchés opulents. Notons quelques-uns de ces patronymes célèbres : les Bourbons, les Condé, les La Rochefoucauld, les Crussol-Uzès, les Caumont La Force, les Châtillon... Leur rôle est considérable dans la genèse d'une société protestante. Par le jeu des fonctions politiques qu'exercent ces puissants personnages, des pans entiers de l'administration royale adhèrent à la nouvelle Église. Ce ne sont certes pas des conversions intéressées ; il convient d'y discerner une alchimie complexe, mêlant loyauté envers le chef, conviction religieuse et peut-être frustrations après le traité démobilisateur du Cateau-Cambrésis.

Un tel phénomène de tache d'huile s'opère à partir du pouvoir seigneurial dont disposent ces nobles : seigneurs de lieux, ils possèdent, en effet, des villages et parfois des villes entières. En Normandie comme en Brie, en Champagne, et en Beauce, le protestantisme est très souvent leur fait puisque, sans ambages, ils ont remplacé dans l'église paroissiale dont ils sont patrons le curé par un pasteur. Dans le Midi, le rôle de la famille Caumont La Force est exemplaire ; en Agenais et en Périgord, la carte des églises protestantes regroupe celle de leurs fiefs en ces régions, d'autant que, cadet de la famille, Charles de Caumont se trouve, selon la tradition aristocratique, voué à l'Église et pourvu du titre d'abbé et de seigneur de Clairac. Monluc le déteste vivement et l'accuse non sans raison d'avoir soutenu « toute la sédition d'Agenoys et de Périgort » contre laquelle l'auteur des *Commentaires* a combattu dans les années 1562-1565. De fait, Charles de Caumont a fait venir dans la ville ministres et prédicateurs réformés ; en 1560, il y organise et préside un synode provincial ; dès 1562, le catholicisme n'existe plus à Clairac. Cependant, en dépit de l'exemple extrême de Jeanne d'Albret supprimant la religion catholique en Béarn en 1565 et instaurant un protestantisme d'État, on ne peut conclure à la généralisation du principe *cujus regio, ejus religio* sur les domaines des nobles protestants. Beaucoup ont respecté les vœux d'une population demeurée fidèle à Rome. Inversement, des églises calvinistes s'établissent en des lieux où le seigneur ne l'est pas.

Groupe social aux professions diversifiées, touchant à la noblesse par leurs fonctions ou leurs seigneuries, ceux que l'on pourrait appeler les gradués de l'Université rejoignent en masse les églises calvinistes. Docteurs en droit ou en médecine, licenciés, ils achèvent de donner au protestantisme français cette coloration juridique esquissée par Calvin. Il serait fastidieux de décortiquer les différentes strates de ce monde complexe et mouvant. Quelques exemples suffisent à mettre en évidence l'influence de ces hommes à l'intérieur de la communauté et à cerner leur rôle. Les officiers royaux, à la fois juges et administrateurs, selon les critères de l'Ancien Régime, sont en leurs catégories supérieures diplômés de la faculté de droit. Monluc, en ses *Commentaires*, note avec tristesse et avec regret :

« ... et le pis, d'où est procédé tout le mal-heur, [est] que les gens de justice aux parlemens, seneschaucées et aultres juges abandonnoient la religion ancienne et du Roy pour prendre la nouvelle. »

Les gens du Parlement... La chose peut étonner si l'on songe à la vigoureuse chasse aux hérétiques menée par cette institution à travers le royaume alors que le schisme n'existe pas encore. Pourtant, certains deviennent protestants, au moins pour un temps. Les cours de Grenoble, de Rouen, de Toulouse, de Bordeaux et même de Paris, comportent d'assez nombreux conseillers de la religion ; une auto-épuration élimine vers 1559 et 1562 les conseillers réformés ou proches du calvinisme ; à Paris, Du Bourg, magistrat respecté de tous, sinon des fanatiques, connaît le supplice du feu en décembre 1559. Entre 1562 et 1568, le parlement de Toulouse poursuit 30 de ses 80 conseillers, chiffre éloquent ! La proportion est moindre chez les magistrats de Rouen (du moins chez les détenteurs des offices prestigieux) et chez ceux de Dijon.

Les officiers des juridictions inférieures, ceux des tribunaux de bailliages (ou de sénéchaussées), ceux des présidiaux, deviennent eux aussi des fervents du calvinisme. La presque-totalité des présidiaux d'Agen, de Saintes, de Dax, de Béziers,

Catégories sociales de la population protestante par type de source
(militaires et non-qualifiés socialement exclus)

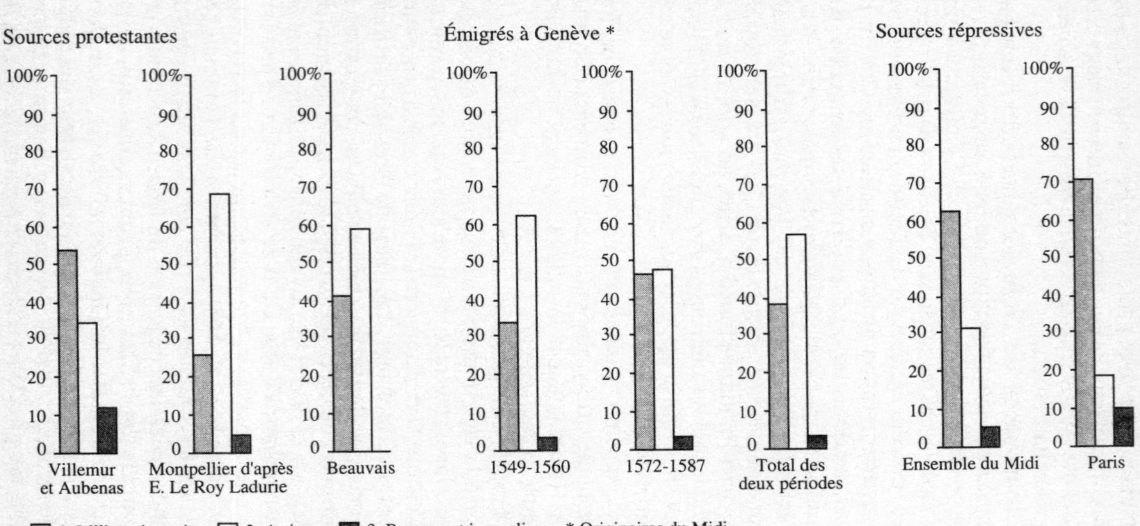

1. Milieux instruits. 2. Artisans. 3. Paysans et journaliers. * Originaires du Midi.
Source : Janine Garrisson-Estèbe, *Protestants du Midi*, Toulouse, Privat, 1980, p.16.

de Nîmes, appartient à la nouvelle religion lors de sa grande vague conquérante. Ceux de Nantes et de Vienne sont pareillement emplis d'hérétiques ; pour Rouen, Philip Benedict souligne l'impact de la nouvelle religion sur les détenteurs d'offices de moindre envergure, comme c'est le cas à Dijon et à Vienne.

Les avocats, opérant auprès des cours de justice, parfois prestigieux, parfois plus humbles, deviennent protestants en bon nombre et, plus bas dans l'échelle sociale, une foule de modestes sergents porteurs de contraintes, de solliciteurs, d'huissiers, de procureurs, d'avoués deviennent fidèles des églises « dressées ». Parmi ce petit monde où des bribes de droit ont été acquises par la pratique plus que par l'Université, les notaires se sont lancés hardiment dans le schisme. Quelques chiffres encore pour cerner leur participation : vers 1566, plus de la moitié des notaires bordelais et lyonnais, la majorité des tabellions de Nîmes et de Béziers sont inscrits sur les rôles de la nouvelle Église.

Les gens du commerce, le fait est bien connu, ont constitué une part importante des fidèles. Des gens d'affaires aux horizons internationaux sont devenus calvinistes à Rouen, à Nantes, à La Rochelle, à Bordeaux. A Lyon, où 13 % des protestants sont marchands, la moitié d'entre eux appartient à l'aristocratie du négoce, parmi lesquels quelques très opulents épiciers ou drapiers. Le cas des pastelliers toulousains est tout aussi frappant. Ceux-ci, entourés de leurs parents qui ont acquis offices royaux et seigneuries, de leurs associés, de leurs « facteurs », ont constitué un milieu dans lequel le calvinisme a reçu un accueil favorable. Nombre de protestants du commerce ont des horizons beaucoup plus limités, les textes de l'époque voulant produire une image de la société globale y intègrent les apothicaires, orfèvres, pelletiers, merciers. A la frontière des notables et du « vil peuple », cette société est fortement représentée, surtout si on y joint le clan des libraires et imprimeurs ; à Toulouse, Béziers, Grenoble, Dijon, Paris, Rouen, Vienne, ils sont entre 20 et 35 % de l'effectif total de la communauté, chiffre considérable !

Si nous descendons l'échelle sociale, les artisans forment un gros bloc d'adhérents au protestantisme. « Les plus vils », ainsi les qualifie Loyseau, constituent à Lyon comme à Dijon, à Vienne comme à Valence, à Rouen comme à Tours, à Beauvais et à Montpellier, la moitié au moins du corps des fidèles. La proportion est plus faible dans des villes telles que Grenoble, Toulouse, ou des régions comme la Guyenne où la fonction industrielle est peu développée. Pour la période 1549-1560, la majorité des émigrés français à Genève se compose d'hommes des métiers, mais ces pourcentages ne sauraient donner une idée de la réalité sociale protestante pour l'ensemble du royaume, tant partent ceux qui n'ont rien à perdre. Les magistrats, les avocats, les nobles liés à leurs fonctions ou à la terre ne les abandonnent que contraints et forcés. Certains métiers manuels plus que d'autres accueillent le calvinisme. Les gens du textile (tisserands, « tissotiers », cardeurs, teinturiers, les plus nombreux des artisans, il est vrai...), les gens du cuir (surtout les cordonniers, mais aussi des selliers, des tanneurs...), et un petit monde composite d'hôteliers, de taverniers, de cabaretiers. Si l'on songe que les doctrines calvinistes ont pénétré dans le peuple par la transmission orale, si l'on sait que les auberges, tavernes et autres cabarets sont les lieux privilégiés de la rencontre et de la parole populaires, on ne pourra plus s'étonner de voir leurs tenanciers prendre parti dans le débat religieux du siècle. Dans ce pays où ils forment la majorité, les paysans paraissent assez peu concernés par la nouvelle religion. Certes, les exemples chiffrés portent sur des villes et non sur des campagnes, mais chacun sait qu'au XVIe siècle les faubourgs urbains sont habités par des paysans qui forment parfois la moitié de l'effectif de la cité. Ces ruraux appartiennent aux nouvelles églises dans la mesure où le seigneur-patron remplace le curé (ou le vicaire) par un ministre dans la chaire paroissiale, aussi trouve-t-on pour cette raison en Cotentin, en Brie, en Gascogne, en Dauphiné, en Provence, des paysans calvinistes. Pourtant, dans leur immense majorité, les rustres sont demeurés attachés (comme une grande partie du petit peuple urbain) au catholicisme. Ils ont même très souvent haï les protestants, gens des villes et villages, iconoclastes et profanateurs, jusqu'à les massacrer en maintes occasions ; même en Béarn, où le calvinisme est d'État, les paysans ne se sont jamais complètement ralliés.

Dans ce panorama de la société protestante, deux groupes échappent aux stratifications traditionnelles. Les femmes sont venues nombreuses à la nouvelle religion. Grandes dames comme Jeanne d'Albret ou Renée de Ferrare, bourgeoises ou petites bourgeoises, parfois veuves, elles participent aux conventicules secrets ou aux assemblées publiques. Lorsqu'il est possible d'en dresser le décompte, la présence féminine s'établit presque toujours à 30 %, chiffre non négligeable dans une époque où la fille, pas plus que la femme, ne possède beaucoup de liberté d'action. Les jeunes, de quelque lignage ou métier qu'ils soient, vivent avec passion l'aventure protestante ; ils sont massivement présents lorsque parle la violence. Les actes iconoclastes, si souvent reprochés aux huguenots, sont presque toujours leur fait. En maintes occasions, la jeunesse porte sur la place publique les premières communautés calfeutrées jusqu'alors dans une prudente clandestinité. Ce sont des jeunes gens qui font venir de Genève le premier ministre ; presque toujours, ce sont des voix juvéniles qui entonnent les *Psaumes* en français, révélant par là haut et clair la présence d'une communauté calviniste. Alors que leurs aînés tergiversent encore dans un attentisme (haï de Calvin !) les garantissant d'une cruelle répression, ou qu'ils supportent en silence emprisonnements, taxes extraordinaires, vexations multiples, les jeunes refusent la prudence comme la patience. Rompant avec leur passé, ils quittent le ghetto. Quelques listes dressées par les autorités indiquent noms et qualités des « fuytifs » d'une ville ou d'une région, parmi eux plus de 10 % de garçons et même de filles. Certes, les garçons vont grossir les bandes armées, la guerre les attend, mais le plus grand nombre gagne Genève. Le *Livre des habitants* conserve ainsi noms et qualités de ceux qui ont demandé asile en cette ville pour les périodes 1549-1560, 1572-1574, 1585-1587 [1]. Les émigrés de la première époque sont en majorité des artisans, nous l'avons dit, mais ce sont aussi des célibataires, des jeunes gens donc. Lorsqu'elles sont un fait collectif, ces adhésions s'ordonnent souvent à partir de quelques lignes organisatrices. Des groupes se mettent en

1. Geisendorf, *Le Livre des habitants de Genève*. t. 1, *1549-1560*. Genève, Droz, 1957 ; t. 2, *1572-1574* et *1572-1587*, Genève, Droz, 1963.

place, à l'intérieur desquels l'appartenance au calvinisme exige des nécessités religieuses fondamentales, mais correspond aussi à des suggestions sociales ou culturelles. Ainsi, autour du rapport traditionnel (et vertical) unissant le seigneur au paysan, le représentant du roi à la hiérarchie locale qu'il domine, le conseiller du Parlement à la basoche, l'Université et ses libraires-imprimeurs, s'organise tout un milieu. Par un jeu complexe de loyautés, de solidarités et de dépendances, ces groupes servent de matrice aux nouvelles églises. En d'autres cas, des cellules plus homogènes constituent d'autres structures d'accueil ; transcendant les hiérarchies, les jeunes et les femmes optent pour la Réforme. Ailleurs, le savoir-lire et écrire, les études plus ou moins universitaires, l'exercice plus ou moins honorifique de la fonction publique, soudent un autre type de communauté où se côtoient greffiers et avocats, magistrats et notaires. Les similitudes d'âge, de sexe, de culture créent des milieux aux relations horizontales ; une même inquiétude spirituelle, jaillie d'une même culture ou d'une même revendication existentielle, conduit les êtres au protestantisme.

Le protestantisme apparaît essentiellement comme une religion de la ville et du bourg. Ici, le monde des notables prend une importance particulière. Même lorsque les gens de métier constituent la moitié ou plus de la communauté, ils sont encore sous-représentés par rapport à leur poids numérique dans la cité. Les couches supérieures sont, partout ou presque partout (en valeur absolue ou relative), beaucoup plus nombreuses dans les églises calvinistes que les artisans. Ces notables connaissent la lecture et l'écriture (mais une partie des artisans aussi !) ; dans le Midi, ils parlent le français et la langue d'oc. Ils tiennent les livres en langue du prince, ceux des baptêmes et des mariages, ceux des délibérations consistoriales, comme les registres des aumônes et les rôles des « cottizés » pour l'entretien du pasteur. Siégeant aux synodes et aux consistoires, ils tentent de modeler leurs coreligionnaires selon l'éthique calviniste. Dans la société du XVIe siècle, il est normal que le protestantisme ait été religion d'une minorité évoluée culturellement. Religion du livre, de l'ascèse, de l'exigence morale, elle séduit hommes et femmes à la recherche d'une spiritualité approfondie, d'une morale austère et différente. Cependant, pour un être humain, il est difficile de franchir le pas de la conversion. Pour les quelque 2 millions de Français qui insensiblement ou brusquement adhèrent à la nouvelle religion, abandonnant la vieille maison catholique, contraignants et abrupts semblent les rivages abordés. Dans le royaume pétri de catholicisme, le protestantisme constitue comme un corps étranger, mal toléré, que l'on cherche à rejeter de manière radicale par la violence. Les réformés marginalisés de fait sont agressés physiquement, tués ; les Grands écartés des charges curiales, les officiers exclus de leurs fonctions, les artisans éloignés des confréries et des fêtes professionnelles vivent souvent durement cette mise en lisières. Par ailleurs, l'Église calviniste moins tolérante que l'ancienne à l'égard des fidèles exige présence assidue aux cultes, comportement digne du *Décalogue*, sacrifices financiers importants puisqu'elle ne possède ni les bénéfices ecclésiastiques de l'institution romaine ni les dîmes destinées à l'entretien de son clergé. Souvent, les néophytes des années 1560 se lassent de ces contraintes, craignent pour leur vie, s'usent des conflits de loyauté entre leur devoir monarchique et leur conscience religieuse. Violences, poursuites, confiscations, exécutions au long des trois premières guerres, conversions forcées après les Saint-Barthélemy, entament le capital de résistance des protestants. Plus tard, en 1593, l'abjuration solennelle d'Henry IV comme ses efforts déployés pour faire apostasier ses amis et ses proches, provoquent un ample mouvement de retour à l'Église catholique. Les protestants français ne seront plus au début du XVIIe siècle qu'un peu plus d'un million.

Les enjeux variables du parti protestant.

Au cours de ces quelque quarante ans, protestants et protestantisme sont au cœur de la tourmente politique française, à tel point que le glissement sémantique du terme *église* au vocable *parti* s'opère de lui-même. Parti, le protestantisme le devient dès qu'il émerge de la clandestinité, car un roi de France protecteur de l'Église catholique par le serment du sacre ne peut admettre qu'avec difficulté la présence dans son État de sujets pratiquant ouvertement une autre religion que la sienne; l'hérétique devient dès lors un criminel de lèse-majesté. Sur ce point, Henri II ne transige pas, et c'est à l'élimination physique des huguenots qu'il se prépare lorsqu'il signe le traité du Cateau-Cambrésis.

Pourtant, les calvinistes français à la suite du Réformateur de Genève et de Théodore de Bèze demeurent convaincus de la nécessité du loyalisme monarchique, quelles qu'en soient pour eux les conséquences ; position difficile où, écartelé entre ses devoirs de conscience et ceux dus à son souverain, l'homme ne peut trouver son unité que dans le martyre que beaucoup ont accepté et subi. Mais c'est ne pas prendre en compte un fait déterminant, l'adhésion massive de la noblesse au protestantisme. Dans un temps de faiblesse monarchique où se développe un courant d'idées aristocratiques et fédéralistes tenu en lisières par la poigne des deux premiers Valois d'Angoulême, ces gentilshommes refusent d'abandonner leurs prérogatives à leurs convictions religieuses. D'autant que ce serait laisser les mains libres aux Guise favorables à la répression des dissidents. Dans ce contexte, le recours aux coups de force s'impose aux nobles huguenots comme la seule solution. La personne royale devient pour eux l'enjeu majeur car, à ces époques de minorités successives, demeurer près du roi, le conseiller, orienter ses décisions, c'est aussi détenir la souveraineté; de là les tentatives de Condé pour s'emparer de François II en 1559 et de Charles IX en 1567. De leur côté, les Guise n'agissent pas autrement. Ces entreprises qui marquent l'impasse politique dans laquelle sont enfermés les gentilshommes de la religion se peuvent taxer de rébellions, mais les Grands possèdent une vieille habitude de la chose et connaissent la rhétorique capable de la justifier. Au long des trois premières guerres civiles, le discours ne change guère, non plus que la propagande; si les huguenots en viennent aux armes, ce n'est pas tant pour défendre leurs personnes et leur religion que pour libérer le monarque de la tutelle pernicieuse des Guise étrangers et permettre aux « vrays François » d'occuper enfin leur place naturelle de protecteurs du roi et du royaume.

Voilà qu'après la Saint-Barthélemy le ton change, plus agressif, plus précis, plus novateur aussi. Alors que se mettent en place les Provinces-Unies du Midi, État séparatiste constitué par les huguenots, s'élève la voix d'une foule d'écrivains protestants projetés en pleine utopie politique par l'horreur des massacres [1]. Tous révulsés par la tyrannie sanguinaire de la monarchie, ils procèdent à une analyse du pouvoir royal et surtout à une réévaluation de ses fondements. Alors qu'avant 1572 la monarchie de droit divin n'est jamais mise en cause par les huguenots, elle est ici battue en brèche par des textes puissants. Citons *Franco-Gallia* du juriste François Hotman en 1573, l'anonyme *Réveille-matin des Français et de leurs voisins* en 1574, le *Droit des magistrats sur leurs sujets* écrit en 1575 par Théodore de Bèze, en 1579 les *Vindiciae contra tyrannos* d'incertaine paternité. Ces textes en forme de pamphlets condamnent la monarchie de droit divin. Théodore de Bèze avance cette idée très moderne que la finalité de l'État est bien l'ordre et le bonheur chez les sujets, qu'en ce sens la souveraineté appartient au peuple, l'histoire le confirme d'ailleurs, puisque autrefois les rois étaient élus. Ce souverain créé par le consentement populaire voit son autorité limitée par l'obéissance à la loi divine et à la loi naturelle de justice ou de bien commun. Aussi la révolte contre le souverain violant cette légalité supérieure autant qu'humaine est-elle autorisée par Dieu; celle-ci peut sous forme de résistance se cristalliser autour des « magistrats inférieurs », les officiers exerçant une délégation du pouvoir royal. La résistance, renchérit l'auteur des *Vindiciae*, peut à bon droit s'organiser dans chaque ville, chaque province. Tous ces auteurs mettent en avant la théorie, promise à un bel avenir, du contrat liant le peuple à son souverain; au cas où celui-ci, par ses actions indignes (tel le meurtre de ses sujets), rompt le pacte, le roi devenu tyran peut être tué, déposé ou remplacé. Certains monarchomaques, puisque les historiens des idées les qualifient ainsi, mettent en relief la nécessité dans un État de corps intermédiaires tels les états généraux, les officiers (chez de Bèze) aptes à défendre la patrie et le peuple contre les abus d'un pouvoir inique et prédateur.

1. Kingdon Robert, *Myths about the Saint-Bartholomew's Day Massacres, 1572-1576*, Cambridge Massachusetts et Londres, Harvard University Press, 1988, chap. IV, VIII, IX et XI. Voir aussi Mesnard Pierre, *L'Essor de la philosophie politique au XVIe siècle*, Paris, Vrin, 1969 et Yardeni Myriam, *op. cit.*, chap. V.

On le voit, dans une tonalité d'une rare violence, on attaque le principe de l'autorité monarchique illimitée parce que d'origine divine, et l'on propose des modèles de rechange. On aspire à un régime politique du type fédéral où les meilleurs, la *senior pars* (nobles, officiers, notables), disposeraient localement de pouvoirs étendus, et généralement d'un droit de contrôle et de conseil auprès du souverain. Ainsi s'établissent les bases théoriques de l'État indépendant qui se crée, dès 1573, autour des protestants et des « bons » catholiques ; ainsi se justifie le transfert de souveraineté du roi Charles IX aux états généraux de l'Union.

Mais les temps changent et voici qu'en 1584, après la mort d'Alençon, le Protecteur de l'Union réformée devient par surcroît héritier présomptif de la Couronne. Il s'agit bien désormais de défendre des thèses propres à servir le prétendant. Le thème central est alors celui de la France, et donc de l'unité nationale ; celle-ci est mise en péril par les mauvais Français ligueurs alliés à l'Espagne. Or l'unité nationale ne se réalise qu'en la personne d'un souverain légitimé selon les lois fondamentales du royaume. Or, Henry de Navarre, héritier présomptif, apparaît à tous comme profondément français, très différent de ces guisards « bastards et espagnolisés ». D'ailleurs, la victoire de Coutras ne représente-t-elle pas le signe de la légitimité de Navarre puisque, en cette bataille, se sont affrontés non pas les royaux et les navarristes, mais les navarristes et les ligueurs ennemis du roi régnant Henri III. Deux propagandistes de la cause bourbonnienne brillent de leur plume acérée et productive. Avec une grande souplesse d'esprit, François Hotman interrompt ses propos tyrannicides de la décennie précédente pour défendre avec talent et conviction le droit naturel des princes du sang à la succession royale ; Philippe Duplessis-Mornay, conseiller intime du Béarnais à travers les remontrances, adresses, lettres ouvertes, propose aux Français tant protestants que catholiques modérés l'image d'un futur souverain, vrai patriote, amoureux de la France, et soucieux de l'intérêt de tous les sujets : « Mais je suis Français, je suis de vos princes, j'ai intérêt à votre conservation... », voilà l'une des phrases clés que Duplessis-Mornay met en maint texte dans la bouche d'Henry de Navarre.

Lorsque en 1589 ce dernier devient roi d'un royaume qui pour une part de ses habitants le refuse, le discours glisse légèrement de la France au roi ; royalisme et patriotisme deviennent dès lors deux catégories inséparables ; servir le roi, c'est aussi servir la France et être bon Français. D'ailleurs, ce premier Bourbon n'est-il pas un monarque aux qualités déjà légendaires propres à tous les « princes françois » ? Bon capitaine, clément, débonnaire et donc tolérant, capable du « pêlemêle de toutes choses », de mener « toutes les affaires de notre royaume en bon train ». Ici s'instaure pour la postérité la légende du bon roi Henry.

Les moyens du parti.

Constituer un parti, c'est pouvoir compter sur des militants, de l'argent, voire des intellectuels capables de porter devant l'opinion publique les motivations sincères ou travesties de ceux qui revendiquent certes une nouvelle religion, mais en plus une nouvelle politique. Le parti protestant en guerre fait appel aux fidèles par l'intermédiaire des églises ; dès 1561, Condé réclame d'importants subsides pour payer ses soldats, il en fait de même en 1567 et 1568. Après la Saint-Barthélemy, l'Union protestante, agissant seule ou en symbiose avec les Politiques, lève de lourdes contributions qui s'aggravent encore lorsque, après 1584, Henry de Navarre s'estime proche du trône. L'appel à l'aide financière étrangère se révèle nécessaire dès la première guerre civile. En 1562, Élisabeth d'Angleterre fournit 100 000 livres et 6 000 hommes, mais exige en échange la ville du Havre en attendant que Calais lui soit restituée ; ce fameux traité de Hampton Court pèse comme une macule sur les protestants accusés dès lors de vendre le royaume à l'étranger [1]. Il faut au parti de l'argent mais aussi des hommes. Ceux-ci se recrutent facilement en France ; en 1562, 2 000 volontaires rejoignent à Orléans Louis de Condé, venant de Béarn, de Gascogne, de Languedoc. En 1567, lorsque se prépare la deuxième prise d'armes, une troupe de 4 000 soldats s'équipe dans le Midi, et s'ébranle pour faire jonction avec le prince près de Char-

1. Miquel Pierre, *Les Guerres de Religion*, Paris, Fayard, 1980, p. 234.

tres. L'année suivante, ce sont 6000 Gascons que Jeanne d'Albret et ses lieutenants recrutent pour les conduire à La Rochelle, pendant qu'en Languedoc se rassemblent 20000 combattants. Mais, aussi pourvoyeuse en hommes que soit la France, elle n'aurait pu suffire à fournir en soldats cette guerre intestine. Comme le fait le roi, les chefs huguenots demandent le secours de soldats étrangers. Dandelot, le frère de Coligny, lève en Palatinat, Wurtemberg et Hesse, 4000 fantassins et 3000 cavaliers, lorsque se déclenche la première guerre. Au cours du deuxième et du troisième conflit, ce sont 6500 reîtres et 3000 lansquenets qui déboulent de l'Est conduits par Jean Casimir, le fils de l'Électeur Palatin ; en 1569, les soldats menés par Wolfgang de Bavière, duc des Deux-Ponts, rejoignent à travers la Franche-Comté et la Bourgogne l'armée huguenote en Poitou avant la bataille de Moncontour. Lors de la cinquième guerre, à la tête de 16000 mercenaires, Jean Casimir pénètre dans le royaume, appelé par le duc d'Alençon et par Henri de Condé, le fils de Louis ; il demande en échange une énorme pension et l'attribution en viager des Trois Évêchés. En 1587, lorsque Henry de Navarre prépare le combat qui, à Coutras, l'oppose aux soldats d'Henri III, il s'est assuré l'appui d'une forte armée de mercenaires suisses et allemands ; près de 25000 reîtres conduits par le baron Dohna déferlent sur la Lorraine, errent à travers la Champagne et s'apprêtent à tirer vers le Sud pour rejoindre Navarre quand le duc de Guise les taille en pièces, le 24 novembre à Auneau[1]. Aux yeux des catholiques intransigeants, ce recours répété aux mercenaires étrangers s'apparente à une haute trahison et ne manque point d'alimenter la haine anti-huguenote.

L'iconoclasme.

Si les fidèles des communautés contribuent par leur argent et parfois par leur sang au parti protestant, il est pour eux une autre manière de s'affirmer. Les violences iconoclastes spontanées jaillissent de la répulsion des huguenots à l'égard de l'Église romaine. Aux militants de l'ordre calviniste, celle-

1. Garrisson Janine, *Henry IV*, *op. cit.*, p, 136.

ci apparaît bien comme l'ennemie à abattre. La certitude d'appartenir à la « vraye religion », fidèle à la pureté initiale de l'Évangile, anime les huguenots d'une rage forcenée contre l'institution catholique qu'ils accusent d'erreurs et de mensonges. Parce que, à travers les siècles, elle a travesti le message du Christ, parce qu'elle a inventé des dogmes, des rites, des organisations non évangéliques, l'Église adverse leur semble comme une monstrueuse idole mensongère, barbouillée de luxe, enrichie de la crédulité humaine. La « puante Ninive », « Baal », la « Grande Babylone », les mots qui la désignent symbolisent l'horreur presque sacrée des protestants face à la vaste construction dont le pape est le chef. L'iconoclasme visant à détruire la multiplicité des signes terrestres de l'idolâtrie adverse émerge déjà dans le royaume avec les premiers « luthériens » [1]. Gestes isolés, spasmodiques, individuels, ils sont vigoureusement poursuivis et châtiés dès le règne de François 1er. L'iconoclasme se déchaîne comme un acte collectif en 1560, 1561, et durant la première guerre de Religion, conforté par l'augmentation en nombre des huguenots et la mise en place du parti. Il n'est pas violence gratuite, car il résulte de trois idées puissantes mises en œuvre par la Réforme [2]. La première formulée dans le *Catéchisme* de Calvin récuse la représentation de la figure divine en « matière corporelle, morte, corruptible et visible ». La deuxième renie le culte réservé aux saints dont la présence familière hante sous forme de statues, tableaux, « ymaiges », les églises, les places, les carrefours, les maisons particulières. La troisième accuse le clergé de la « papaulté », prêtres, moines et religieuses, de n'avoir pas rempli leur mission, d'avoir menti au peuple chrétien en lui cachant la vérité du salut par la foi, masquant ce don de Dieu par la doctrine des œuvres et du Purgatoire. Aussi malgré les appels au calme des autorités protestantes voit-on les néophytes s'attaquer aux tympans, peintures, gravures, statues, aux personnes relevant de l'Église romaine, les humiliant, les tuant, s'efforçant de les désacraliser.

1. Crouzet Denis, *Les Guerriers de Dieu*, Paris, Champ Vallon, 1990, 2 vol., t. 1, p. 496-497.
2. Garrisson Janine, *Les Protestants*, *op. cit.*, p. 58.

Ainsi se constituent en France une Église et un parti dont la cohérence, la puissance et la détermination jusqu'à l'excès mettent en péril les fondements religieux et politiques du royaume.

4
L'Église et le parti catholiques

Le phénomène protestant met en cause l'autre Église qui pourrait se trouver dès lors dans une position défensive si, déjà animée d'un puissant mouvement de réforme intérieure, elle n'était capable de puiser dans cette contestation même de nouvelles forces, d'adapter de nouvelles formules. L'Église romaine de France au long des guerres de Religion fait la preuve d'une étonnante vigueur : sachant se montrer tout à la fois agressive et pragmatique, elle réussit à préserver la civilisation catholique dont le royaume est imprégné comme elle parvient à sortir renforcée de la tourmente des années 1559-1598.

Le concile de Trente. Les évêques réformateurs.

Si, dès la fin du XVe siècle, de larges efforts produisent localement des effets constructifs dans le domaine des ordres religieux, du clergé paroissial, de la catéchèse et donc de la christianisation des fidèles, ils manquaient cependant d'unité et de direction. En la matière, le concile de Trente propose à l'Europe catholique menacée par le protestantisme un dogme consolidé, un rituel unifié, un programme d'action rajeuni. Certes, les directives viennent dorénavant de Rome, mais localement les évêques disposent d'une autorité accrue leur donnant de larges pouvoirs d'adaptation, voire d'initiative.

La France, on le sait, ne participe pratiquement pas aux deux premières sessions du concile. En revanche, lors de la troisième session, en 1562-1563, les prélats du royaume viennent plus nombreux aux côtés d'ambassadeurs laïcs chargés par Catherine de Médicis d'appuyer auprès des pères conciliaires ses revendications propres en matière religieuse [1]. La régente, soucieuse de désarmer les conflits français, voudrait que l'assemblée adopte le principe du mariage des prêtres, de la communion sous les deux espèces, dans le même temps qu'elle condamnerait les abus maculant la hiérarchie ecclésiastique tels que la commende et le cumul. En présentant le 2 janvier 1562 ces « Articles de Réformation », les ambassadeurs français se heurtent à l'opposition des prélats italiens qui dominent en nombre le concile ; ces derniers proposent contre la France une « Réformation des Princes » dans laquelle les droits pontificaux et ceux des tribunaux ecclésiastiques sont renforcés au détriment des États nationaux et des institutions civiles. C'est alors qu'Arnaud Du Ferrier, président du Parlement de Paris, l'un des trois représentants laïcs de Catherine, se serait écrié en pleine séance conciliaire :

« Tout ce chapitre de la Réformation des Princes ne tendait qu'à abolir l'antique liberté de l'Église gallicane et à amoindrir et à blesser la majesté et l'autorité du Très Chrétien. »

Les ambassadeurs ne paraissent donc plus aux sessions, mais, pour gallicans que soient les évêques français, s'ils parviennent à faire retirer quelques décrets de la « Réformation des Princes », ils ne peuvent aller contre un certain nombre d'autres qui, au détriment des parlements, étendent les juridictions d'Église et grandissent le pouvoir des évêques en matière de censure, de gestion hospitalière, d'intervention dans le domaine matrimonial. En revanche, de juillet à décembre 1563, ils votent avec l'ensemble des pères conciliaires les derniers décrets concernant les exigences disciplinaires et éthiques.

Lorsque, de retour, les évêques français demandent au Conseil par la voix du cardinal de Lorraine la publication du concile au titre de loi du royaume, Michel de L'Hospital proteste avec vigueur. Bien que les canons de Trente ne soient pas reçus par le gouvernement de Charles IX, ni d'Henri III, d'Henry IV et même de Louis XIII, ils n'en irriguent pas moins en profondeur une vigoureuse réforme de l'Église de France.

1. Latreille André, Delaruelle Étienne et Palanque Jean-Rémy, *Histoire du catholicisme en France*, Paris, Spes, 1963, t. 2, p. 238.

Celle-ci est l'œuvre du clergé français, soutenu en partie par la royauté dans la mesure où il importe à cette dernière que la Haute Église soit digne des vertus chrétiennes qu'elle est chargée de répandre dans le peuple. Alors que les guerres civiles battent leur plein, l'assemblée du clergé tenue à Melun en 1579 sollicite à nouveau la réception des canons de Trente tout en vitupérant la simonie royale qui trafique des biens d'Église, conférant les évêchés à des laïcs. Henri III, soucieux de concéder à son clergé quelques satisfactions d'autant qu'il vient de prendre la tête de la Ligue, reprend donc en 1579 dans l'ordonnance de Blois, puis en février 1580 dans l'édit de Paris, un bon nombre de décrets du concile tridentin [1]. Du moins ceux qui ne portent pas ombrage aux prérogatives royales ! Les privilèges ecclésiastiques en matière d'exemptions militaires et fiscales sont confirmés comme est réaffirmé le droit de lever les dîmes. Le clergé se voit, en intention du moins, défendu contre les usurpations de ses biens du fait des autorités civiles ou des gentilshommes. En revanche, les devoirs de visite diocésaine par l'évêque, le soin qu'il doit apporter à l'entretien des bâtiments, du matériel cultuel, le souci dans lequel il doit tenir la condition matérielle des curés, la nécessité de résidence, sont clairement énoncés comme ils l'ont été par le concile de Trente.

Le haut clergé sur le terrain applique les canons tridentins. Dès la décennie 1570-1580, les prélats réformateurs tant archevêques qu'évêques commencent à œuvrer dans leurs provinces et diocèses ; peu nombreux, à peine une dizaine, ils puisent les principes qui les guident dans l'exemple fourni par Charles Borromée à Milan. Les évêques Grimaldi, Tarugi et Cheisolm en Avignon, Sacrato à Carpentras, Roechi et Bordini à Cavaillon, Sourdis à Bordeaux, Joyeuse à Toulouse, La Rochefoucauld à Clermont puis à Senlis, Pierre d'Épinac à Lyon, précèdent la grande lignée des prélats du XVIIe siècle [2]. Ils résident dans leur diocèse qu'ils visitent

1. Isambert, De Crusy et Taillandier, *Recueil général des anciennes lois françaises*, Paris, Belin, 1829, t. 14, p. 380 *sq*.

2. Vénard Marc, « La grande cassure, 1520-1598 », in *Histoire de la France religieuse*, sous la direction de François Lebrun, Paris, Éd. du Seuil, 1988, p. 298-310.

autant que les temps difficiles le leur permettent, inspectant les lieux de culte, s'informant sur le prêtre ou le vicaire, enquêtant sur la présence d'hérétiques. Ils réunissent en synodes diocésains le clergé du ressort, publiant à la suite des statuts sur la discipline des mœurs, sur les vêtements de messe et ordinaires des clercs, sur le rituel, sur la nécessité minimale d'un matériel liturgique. Ils s'efforcent de nommer, du moins dans les églises dont ils possèdent le patronage, des prêtres dignes, instruits et dévoués. Pour leur formation, ils fondent des séminaires ; le premier s'implante à Reims en 1567, puis en 1586 à Cavaillon et en Avignon, en 1590 à Toulouse. Ces évêques militants de l'Église romaine aspirent, en combattant les abus dénoncés de longue date, à constituer une Église plus évangélique, mais surtout à lutter pied à pied contre le protestantisme en travaillant sur le même terrain. Dès lors, il s'agit bien d'insuffler aux chrétiens l'esprit du catholicisme rénové, d'orienter leur religiosité vers des horizons non pollués par la Réforme, de prendre la tâche à la racine en façonnant très tôt les âmes enfantines. Aussi les prélats tridentins s'efforcent-ils de créer des écoles où le catéchisme est programme d'études ; d'ailleurs l'édit de Paris les autorise à ne pas prélever sur leur cassette ordinaire les gages du régent. Surtout, ils utilisent la formidable machine à produire de nouveaux catholiques que sont les collèges jésuites ; ainsi font à Toulouse le cardinal d'Armagnac, à Tournon le cardinal de Tournon, à Avignon l'évêque Grimaldi ; à Carpentras, Aubenas, Orléans, Le Mans, au Puy, à Dijon, etc., se multiplient ces établissements prestigieux souvent à l'initiative des prélats, mais aussi à celle des municipalités où les jeunes gens de la bourgeoisie et parfois de la noblesse se forment aux bonnes lettres comme à la vraie religion [1]. En 1590 une vingtaine de collèges fonctionnent dans le royaume.

Reste à apprivoiser, alimenter, ensemencer les âmes plus populaires. Les consignes tridentines n'ont garde d'oublier le peuple chrétien en grande partie illettré. Les cérémonies, les « images », la prédication et la piété collective des confré-

1. Chartier Roger, Compère Marie-Madeleine, Julia Dominique, *L'Éducation en France du XVIe au XVIIIe siècle*, Paris, SEDES, 1976, p. 162.

ries encadrent et orientent la religiosité laïque. L'église, maison de Dieu, s'édifie à sa gloire. Les évêques au cours de leurs visites diocésaines constatent l'état lamentable des bâtiments cultuels, demandent aux desservants et au personnel de la fabrique d'y mettre un autel, un tabernacle, pour que le Saint-Sacrement retrouve une place première, un confessionnal; mais ces exigences ne peuvent encore trouver leurs effets, sinon dans les dernières années du siècle tant les troubles oblitèrent les énergies et rendent vains les travaux de construction, reconstruction et embellissement. Rien ne peut encore se produire dans le royaume de cet élan des artistes italiens engagés dans le renouveau catholique. L'on peut, en revanche, discipliner la ferveur des fidèles en contrôlant le culte des reliques, cible des sarcasmes de tant d'humanistes et d'autant de huguenots. Les synodes diocésains tenus entre 1581 et 1586 à Rouen, à Reims, à Aix, à Bordeaux, à Toulouse... voudraient limiter cette dévotion peu raisonnable. Inversement, les évêques encouragent la naissance ou le développement de confréries vouées à la Vierge et au Saint-Sacrement puisque à Trente on a voulu combattre les protestants en mettant l'accent sur le culte marial et le mystère de la présence réelle du Christ dans les espèces. Les confréries de pénitents connaissent un vif succès.

Afin de mieux convaincre les populations, lettrées ou non, les prélats réformateurs et les autres accordent une grande confiance au discours. Pour les grandes fêtes liturgiques, ils attirent dans leurs cathédrales de prestigieux prédicateurs, souvent jésuites, ou encore ils organisent des controverses publiques entre un ministre protestant et un clerc catholique. Dans la dernière décennie du siècle, de telles « disputes » deviennent à la mode, elles se déroulent en province comme à la cour où en 1600 le premier Bourbon écoute avec gourmandise le duel entre Duplessis-Mornay et du Perron, évêque d'Évreux, à propos de l'Eucharistie.

L'œuvre de ces prélats entreprise dans le pénible contexte des guerres et des troubles ne produira des fruits éclatants qu'au XVIIe siècle, mais déjà ils ne sont pas les seuls à porter haut les couleurs d'un catholicisme rénové. Certes, « l'invasion mystique » soulève les âmes et les cœurs dès les premières années du règne d'Henry IV, mais ses racines sont plus anciennes. La renaissance de la piété dont la Ligue est image extrême jaillit très tôt dans le XVIe siècle. Elle se marque par la création d'ordres religieux nouveaux, dans les enthousiasmes des adhésions, et la réforme des ordres anciens. Le succès des capucins dans l'Europe catholique confirme les exigences de sacrifice et d'apostolat des chrétiens du XVIe siècle, le succès des jésuites celui de croisade et de prosélytisme. Ces derniers sont à peine gênés dans leur influence lorsque le Parlement de Paris les déclare indésirables dans les limites de son ressort. Les jésuites se sont, en effet, impliqués dans le mouvement ligueur, et l'un de leurs élèves, Jean Châtel, en 1594, porte un couteau meurtrier sur la personne du Béarnais, d'où l'arrêt de la cour souveraine assez hostile à l'organisation d'Ignace de Loyola qu'elle taxe d'ultramontanisme. Par chance, les parlements de Toulouse et de Bordeaux, moins soucieux de gallicanisme, ne rendent pas la même sanction, offrant ainsi asile politique aux jésuites du nord du royaume. L'exil est de courte durée puisque en 1602, conseillé par le père Cotton, Henry IV, désireux d'obliger le pape ulcéré par l'Édit de Nantes, admet qu'ils se réinstallent dans le ressort du Parlement parisien.

Une analogue ferveur religieuse anime les femmes. Certes, elle n'atteint pas les hautes eaux du siècle suivant, mais déjà les ursulines, installées en 1592 dans le Comtat Venaissin, essaiment dans les diocèses de Bordeaux et de Toulouse, appelées par les évêques qui leur confient l'enseignement des filles. La doctrine mystique et contemplative de sainte Thérèse d'Avila attire des âmes éprises d'absolu, l'ordre des carmélites s'implantera en France en 1604.

Cette profondeur de la foi catholique, cet élan renouvelé de la piété ne peuvent masquer les souffrances de l'Église romaine durant les troubles religieux et civils. Cible des néophytes protestants envahis de la rage de détruire la grande « Babylone », accablée des sarcasmes pas forcément huguenots griffant sa richesse, son luxe, ses insuffisances pastorales et disciplinaires, elle subit de surcroît une désaffection de la part de son clergé et de ses fidèles qui adhèrent au calvinisme. La royauté tout en proclamant bien haut son désir de voir régénérée son Église ne se prive guère de l'utiliser pour doter ses affidés d'opulents bénéfices ou pour lui demander des subsides.

La religion populaire. L'anti-protestantisme.

Lorsque, à la fin des troubles, les assemblées du clergé et notamment celle de 1596 établissent un bilan, celui-ci ne laisse pas d'être tragique. Des hommes et des femmes, dignitaires, prêtres, vicaires, moines et couventines, paient le tribut du sang par dizaines. Mais les protestants, certainement moins meurtriers que leurs adversaires, s'attaquent de meilleur cœur aux signes terrestres de la religiosité catholique, aux églises, aux images, aux statues, aux objets cultuels. Lorsque Nicolas de Villars visite entre 1592 et 1608 les 427 églises de son diocèse d'Agen, à peine deux douzaines sont en état. Lorsque Joyeuse accomplit à la même époque la tournée de son ressort toulousain, sur 337 lieux de culte, 139 sont brûlés, détruits, pillés, en ruine ou sans toit. Certes, avant même les guerres religieuses, maints édifices n'étaient pas dans un état de fraîcheur ou d'entretien remarquables ; les huguenots ne sont pas tous les vandales que l'on se plaît à décrire dans les milieux extrémistes, car le passage des troupes même ligueuses n'arrange guère les couvents ou églises dans lesquels elles logent ; cependant, les destructions infligées au patrimoine immobilier de l'Église sont immenses. Il ne faut dans cet inventaire catastrophique avoir mégarde d'omettre les pillages des trésors, l'anéantissement des vêtements et des objets liturgiques, le démantèlement des statues et tableaux, sculptures et reliquaires. L'institution romaine n'est pas moins touchée dans sa fortune et ses revenus. La dîme, part substantielle de la rente ecclésiastique, n'a pu être levée avec régularité. Çà et là, en 1560 et 1561, des paysans surtout dans le Sud-Ouest refusent de donner le dixième de leur récolte aux chanoines, évêques, abbés et autres prêtres. Plus tard, dans les provinces dominées par l'Union protestante, la dîme confisquée trouve son emploi dans les gages des ministres, des régents, voire dans ceux des permanents de l'État huguenot et même dans la solde des gens de guerre. En Béarn, Jeanne d'Albret et à la suite le conseil du pays exigent toujours la dîme des propriétaires et des exploitants agricoles, mais celle-ci, gérée par les soins d'une chambre ecclésiastique, est utilisée aux nécessités de l'Église protestante. L'un des articles de l'Édit de Nantes contraint les huguenots à se soumettre au prélèvement décimal, preuve donc de leur refus ou de leur détournement antérieurs [1].

L'Église catholique, pour vouloir défendre sa religion, se trouve mise à l'épreuve par la royauté.

Le 21 septembre 1561, le contrat de Poissy, passé entre la monarchie et les députés ecclésiastiques venus aux états généraux de Pontoise, organise une solidarité financière entre la Couronne et l'Église. Celle-ci accepte de prendre en charge une partie de la dette royale, en levant sur les détenteurs de bénéfices les décimes mais aussi en aliénant son temporel à maintes reprises, trois fois sous Charles IX, trois fois sous Henri III. L'accord conclu pour 16 ans vient à expiration en 1579 lorsque le clergé, à nouveau sollicité par la monarchie, se réunit à Melun. La mauvaise humeur manifestée alors, les remontrances faites au roi sur la manière dont il confère les bénéfices ecclésiastiques, l'exigence réitérée de faire entrer les canons tridentins comme loi constitutive du royaume, conduisent Henri III à des concessions. En échange de l'édit de Paris déjà évoqué, les prélats accordent au souverain de nouveaux subsides destinés à combattre les huguenots, entamant ainsi la longue pratique du « don gratuit » que les assemblées du clergé, réunies périodiquement, votent comme participation à la bourse commune jusqu'à la Révolution [2].

Les Français demeurent dans leur grande majorité catholiques, fidèles aux dogmes et aux rites de l'Église romaine. De la naissance à la mort, l'église et son clocher dominent la vie des hommes et des femmes, rythment le temps sacré comme le temps profane. Croire ou ne pas croire, la question ne se pose même pas, chez un « papiste » pas plus que chez un huguenot. Mis à part de rares aventuriers de l'esprit, tout le monde, du gentilhomme au savetier, croit en Dieu. La plupart du temps, il s'agit de la foi du charbonnier, instinctive, viscérale, élémentaire, soudée au cœur et au corps.

1. Garrisson Janine, *Les Protestants*, *op. cit.*, p. 329.
2. Pernot Michel, *Les Guerres de Religion en France, 1559-1598*, Paris, SEDES, 1987, p. 235-236.

Les interférences de la foi.

Religion, foi, église... Les trois notions indissociables créent pour le catholique du XVIe siècle un monde clos, un cosmos limité. L'Église garante de la pérennité de la religion, elle-même immuable dans son organisation hiérarchique, du pape au desservant d'une paroisse, nourrit la foi des fidèles. Elle leur apprend que le ciel s'organise comme la terre, qu'un ordre intangible y règne comme en ce bas monde. Elle leur apprend aussi que l'ancienneté de l'Église catholique, universelle et romaine, est le gage des vérités qu'elle dispense et que ces vérités sont d'origine divine. Quiconque les conteste conteste l'évidence du royaume de Dieu, autant qu'il met en doute les fondements et les règles du royaume terrestre.

Et de fait, aux yeux du populaire, la royauté revêt un caractère religieux, quasi magique. Le souverain, sacré selon le rituel quasi millénaire, est un roi-prêtre, un être à mi-chemin entre Dieu et les hommes, capable de faire le miracle (celui de guérir les écrouelles). Qui s'oppose à lui devient un hors-la-loi, se met à l'écart du groupe, à la fois hérétique et coupable de lèse-majesté. La multiplication de cette engeance dans le royaume est vécue par les catholiques instinctifs comme une agression, l'attaque d'un corps sain par la maladie entraînant la mort, comme un désordre. L'organisation millénariste de la pensée d'alors perçoit l'hérésie comme un signe envoyé par un Dieu vengeur en guise d'avertissement de malheurs et de désordres plus atroces encore. Car, avec l'« invasion » calviniste, c'est bien l'arrivée de l'Antéchrist que l'on redoute, environné d'un cortège de pestes, guerres, famines, avant que Christ ne revienne sur la terre pour sonder les vivants et les morts en un Jugement dernier. Malaise, angoisse, sentiment de l'invasion intérieure et de la fin prochaine, les catholiques du temps, pas tous mais la majorité, connaissent la peur de l'hérésie protestante.

Car celle-ci leur propose une image de répulsion. Non seulement ses adeptes nient le pouvoir du pape, mais encore la capacité du prêtre à changer les espèces du pain et du vin en chair et sang du Christ ; ils refusent les œuvres, les messes pour les morts, les reliques ou les indulgences achetées à grand prix, les saints comme intercesseurs des hommes auprès de Dieu. Comble d'horreur, ils rejettent la Vierge consolatrice et mère universelle, souveraine médiatrice, ils ne voient en elle que Marie, une simple femme, mère du Christ certes, mais d'une nature totalement humaine. Les calvinistes prient en français dans une église claire et dénuée d'« ymaiges », statues ou tableaux du panthéon chrétien, ils communient comme les clercs romains sous les deux espèces du pain et du vin, ils ne conservent dans leur rituel que le sacrement de la cène et celui du baptême. Leur attitude dans la ville ou le bourg les retranche du groupe, les rend différents, les fait autres, étrangers au territoire, qu'il soit communal, paroissial ou national. Le protestantisme, au-delà d'une exigeante théologie, induit une morale individuelle et sociale non moins exigeante, aussi les habitudes quotidiennes du réformé ne sont plus celles du catholique.

Le huguenot ne fait maigre ni le vendredi ni les jours de Carême ; dans le vêtement et la tenue extérieure, il s'impose une grande austérité et porte volontiers des habits sombres et décents ; les femmes refusent les décolletés vertigineux ou les robes trop gonflantes. Surtout, il ne participe plus aux réjouissances habituelles, il ne fréquente pas le cabaret, il ne joue ni aux cartes ni aux dés, il ne danse pas. La différence des mœurs est perçue fortement — tel un affront — par des mentalités traditionnelles. Aussi, dans le coude à coude quotidien des villes et des bourgs, l'austérité huguenote apparaît-elle proprement insupportable. Sous la plume des auteurs catholiques non théologiens, écrivant sur les protestants, le mot « hypocrite » revient constamment.

Le conseiller au parlement de Bordeaux, Florimond de Rémond, caricature les fidèles de la Réforme avec quelque méchanceté :

« [...] Ils se déclaraient ennemis du luxe, des débauches et folâtreries du monde, trop en vogue parmi les catholiques. En leurs assemblées et festins, au lieu de danses, de hautbois, c'étaient lectures des Bibles qu'on mettait sur la table et chants spirituels, surtout des Psaumes, quand ils furent rimés. Les femmes, à leurs ports et habits modestes, paraissaient en public comme des Èves dolentes ou Madeleines repenties [...] Les hommes, tous mortifiés, semblaient être frappés du Saint-Esprit, c'étaient autant de saint Jean prêchant dans le désert... »

Ce sentiment de la différence dans les mœurs et les rites, cette impression de l'étrangeté d'un groupe en rupture de communauté s'augmente au cours des trois premières guerres religieuses d'un effet de trahison. Les huguenots sont perçus comme les alliés des étrangers, mais, surtout, ils sont détestés pour avoir fait intervenir contre les armées royales et catholiques les reîtres, mercenaires appartenant au Saint-Empire romain germanique, dotés d'une solide réputation de soudards. On leur attribue des horreurs sans nom, des sacrilèges extraordinaires, des brutalités inouïes. Et ces bandes circulent dans le pays, du Nord au Sud, pendant de longues années, accréditant la légende qui les a devancées. Car introduire des étrangers sur le sol français est un sacrilège envers le roi et le pays — un nationalisme balbutiant s'exprime de cette manière.

Dans le domaine de la violence, les protestants sont vécus comme des rebelles qui ont osé porter les armes contre le roi. Durant les treize ans de guerres religieuses qui précèdent la Saint-Barthélemy, ils apparaissent comme des fauteurs de troubles, responsables non seulement de l'insécurité permanente dans laquelle vivent les Français catholiques, mais encore criminels de lèse-majesté. Le peuple parisien est profondément choqué par les tentatives d'enlèvement du roi, d'abord celle de François II à Amboise en 1559, puis celle de Charles IX près de Meaux en 1567 ; il est plus bouleversé encore lorsque le prince de Condé, âme de cette dernière entreprise, met le siège devant Paris où le monarque et sa suite ont trouvé refuge. Claude Haton, curé d'une paroisse de Provins et chroniqueur de l'histoire heurtée de ces luttes franco-françaises, désigne rarement les réformés autrement que par « les rebelles huguenotiques » ou « les séditieux amiralistes » (partisans de l'amiral de Coligny).

Nous sommes déjà en ce domaine au niveau de l'horreur sacrée ; elle s'accroît des violences iconoclastes produites par les protestants. Détruire les églises et les chapelles, c'est détruire la maison de Dieu ; décapiter les statues, lacérer les tableaux, marteler les tympans sculptés, abattre les clochers, faire éclater les vitraux, c'est anéantir les signes visibles tissés par la religiosité catholique entre le ciel et la terre. Le protestant du coup apparaît comme le profanateur, celui qui ose porter la main sur le Sacré. Par son action, il infecte la communauté tout entière, attire sur elle la colère divine et la vengeance terrible d'un Dieu justicier.

Par un curieux effet de miroir, les facettes de cette agressivité multiforme se réfléchissent dans la parole des prêcheurs. Ils expriment par les mots les profondeurs conscientes et inconscientes de l'angoisse et la rage éprouvée par les fidèles du catholicisme. Ces religieux sans paroisse fixe remplacent pour le sermon, à l'occasion d'une fête religieuse, le curé de la paroisse. Plus instruits ou plus habiles que le clergé ordinaire, ils ont une énorme influence sur la foule qui se presse à leurs oraisons. Leur langage grossier, coloré, puissant, fascine littéralement leurs auditeurs ; ceux-ci reconnaissent dans les mots et les images du prêcheur les sentiments, les réactions, les passions qui les agitent et leur font mal. Intensément ils subissent la parole de ces meneurs de foule. Depuis des années et des années, ces derniers vitupèrent les huguenots, expliquent qu'il faut les exterminer, sinon la vengeance de Dieu sera terrible. Ils invectivent les chefs protestants : Condé, Coligny, et accusent même le roi et surtout Catherine de Médicis de favoriser les hérétiques, ou du moins d'accepter de négocier avec eux. En maintes occasions, parfois prêcheurs de la Compagnie de Jésus, parfois jacobins, ils favorisent l'explosion de cette violence latente. Le passage à l'acte de massacre en 1562 comme en 1567 et en 1572 s'opère par la puissance du verbe des prédicateurs. Ces zélateurs « de la violence de Dieu et de la fin des Temps » prophétique[1] se manifestent à Troyes, à Sens en 1562, à Paris, à Bordeaux, à Orléans en 1572, appelant les catholiques à massacrer les ennemis de l'ordre terrestre et divin. Les gestes de la foule s'acharnant sur les cadavres répondent à cette nécessité purificatrice... tuer pour sauver le monde d'ici-bas comme le monde d'en-haut[2].

1. Crouzet Denis, *op. cit.*, t. 1, p. 208-209.
2. Garrisson Janine, *La Saint-Barthélemy*, Bruxelles, Complexe, 1987, p. 12-14.

Cette violence traduit la force, la profondeur d'un sentiment religieux indissociable du sentiment d'appartenance à un univers cohérent mis en péril par la « novelleté » protestante. Tout autant que l'œuvre des évêques tridentins, ceci rend compte du réveil du catholicisme, de la vigueur de la Ligue et de l'apogée des conflits entre les années 1559 et 1598.

Les prémices de la Ligue.

La Ligue, avant que d'être un parti solidement structuré, plonge ses racines dans ces années indécises de 1561 et 1562 quand les progrès foudroyants du protestantisme et le comportement tolérant du gouvernement sèment le trouble dans l'esprit des catholiques fervents. Le connétable de Montmorency groupe autour de lui des hommes de premier plan décidés à lutter pour défendre la foi catholique. Le Triumvirat de Montmorency, du duc de Guise et du maréchal de Saint-André, est rendu offensif par leur départ de la cour en mars 1561. Se joignent à eux le duc de Montpensier, le cardinal de Tournon, le maréchal de Brissac ainsi que Blaise de Monluc, l'auteur des *Commentaires*. Dans les couches moins prestigieuses de la population, s'opèrent des tentatives d'union entre catholiques. Ces groupements se voulant secrets, les informations à leur propos sont minces ; à Bordeaux, à la fin de 1561, un syndicat se forme pour défendre les intérêts des chrétiens romains ; à Toulouse, une mystérieuse association se constitue au printemps 1562. Dans la même région s'élabore en 1563 une esquisse de ligue plus aristocratique autour de Monluc et du cardinal d'Armagnac. Ces associations cimentent l'adhésion de leurs adhérents par un serment et par un projet commun d'extirpation de l'hérésie. Le mouvement s'étoffe en 1567, 1568. A Mâcon, Dijon, Beaune, à Bourges, à Toulouse, à Orléans, les catholiques de tous horizons sociaux s'unissent solennellement, signent leur engagement et promettent de défendre même par les armes le catholicisme [1].

Cette ligue embryonnaire et balbutiante recoupe en partie les formes violentes et spontanées d'union contre l'ennemi

1. Crouzet Denis, *op. cit.*, t. 1, p. 379-380.

hérétique. L'action devient alors parole, et l'on voit se constituer au travers des gestes meurtriers les représentations répulsives du protestant. A Toulouse, à Gaillac, à Meaux, à Troyes, à Sens, à Tours, à Rouen, en 1562, à la suite de l'édit de Janvier jugé étrangement favorable pour les huguenots, les catholiques tuent ; de même à Rouen, et à Paris, à Orange, en 1571, après le traité trop avantageux de Saint-Germain, les protestants sont également massacrés. En 1572, lors des Saint-Barthélemy à Paris et en d'autres villes du royaume, le meurtre collectif atteint des dimensions apocalyptiques. En 1562, comme lors des autres exécutions et notamment celles de 1572, les catholiques tuant les protestants s'érigent en purificateurs ; meurtrissant les hérétiques, les dénudant, les traînant dans la poussière puis les jetant à l'eau, ils leur infligent la mauvaise mort du bouc émissaire, celle qui nettoie la pollution et qui, apaisant la colère divine, est nécessaire pour que revienne l'ordre naturel [1].

Cependant, insérant cette violence d'apparence si déraisonnable dans un contexte spatial et chronologique, l'évidence surgit qu'elle est réponse. Réponse aux huguenots qui à Tours, Orléans, Toulouse, Lyon, Gaillac... occupent pour un temps court la ville, se livrant à des excès iconoclastes, tentant d'organiser en théocratie à la genevoise ces cités qu'ils détiennent. Réponse (et défi ?) au monarque qui, traitant ses ennemis religieux avec trop d'égards, ne remplit pas sa mission sacrée de Très Chrétien [2]. En août, septembre, octobre 1572, lorsque les Saint-Barthélemy ensanglantent la France, les catholiques se livrant à leur frénésie meurtrière crurent distinguer dans l'exécution de Coligny et des gentilshommes huguenots le signe royal tant attendu les autorisant à exterminer totalement les hérétiques. Tantôt défi, tantôt allégeance à une prétendue volonté discernée, cet engagement catholique constitue l'affirmation politique de leur existence, interpellant de ce fait la royauté.

Dans les années 1576, 1577, le mouvement s'insère dans un contexte d'organisation partisane, laissant en lisières les violences spontanées et spasmodiques. La paix de Beaulieu,

1. Garrisson Janine, *La Saint-Barthélemy*, *op. cit.*, p. 124.
2. Crouzet Denis, *op. cit.*, t. 1, p. 479.

dite aussi de Monsieur, signée en mai 1576 entre les protestants alliés aux Politiques et la royauté, met fin à la cinquième guerre de religion. Réhabilitant les victimes de la Saint-Barthélemy, elle autorise la célébration du culte protestant et accorde aux huguenots 8 places de sûreté. Parmi celles-ci, Péronne dépend du gouvernement de Picardie dont Condé se retrouve gouverneur. Jacques d'Humières, lui-même gouverneur de Péronne en accord avec les habitants de la ville, refuse d'accepter cette situation. Une ligue est alors jurée ici même entre les gens appartenant à tous les ordres du royaume dont pour l'instant le programme s'arrête, semble-t-il, à la défense de la religion et à la constitution d'un réseau national d'adhérents unis par le serment. Cependant, l'appel aux « nations voisines » n'est pas exclu de l'esprit des fondateurs. L'organisation dont les affiliés sont censés garder le secret s'étend sur la France entière ; en Poitou autour de Louis de La Trémoille, duc de Thouars, en Lyonnais autour de François de Mandelot, gouverneur de Lyon, en Normandie avec Tanguy Le Veneur, sire de Carouges, en Bretagne avec le duc de Montpensier. A Paris, les leaders appartiennent à une moindre élite sociale, il s'agit du marchand parfumeur Jean de La Bruyère et de son fils Mathias, magistrat. Tous ces hommes se proposent d'élaborer un système aussi solide que celui mis en place par les huguenots mais, comme viennent de le souligner Emmanuel Le Roy Ladurie [1] et Arlette Jouanna [2], nombre d'entre eux embrassent la cause catholique en guise de protestation politique. Preuve en est des nobles ayant appartenu au parti des Mécontents derrière le duc d'Alençon qui se glissent dans les rangs de la Ligue instaurée en 1576.

De celle-ci nous possédons peu de déclarations ou de manifestes attestés, mais les états généraux assemblés cette même année lui fournissent une tribune remarquable. Aux élections, certains candidats huguenots de la noblesse se voient exclus ; dans certains bailliages de Lyon, de Troyes, de Chartres, de Provins, quelques cahiers de doléances signalent les linéa-

1. Le Roy Ladurie Emmanuel, *L'État royal de Louis XI à Henri IV*, Paris, Hachette, 1987, p. 272.
2. Jouanna Arlette, *op. cit.*, p. 180.

ments d'un programme ligueur [1]. Celui-ci revendique une seule religion pour la France, conteste l'édit de Beaulieu, demande l'acceptation des canons du concile de Trente par la monarchie, mais ces exigences se mêlent à d'autres plus politiques comme celles critiquant l'organisation de la justice, le gaspillage des deniers publics, la violence des gens de guerre.

Alors que les états s'ouvrent à Blois le 2 décembre 1576, un formulaire circule dans les rangs du deuxième ordre ; le titre en est évocateur *Association faite entre les Princes, seigneurs et gentilshommes des bailliages* ; il demande aux signataires de jurer d'obéir à une ligue militaire dirigée par un chef et des officiers élus par la noblesse des provinces [2]. Derrière ce mot de chef, flotte l'ombre d'Henri de Guise, glorieux vainqueur des reîtres à Dormans et balafré comme l'était son père. Henri III ne doute pas du danger quand il décide de prendre la tête de ce mouvement ; il propose dès lors une nouvelle formule d'association où les affidés jurent « d'employer leurs biens et leurs vies pour l'entière exécution de ce qu'il sera commandé par Sa Majesté après avoir ouï les remontrances des états assemblés [3] ». Le Valois fait ainsi d'une pierre trois coups : il désamorce la vague ligueuse et ses composantes politiques dangereuses pour son autorité, il remet les états généraux au rang de simple assemblée consultative, il relègue Henri de Guise loin derrière lui.

Les états généraux de Blois, nous le verrons, se montrent divisés sur le problème religieux. Si la noblesse et le clergé manifestent des positions ligueuses en demandant l'abrogation de l'édit de Beaulieu et la lutte armée, le tiers, unanime pour vouloir l'unité religieuse, est partagé cependant entre partisans de la guerre et adeptes de la méthode douce, celle qui n'exige pas de nouveaux impôts.

Il y aura la guerre, car les huguenots, inquiets des propos tenus à Blois, prennent déjà la campagne, entamant les sixièmes troubles. Les aspirations ligueuses s'estompent alors pour se réveiller en 1584.

1. Constant Jean-Marie, *op. cit.*, p. 82-83.
2. Constant Jean-Marie, *op. cit.*, p. 84-85.
3. Mariejol Jean, *op. cit.*, p. 177.

La Ligue de 1584.

D'une plus ferme texture est cette ligue émergeant en 1584 lorsque s'éteint François d'Alençon. On le sait, Henri III n'ayant pas jusqu'alors de descendant mâle, l'héritier présomptif de la Couronne selon la loi salique se trouve être Henry de Navarre, prince Bourbon issu de Robert de Clermont, fils de Saint Louis. Le souverain régnant, contrairement aux attentes des catholiques « à gros grains », ne désavoue pas pour être son éventuel successeur son beau-frère huguenot, sinon qu'il le presse de se convertir à la religion dominante.

Mais l'inquiétude, voire l'angoisse d'imaginer un hérétique recevant la couronne du Très Chrétien, ne suffit pas à expliquer le formidable mouvement religieux et politique qui surgit en cette fin de l'année 1584. Henri III est rendu impopulaire par un comportement jugé aberrant, par des exigences fiscales réitérées, par une pratique de gouvernement insolite ; le malentendu, l'incompréhension s'installent entre le roi et ses sujets.

Prenant une exacte mesure de cette atmosphère délétère, Henri de Guise n'hésite pas à franchir le pas et à prendre la tête du parti ligueur. De longue date, les Grands se prévalent du « droit de révolte » lorsque le souverain se rend à leurs yeux coupable de tyrannie ou de mauvaise gestion de l'État : l'argument, impavide, traverse, on l'a vu, les âges de même qu'en ces époques troublées il traverse les clivages religieux, autorisant les princes et les ducs de toute confession à lever les armes, augmenter les désordres, ruiner les populations au nom de beaux principes masquant mal leurs ambitions personnelles. A Joinville, le 31 décembre 1584, est signée une alliance dont le programme simple paraît en mesure de rallier bien des adhésions. Car celui-ci demeure pour l'instant éminemment religieux, il s'agit de s'unir pour la « défense et conservation de la religion catholique », pour l'extirpation de l'hérésie, pour la reconnaissance du vieux cardinal de Bourbon, oncle d'Henry de Navarre, comme successeur éventuel du Valois régnant. Les protagonistes de ce traité sont, outre Henri de Guise, ses frères, le cardinal et Mayenne, ses cousins Aumale et Elbeuf, auxquels viendront se joindre le duc de Mercœur, frère de la duchesse de Lorraine Louise devenue reine de France, et Louis de Gonzague, duc de Nevers[1]. L'association se laisse facilement tenter par l'aide financière de 600 000 écus que lui propose aimablement Philippe II, représenté à Joinville par deux mandatés. Mais Guise ne cesse pas de chercher d'autres alliances étrangères qu'il trouve auprès du duc de Parme gouverneur des Pays-Bas, de l'empereur ainsi que du duc de Savoie, tous deux gendres de Philippe II et zélés catholiques. Le reste de l'Europe, sinon le roi d'Écosse fils de Marie Stuart, captive d'Élisabeth Ire, devient soudain attentiste puisque renaît, d'une manière quelque peu détournée il est vrai, le vieux conflit Valois-Habsbourg qui, dans la première moitié du XVIe siècle, tint la Chrétienté en haleine.

Parallèlement à cette association résolument nobiliaire, se constitue secrètement au début de janvier 1585 une ligue parisienne. A l'origine, une réunion de gens pieux, ulcérés par la perspective d'un souverain huguenot, affolés des dangers menaçant le catholicisme ; ceux-ci, 3 ecclésiastiques et un hobereau, cooptent parmi leurs amis des adhérents sûrs et de profonde conviction. Soumis à une enquête, examinés par les personnages fondateurs, ces derniers augmentent en nombre alors qu'en province d'analogues sociétés secrètes s'organisent, tant dans les villes que leurs gouverneurs offrent aux Guise que spontanément dans les autres villes ligueuses. Le serment unit les membres de cette Sainte Union ainsi que la commune volonté de mourir pour la défense de leur religion. Socialement ces ligueurs appartiennent certes à toutes les couches de la population ; quelques groupes semblent plus fortement attirés : une moyenne bourgeoisie de la fonction publique, du barreau, de l'Université, de la marchandise, une petite bourgeoisie des gens de métiers, telle pourrait être la coloration sociale de la Ligue, mais, de ville à ville, cette tonalité varie. A Rouen, la haute robe des conseillers au parlement adhère à la Ligue et prend en 1589 le risque de la révolte ouverte[2]. A Agen, au contraire, les hommes (et les femmes)

1. Constant Jean-Marie, *op. cit.*, p. 129.
2. Benedict Philip, *Rouen during the War of Religion*, Cambridge, University Press, 1981, p. 182.

venus s'enrôler comme militants de la Sainte Union appartiennent à des niveaux sociaux plus modestes ; 14 % de brassiers et de métayers jurent le serment solennel. Un grand nombre d'ecclésiastiques se déclare favorable aux ligueurs, la moitié des évêques français probablement, une foule de prêtres, vicaires, s'engage dans ce mouvement de croisade. L'Église est donc largement partie prenante de cette vague, la Sorbonne en janvier 1589 après l'assassinat des Guise approuve l'union des Français « contre un roi qui avait violé la foi publique dans l'assemblée des états ». Les parlements, autre grande autorité morale du royaume, demeurent royalistes à l'exception des cours de Paris, Rouen et Aix.

Le parti, à la fois princier et communal, déploie la stratégie déjà utilisée par Condé et les protestants, gagner à sa cause des provinces et des villes. Les gouverneurs parents ou amis des Guise rallient donc à l'Union les provinces dont ils ont la charge ; la Champagne, la Bourgogne, la Brie, la Picardie, le Berry, le Maine, l'Anjou sont perdus pour la royauté ainsi qu'une partie du Languedoc, du Lyonnais, de l'Auvergne, du Dauphiné et du Poitou. La rupture qui les sépare d'Henri III s'opère, comme pour les villes, progressivement, s'accélèrant lorsque le roi fait assassiner les Lorrains. Ces villes constituent pour les ligueurs autant que pour les huguenots des espaces privilégiés à dominer ; ils peuvent établir à l'intérieur des murs l'ordre chrétien auquel ils aspirent. Les municipalités royalistes par la force, par la conviction, ou par le noyautage, s'effacent devant des organismes tenus par des adhérents de l'Union qui procèdent selon le modèle parisien ; après Paris, à des dates diverses, Rouen, Lyon, Marseille, Agen, Toulouse, Orléans, Bourges, Nantes, sont acquises à la Ligue, constituant une sorte de fédération souple, soudées qu'elles sont par une correspondance et des relations entre elles et Paris, la capitale du mouvement.

Il est impossible de chiffrer le nombre des ligueurs, tant celui-ci a varié dans un temps relativement court. Les événements majeurs, la mort d'Alençon, la journée des Barricades, l'exécution des Guise, la mort d'Henri III et l'avènement du Béarnais augmentent ou diminuent la passion, certains s'engagent plus vigoureusement, d'autres se retirent discrètement surtout lorsqu'en 1593 Henry IV se convertit. Mouvement de masse certes, mais marqué par l'adhésion individuelle d'un serment solennel, la Ligue apparaît étroitement liée à l'événementiel quodidien.

Son programme.

De même le programme de ce parti se construit en marchant. Si, à Joinville, les alliés s'entendent sur des revendications somme toute assez élémentaires, le manifeste de Péronne publié le 30 mars 1585 relève déjà d'une plate-forme plus affinée. Élaboré en accord avec les ligueurs parisiens, il s'adorne, comme nombre de ses semblables de l'époque, d'un titre ronflant, *Déclarations des causes qui ont mus Monsieur le Cardinal de Bourbon et les pairs, princes et seigneurs, villes et communes catholiques de ce royaume de s'opposer à ceux qui par tous les moyens s'efforcent de subvertir la religion catholique et l'État*. Certes, sont repris les thèmes religieux devenus classiques, sinon qu'ils sont développés avec force et violence. Les catholiques courent le risque de se voir persécutés par un roi huguenot ; d'ailleurs, les protestants liés aux Allemands ne préparent-ils pas une nouvelle guerre civile ? Des arguments politiques sont mis en avant. Les mignons d'Henri III, Épernon et Joyeuse que l'on ne nomme pas, se voient accusés de complicité avec les hérétiques, d'usurpation des places et des responsabilités réservées par la tradition à la haute noblesse, de dilapidation du Trésor royal. On s'attaque donc de manière feutrée au mode de gouvernement d'Henri III jugé autocratique. Le *Manifeste* propose à ces plaies béantes une médication : la suppression des excédents fiscaux pesant sur les contribuables, la réunion d'états généraux périodiques, l'intervention de Catherine de Médicis dans la conduite des affaires dont l'écartent les favoris [1].

A travers les pamphlets, libelles, déclarations émanant des ligueurs et faisant suite, au gré des événements, à ce *Manifeste* fondateur, s'élabore le programme de l'Union. Avant l'assassinat des Guise, cette littérature d'une abondance prodigieuse met en avant le danger pour le royaume de posséder

1. Constant Jean-Marie, *op. cit.*, p. 132-133.

un roi huguenot. En 1586, l'avocat parisien Louis Dorléans répond aux appels d'Henry de Navarre faisant miroiter sa conversion et incitant les Français à la modération. Dans l'*Avertissement des catholiques anglois aux François catholiques*, il dénie au Bourbon toute tolérance, présentant à ses lecteurs la manière dont les prêtres et les bons chrétiens sont traités en Béarn et comment ils sont persécutés par Élisabeth l'anglicane. La France ne peut vivre sous un roi protestant tant État et catholicisme sont tissés d'un même fil ; dès lors Dorléans regrette que la Saint-Barthélemy ait été si timide, que les deux princes Bourbons en eussent réchappé. L'union présente des catholiques se doit de parachever l'œuvre recourant à l'aide étrangère, car « qui n'aimerait donc mieux être Espagnol que huguenot [1] ».

La Ligue, comme l'ont fait après le 24 août 1572 les pamphlétaires protestants, remet en question la monarchie autoritaire. Alors que ces derniers sont devenus les champions de la royauté toute-puissante, par la grâce d'Henry de Navarre, héritier présomptif, les ligueurs reprennent les arguments qu'ils avaient polis antérieurement prônant un pouvoir contrôlé par les états généraux et invitant à la rébellion contre le gouvernement des favoris trop louvoyants à l'égard de l'hérésie.

Le ton devient frénétique après le meurtre de Blois en 1588 ; l'accession à la royauté d'Henry IV provoque une recrudescence, si cela est possible, de cette passion. En ces temps, la position des ligueurs devient plus ferme, elle s'articule autour de la notion de tyran. Le dernier Valois est un tyran d'exercice pour avoir fait tuer ses sujets en pleine paix, pour ne pas obéir au serment du sacre en tolérant l'hérétique en France, pour asservir ses sujets du joug fiscal. Quelques mois plus tard, Henry IV devient à son tour un nouveau tyran, mais d'usurpation celui-là, puisque, étant huguenot, il viole la loi religieuse du royaume. De là l'on glisse facilement au tyrannicide ; faire mourir le coupable devient un acte pieux, conférant automatiquement le salut. Jacques Clément, d'ailleurs, n'est-il pas déjà à la droite du Seigneur comme le suggère ce libelle anonyme :

1. Mariejol Jean, *op. cit.*, p. 253.

« Voilà la fin du tyran laquelle a esté autant malheureuse ; comme bien heureuse celle du pauvre religieux et ne faut donc douter que ce n'ait esté par l'expresse permission de Dieu [1]. »

Cependant, les ligueurs s'interrogent sur les moyens d'empêcher le retour d'une éventuelle tyrannie dans le royaume. Les gentilshommes autour de Guise demeurent dans une perspective traditionnelle que nous avons évoquée : à savoir la noblesse rendue à ses fonctions politiques et militaires, conseillant le roi et gouvernant avec lui alors que des états généraux réunis périodiquement joueraient un rôle de décision en matière fiscale, législative et administrative. En revanche, la ligue « populaire » se lance audacieusement dans l'élaboration d'un droit public plus neuf. La souveraineté, explique-t-elle, réside dans le peuple et non dans le roi, celui-ci l'a reçue de celui-là. « *Reges a populi esse constitutos* », écrit le curé Boucher, constatant encore qu'à l'extrême le peuple peut vivre sans roi. Et voilà qu'est réintroduite l'inévitable notion du contrat expliquant ce transfert de souveraineté. Les sujets s'engagent à obéir à un roi gouvernant selon les lois du royaume toujours au-dessus du souverain. La rupture du contrat autorise le droit à la résistance, voire au tyrannicide, dont la légitimité est déjà contenue dans la Bible. De là, la floraison de véritables traités de la désobéissance tels le *Mémoire* de Pierre Du Four L'Évesque ou le *De justa Henrici tertii abdicatione* de Jean Boucher [2]. Dernier étage de la construction politique des ligueurs, le peuple est dans ses actions, inspiré par Dieu, *vox populi sit vox dei* ; si le peuple fait les rois, le régime successoral né de la loi salique tombe de lui-même, ce qui justifie le refus d'accepter Henry IV comme souverain légitime. Animé par Dieu, doté du droit absolu de « résister aux mauvais rois », le peuple ne peut en son entier participer au gouvernement, les états généraux le représentent qui contrôlent le monarque, voire qui l'élisent. « Sans le consentement des Français, les Rois ne peuvent faire aucune chose importante. » Aussi les états, dont la puissance

1. Cité par Yardeni Myriam, *op. cit.*, p. 218 en note.
2. Voir à ce propos Barnavi Élie, *Le Parti de Dieu...*, Louvain, Nauwelaerts, 1980, p. 153.

comme celle de leurs mandants populaires vient de Dieu, incarnent-ils l'État, représentent sa continuité, se situent au-dessus des rois qu'ils élisent et qu'ils contrôlent. Dans la pratique, ils s'occupent des finances, de faire les lois, de décider de la guerre et de la paix, et, collaborant avec le roi devenu simple gestionnaire, ils excluent ainsi tous les risques de tyrannie. Ce système politique constituerait la France en véritable théocratie, car les Français faiseurs de roi jureraient « de croire ce que croit l'Église Catholique, Apostolique et Romaine et d'y vouloir vivre et mourir... », étant bien évident que seule la « R.C.A. et R. » serait à l'avenir « tolérée, reçue et professée en ce royaume [1] ». Aussi voit-on à travers les écrits et les prédications des plus intransigeants s'élaborer une conception globale du monde où tous les catholiques de quelque nation qu'ils soient sont des frères unis par leur foi commune, par l'obéissance au chef de l'Église Universelle et accessoirement à un roi pris « au milieu des frères ». Le discours tenu au début des guerres de Religion, quand les protestants étaient taxés de « mauvais Français » pour leurs alliances étrangères, s'estompe devant la nécessité d'une internationale catholique, d'un ultramontanisme évident, d'une allégeance à l'Espagne seule capable de défendre les valeurs chrétiennes. Il y a là une césure parmi les ligueurs car, quoique tous vivifiés par les doublons espagnols, tous ne partagent pas ce point de vue extrême. On pourrait presque avancer le modèle d'une ligue française, nobiliaire, guisarde, et celui d'une ligue dévouée à l'Espagne populaire, totalement dépourvue de conscience nationale. Dorléans, Boucher, le prédicateur de Paris, Guillaume Rose, « évêque dément » de Senlis, se font les porte-parole acharnés de la seconde. Parmi ceux-là figure Louis Morin, sire de Cromé, auteur supposé du fameux *Dialogue d'entre le Maheustre et le Manant* paru à Paris en décembre 1593 [2]. Le texte dénie à la noblesse, et précisément à celle qui avec Mayenne, frère des Guise assas-

1. *Ibid.*, p. 167-168.
2. Morin Louis ou François, sire de Cromé, *Dialogue d'entre le Maheustre et le Manant*, publié par P. M. Ascoti, Genève, Droz, 1977. Voir, à propos de ce pamphlet, Lebigre Arlette, *La Révolution des curés, Paris, 1588-1594*, Paris, Albin Michel, 1980, p. 250-252.

sinés à Blois, s'apprête à se rallier au Béarnais, toute prérogative dans la théocratie dont rêvent les ligueurs purs et durs ; il l'accuse de mener contre le Bourbon faussement converti à leurs yeux une guerre molle et languissante, de piller, voler, plus que de porter haut la flamme de la vraie religion. A tel point que, offusqués et tremblant pour leurs privilèges, guisards et royalistes évoquent les risques « d'un État populaire et l'établissement d'une République en laquelle il n'y ait point distinction des rangs et qualités des personnes ni différence de leur naissance et extraction à celle des hommes de basse condition ». Couplet déjà largement répandu lorsque s'installaient en 1573 les Provinces-Unies du Midi dont les adhérents étaient cependant de condition sociale plus relevée. Car, pour l'auteur du *Dialogue*, la vraie noblesse se mérite, elle appartient à celui qui combat pour la foi. De même, la vraie royauté est accordée à celui qui lutte pour la conservation de la religion et de l'Église, ce qui interdit à Henry IV de porter la Couronne puisque en son cœur il demeure l'hérétique qu'il a toujours été. « Les vrais héritiers de la Couronne », dit le manant, le vrai militant au maheustre, le catholique tiède et « politique », « ce sont ceux qui sont dignes de porter le caractère de Dieu. S'il plaît à Dieu nous donner un Roi de nation française, son nom soit béni ; si de Lorraine, son nom soit béni. De quelque nation qu'il soit étant catholique et rempli de piété et de justice, comme venant de la main de Dieu, cela nous est indifférent. Nous n'affectons la nation mais la religion. » Ainsi s'exprime la dérive subversive du désespoir.

La violence de la Ligue.

Les théories politico-religieuses du parti auraient pu relever de la simple utopie si, comme celle élaborée par les protestants après la Saint-Barthélemy, elles n'avaient connu des applications sur le terrain. Certes limitées, mais suffisantes pour faire du royaume un État en miettes entre 1588 et 1594. L'assise ligueuse, avons-nous dit, est parfois provinciale, et en ce sens nobiliaire, mais essentiellement communale, et en ce sens populaire. Pour tenir les habitants des villes acquises à la Sainte Union, pour stimuler leur zèle et entretenir en eux la flamme des combattants pour la foi, une étrange stratégie se met en place. De l'orage des pamphlets agrémentés ou non d'images signifiantes à l'usage des non-lisants, nous avons déjà parlé. Pierre de L'Estoile en son *Journal* les collationne avec le dégoût amusé et parfois effrayé d'un grand bourgeois. Les prédicateurs s'emparent des chaires paroissiales, appelant au meurtre des tyrans, Henri III puis Henry IV, criant contre eux à la guerre sainte. Des processions de pénitents, de confrères du Rosaire ou du Saint-Sacrement ou encore des processions blanches dont les participants portent une robe immaculée, se forment à tout moment, symbolisant l'union du peuple de Dieu dans une piété baroque [1]. Celle qui, le 14 mai 1590, parcourt les rues de Paris, demeure célèbre par les gravures qu'elle a suscitées et qui l'immortalisent de nos jours encore. Elle se veut remerciement au Ciel pour l'échec d'Henry IV, s'efforçant d'investir la ville rebelle par le faubourg Saint-Martin ; les moines des différents ordres religieux, capuchons bas, des prêtres, l'évêque de Senlis, « accompagnés de quelques bourgeois de la ville qu'on appelait catholiques zélés défilent derrière l'image de la Vierge et du Christ crucifié [2] ». Ces clercs réguliers ou séculiers sont armés, faisant alterner prières, actions de grâce et salves de mousquets. De telles manifestations se déploient dans toutes les villes ligueuses, à tel point que Philip Benedict évoquant la ville de Rouen au temps de la Sainte Union parle de ses habitants «*penitents as well as militants* [3] ».

Cependant, Paris représente pour les autres cités révoltées contre Henri III et Henry IV le modèle à imiter. Capitale incontestée de la Ligue depuis que le comité secret de 1585 a pris le pouvoir lors de la journée des Barricades du 12 mai 1588, d'elle viennent directives, exemples et modes d'action. Les historiens, évoquant ce style de gouvernement révolutionnaire, avancent l'hypothèse d'un régime totalitaire. Il est vrai, les moyens de ce pouvoir se révèlent radicaux. Outre l'intense propagande écrite et orale, les représentations unanimistes

1. Sur tous ces mouvements, voir Crouzet Denis, *op. cit.*, t. 2, p. 323 *sq.*

2. L'Estoile Pierre de, *Journal de L'Étoile sous le règne de Henry IV, 1589-1600*, Paris, Gallimard, 1948, I, p. 46.

3. Benedict Philip, *op. cit.*, p. 190.

de rue, on ne peut manquer de noter l'atmosphère de terreur que les meneurs tentent d'instaurer. La violence est certes plus limitée qu'aux décennies précédentes, les protestants prudemment ayant fui ces périmètres d'intense fanatisme. Elle se fait plus exemplaire, frappant les personnes d'autorité que l'on juge tièdes ; le meurtre du président Brisson, le 15 novembre 1591, est à cet égard significatif, comme l'a été en 1588, à Toulouse, l'assassinat du premier président Duranti et celui de son gendre, l'avocat général Daffis, perçus tous deux comme trop fidèles royalistes. Les procédés d'épuration successive de la municipalité révolutionnaire, du parlement et du parti, les listes de proscriptions, les menaces pesant sur les suspects, autant de comportements malheureusement trop connus de nos contemporains, mais que les partis de l'époque républicaine utilisaient déjà largement dans la Rome ancienne. Aussi doit-on demeurer prudent dans les équivalences proposées. La pression majeure exercée par les leaders de la Sainte Union fait intervenir une dimension dont notre époque ne se contente pas de ne garder que le souvenir, celle qui consiste à ne pas donner l'absolution à ceux jugés par leurs guides « spirituels » trop politiques ou trop timides ligueurs.

Ainsi dans cette fin du XVIe siècle, l'Église romaine de France présente les facettes complexes d'une institution désireuse de s'adapter aux exigences spirituelles de certains de ses fidèles, de résister, tout en les assimilant, aux pressions de certains de ses membres combattants. Cap difficile à tenir en ces temps de troubles dont rend bien compte l'hésitation entre les expressions guerres de Religion et guerres civiles.

5

Les voix des Politiques

Entre protestants et catholiques, des voix s'élèvent, des courants se forment préconisant d'autres solutions que la violence et la guerre. Difficiles à inventorier puisque tout autant que ceux des papistes et des huguenots leur dire et leur faire s'articulent sur l'événement et qu'ils courent tout au long de ce demi-siècle bruyant.

Michel de L'Hospital.

Michel de L'Hospital émerge d'une stature particulière parmi les dénonciateurs des passions et des violences de quelque origine qu'elles viennent [1]. Le personnage vaut que l'on s'y attarde quelque peu. Né en 1503 en Auvergne, fils d'un médecin et ami du connétable de Bourbon qui s'enfuit de France après le procès où son maître figure comme accusé, le jeune homme poursuit à Padoue des études juridiques. Rentré en France après dix ans d'Italie où il s'imprègne de culture juridique et humaniste, L'Hospital obtient en 1537 une charge de conseiller-clerc au Parlement de Paris. Dès lors, installé dans les hautes sphères du pouvoir, lié à Jean du Bellay, évêque de Paris, et à Antoine Du Bourg, le chancelier, ainsi qu'aux futurs chanceliers Pierre Poyet et Olivier, il sort de son banc au Parlement pour représenter le roi aux Grands Jours de justice de Moulins (1540), de Riom (1542), de Tours (1546-1547), puis est envoyé en mission à Bologne auprès des

1. Michel de L'Hospital, personnage un peu désuet de la scène politique française, intéresse peu les historiens contemporains plus attirés — et sans doute les événements de notre époque les y portent-ils ? — par les aspects extrêmes de la période 1559-1598. Voir à son sujet la biographie déjà ancienne de Buisson Albert, *Michel de L'Hospital (1503-1573)*, Paris, Hachette, 1950. Les *Œuvres complètes* du chancelier ont été publiées à Paris par Duffey Pierre en 1824-1825.

prélats réunis pour la première session du concile dit de Trente. A son retour en France, alors qu'il a constaté le durcissement de l'Église face à l'hérésie montante, il entre dans l'entourage humaniste et littéraire de la duchesse de Berry, puis de Savoie, Marguerite, sœur d'Henri II. Michel devient le président de son conseil, puis son chancelier en même temps qu'il achète la charge de maître de requêtes en 1553 et celle de premier président de la Chambre des comptes en 1554. De telles charges ne l'éloignent pas de la poésie qu'il cultive volontiers, en latin ! et il participe à la Pléiade, favorisant à l'extrême Ronsard.

C'est en mars 1560, à la mort d'Olivier, que L'Hospital est appelé à garder les sceaux. L'on sait l'importance extrême de cette fonction, la première dans l'État après le roi. Peut-être s'étonnera-t-on d'y voir cet homme que la légende des siècles sacre parangon de la tolérance alors que le clan des Guise veille jalousement sur le mort en sursis qu'est François II, mais le chancelier est de longue date l'ami du cardinal de Lorraine auquel il adresse de longues épîtres en latin ! L'Hospital entre en fonctions dans une période particulièrement dramatique où les guerres civiles couvent, où les clans s'affrontent, et, dans les allées du pouvoir, chacun sait que la poudrière s'apprête à sauter.

En matière de politique intérieure, l'influence du chancelier demeure prépondérante de 1560 à 1568 lorsque commencent les deuxièmes troubles ; alors sa politique de tolérance se voit infliger un tel démenti qu'il est contraint de rendre les sceaux. En accord avec Catherine de Médicis, il tente de donner aux protestants une place civile à l'intérieur du royaume. De prime abord, l'édit de Romorantin de mai 1560 semble dur contre les hérétiques puisqu'il interdit toutes manifestations privées ou publiques du culte réformé mais remet le crime d'hérésie aux tribunaux ecclésiastiques et celui d'assemblées aux juges présidiaux. Belle manière de tourner les parlements dont certains, celui de Paris, de Toulouse, d'Aix, de Dijon sont très sévères pour les dissidents de la foi catholique ! Mais aussi habileté remarquable, bien dans l'esprit de L'Hospital qui sépare le religieux du politique, le problème de l'hérésie étant dévolu dès lors à la hiérarchie catholique et celui de la police aux juges royaux inférieurs. Sur son initiative encore se réunissent les états généraux d'Orléans en 1560 où les députés du tiers se montrent suffisamment agressifs contre le clergé romain pour qu'en janvier 1561 L'Hospital publie une Déclaration dans le but d'arrêter les persécutions contre les protestants puis, en juillet 1561, une loi d'amnistie pour fait de conscience. La même année le chancelier en accord avec la reine mère réunit le colloque de Poissy, tentative pour unifier au niveau des dogmes et des rites les deux religions opposées. En janvier 1562, il signe le fameux édit de Janvier accordant liberté de conscience et relative liberté de culte aux protestants. Par la suite et jusqu'à sa retraite en 1568, avec l'édit d'Amboise puis celui de Longjumeau en 1568 (puisque celui-ci, publié après qu'il fut éloigné des affaires, reprend en fait les termes de celui d'Amboise), le chancelier demeure fidèle à sa ligne de ne pas désespérer les huguenots en les excluant de la communauté française.

Le comportement de L'Hospital, s'il peut en cette période de fer se nommer tolérance, relève d'une construction mentale moins évidente. Pas plus que la majorité de ses contemporains, pas plus qu'Henry accordant en 1598 l'édit de Nantes à la minorité réformée, il n'est profondément convaincu du bien-fondé de la diversité religieuse en un pays. Cependant, par l'évaluation du rapport des forces, puisque les protestants sont nombreux et puissants, le chancelier juge prudent pour le salut de l'État, et donc du roi, de pratiquer à leur égard une politique non violente. Sa profonde culture humaniste qui laisse une grande place à l'influence érasmienne le conduit à refuser la force pour ranger les dissidents religieux. « La force et la violence sont plus de la bête que de l'homme. Le droit vient de la plus divine partie qu'il soit en nous qui est la raison [1]. » Ailleurs, il s'exclame : « Le couteau vaut peu contre l'esprit si ce n'est à perdre l'âme ensemble avec le corps. » Car, comme Érasme, son maître à penser, le chancelier n'admet pas que l'on tue au nom du Christ. D'autant que cette rigueur extrême va à l'encontre de l'autorité royale, laquelle dans l'esprit de L'Hospital prime sur toute autre. Celle-ci vient « de Dieu et de la loi ancienne du royaume »,

1. Buisson Albert, *op. cit.*, p. 136.

elle se place donc au-dessus des confessions et des Églises ; aussi le chancelier distingue-t-il clairement le religieux du politique. Dans ses actes, nous venons de le voir, mais sûrement dans ses conceptions de l'État, puisque, pourvu qu'ils soient sujets et obéissants à la loi royale, les Français sont citoyens « *qui non erunt christiani*[1] ». Dans une monarchie l'unité politique se trouve ainsi exaltée avant l'unité religieuse. Par la force des choses, par la pression des événements et, comme le dit Catherine de Médicis, pour « s'accommoder des temps où nous sommes », il faut préserver l'intégrité de l'État incarnée dans le roi. Celui-ci intervient donc dans la sphère du religieux mais au titre de père du royaume voulant réconcilier ses enfants ; l'édit de Janvier 1562 est une intervention dans le domaine ecclésiastique certes, *sed de constituenda republica*[2]. D'ailleurs, dans la haute idée en laquelle L'Hospital tient la fonction royale, le monarque pieux et débonnaire ne peut, sans mutiler l'État qu'il incarne, exterminer ses sujets pour des raisons qu'en l'absence de désordres civils il peut, à défaut d'approuver, du moins tolérer. Le chancelier qui meurt quelques mois après la Saint-Barthélemy supporte avec peine l'atroce échec de sa politique de conciliation nationale.

Dans cette même période, celle des années 1560-1570 en accord avec les actes et les écrits de Michel de L'Hospital voient le jour plusieurs pamphlets et libelles qui, analysant la déchirure française, insistent sur la fonction monarchique mise en question par la rupture de l'unicité religieuse. Ces textes mettent l'accent sur le nécessaire monopole royal, seul capable d'établir la concorde entre les sujets. L'*Exhortation aux Princes* parue en 1561, parfois attribuée au juriste historien Pasquier, suggère aux détenteurs de l'autorité de souffrir deux religions en leur pays, puisque leur pouvoir doit viser trois objectifs : le repos public, la pérennité du roi en sa grandeur et la conservation de l'ordre social[3]. L'*Exhortation* connaît un retentissement considérable, Sébastien Castellion

1. Yardeni Myriam, *op. cit.*, p. 83.
2. Buisson Albert, *op. cit.*, p. 196.
3. Yardeni Myriam, *op. cit.*, p. 84-85, et Boutier Jean, Dewerpe Alain et Nordman Daniel, *op. cit.*, p. 175.

l'a lue, qui produit en 1562 *Conseil à la France désolée*[1], ainsi que Jean Bodin, comme le prouve son ouvrage le *Methodus* (1566)[2]. La même veine irrigue l'*Apologie contre certaines calomnies* rédigée en 1562 par Jean de Monluc, évêque de Valence et ami de Michel de L'Hospital, le *Brief discours* de 1564 et L'*Exhortation à la paix* de 1568[3]. Au regard de la future vague des libelles ligueurs, le nombre est mince, mais pour autant les idées sont promises à un bel avenir. Tous énoncent l'évidence de la nécessaire tolérance du pouvoir pour que les dissensions intestines ne mettent pas le royaume en lambeaux. Ils mettent donc le souverain au-dessus de la religion et de l'Église, insistant sur sa vocation à préserver le pays, les sujets, les familles et la personne royale elle-même. Les protestants trop nombreux, trop convaincus, ne pourront aussi facilement être tous éliminés physiquement, constate Monluc, autant les admettre et les tolérer. D'autant qu'au-delà de la religion, soulignent encore l'évêque de Valence et l'auteur anonyme de L'*Exhortation à la paix*, les Français sont frères par leur commun christianisme, leur langue partagée, leur mutuelle obéissance à un même roi. L'étranger, ajoutent-ils, attiré par l'un des partis ou encouragé par la fragilisation consécutive aux troubles, ne demande qu'à intervenir, envahissant celui qui, il y a peu de temps encore, était le plus beau royaume du monde. Déjà apparaît sous la plume de ces libellistes le thème des souffrances de la France au titre d'un corps percé de coups. Les phrases de Castellion, le protestant tolérant, renvoient sur ce point aux vers fameux des *Plaintes de la France* de Ronsard, encore que ce dernier souhaite l'éradication des huguenots :

« Tu entens bien, ô jadis florissante et maintenant tempestée France, ce que je dis. Tu sens bien les coups et plaies que tu reçois, cependant que tes enfants s'entretuent si cruelle-

1. Castellion Sébastien, *Conseil à la France désolée*, éd. Valkhoff Marius, Genève, Droz, 1967.

2. Sur le *Méthodus ad facilem historiarum cognitionem* (1566), voir Touchard Jean, *Histoire des idées politiques*, Paris PUF, 1971, p. 287, et surtout Mesnard Pierre, *L'Essor de la philosophie...*, *op. cit.*, p. 540-541.

3. Yardeni Myriam, *op. cit.*, p. 89, et Boutier Jean, *op. cit.*, p. 175. Voir aussi Mariejol Jean, *op. cit.*, t. 6, I, p. 21.

ment ; tu vois bien que tes villes et villages, voire tes chemins et champs sont couvers de corps mors, les rivières en rougissent, et l'air en est puant et infect... »

Mécontents et Politiques.

Après la Saint-Barthélemy, alors que du côté huguenot s'élèvent les clameurs des monarchomaques, que les catholiques extrémistes tentent dès 1576 de s'unir contre l'Union protestante, les gens de raison constatent l'émiettement du royaume et s'en affligent. Les préambules des actes d'association entre réformés et papistes insistent sur la nécessité de l'entente entre personnes des deux religions [1]. Tolérance de fait provoquée par la pression de la réalité plus que tolérance spontanée ou philosophique, elle n'en existe pas moins dans les provinces comme le Languedoc où les deux confessions pèsent d'un poids numérique presque équivalent.

Un esprit plus particulier nourrit les alliances ponctuelles entre gentilshommes protestants et catholiques. Alençon groupant autour de lui les Mécontents propose à ses adhérents un programme d'union nationale où le prestige du royaume tient une large place [2]. On y croirait presque si n'étaient les soupçons que suscite chez l'historien toute ligue menée au nom du Bien public par un prince du sang dont on devine les ambitions à remplacer le roi. Les thèmes développés par les propagandistes au service du dernier Valois, tels l'agrandissement du royaume aux dépens des Pays-Bas espagnols, la sécurité des frontières, l'hostilité aux étrangers conseillant le roi, constituent une plate-forme suffisamment souple pour que s'y rallient le plus grand nombre. Des huguenots pleine peau tels François La Noue, Henri de Condé, Philippe Duplessis-Mornay côtoient François, Henri et Guillaume, les trois fils du connétable Montmorency et le juriste Jean Bodin [3]. L'acceptation civile et religieuse de la minorité protestante est implicite dans les nombreuses *Décla-*

1. Traité d'*Association passée entre les Catholiques et ceux de la religion réformée...*, S.I., 1575. Voir à ce sujet, Garrisson Janine, *Protestant du Midi*, *op. cit.*, p. 190.
2. Jouanna Arlette, *Le Devoir...*, *op. cit.*, p. 170-171.
3. *Ibid.*, p. 172-173.

rations émanant de François d'Alençon, de Condé, de Damville, de La Noue et même de Navarre prisonnier de la cour jusqu'en 1576. En 1574, lorsque débute la révolte des Malcontents, les arguments avancés mettent donc en exergue la concorde civile entre les deux confessions, mais, tout en souhaitant maintenir les prérogatives royales qu'ils jugent menacées par les Italiens du Conseil, ils demandent un contrôle de la monarchie par les états généraux afin que celle-ci ne se transforme pas en tyrannie. De fait, les Malcontents expriment les revendications traditionnelles de la noblesse en opposition avec le gouvernement royal ; comme il est fréquent dans ces lignages et clientèles complexes, édifiés minutieusement, les liens de famille et de fidélité l'emportent sur les choix religieux.

Moins traditionnel apparaît le courant de pensée des Politiques. Pas un parti, faut-il le préciser, puisque ceux-là refusent l'engagement armé. Michel de L'Hospital et les pamphlétaires des années 1560 à 1570 se prononçant pour la tolérance sous un roi fort se voient dénommés d'une manière péjorative par leurs adversaires « politiques », car le vocable s'oppose à celui de « dévot », de bon croyant. Jacques Charpentier, l'un des enthousiastes de la Saint-Barthélemy, constate que les Politiques « donnent plus aux hommes qu'à Dieu », suggérant déjà l'accusation d'athéisme dont les catholiques virulents les accableront [1]. Ces modérés qui appartiennent socialement à une élite intellectuelle de la robe, en majorité donc des juristes, aspirent par un effort de l'esprit à s'élever au-dessus des passions, par une volonté individuelle de parler le langage de la raison.

Jean Bodin figure comme l'éminent théoricien de ce courant, même si la construction doctrinale qu'il propose en 1576 au public, les six livres de *La République*, possède moins d'impact immédiat que nombre de manifestes, adresses et autres déclarations dues à la plume fertile d'auteurs plus ancrés dans l'événement. Homme à la carrière modeste, d'abord avocat à Paris puis procureur à Laon, Bodin, pour être un grand esprit théorique, n'est pas pour autant détaché de la réalité du siècle [2]. Nous venons de le voir en 1574

1. *Ibid.*, p. 167.
2. Mesnard Pierre, *op. cit.*, p. 473-546.

lié au parti des Malcontents, il participe en 1576 comme député du Vermandois aux états généraux de Blois où, face au député de Paris Versoris, il tente de réclamer la voie de la douceur pour traiter avec les réformés [1]. Quelque temps ligueur par prudence, Jean Bodin est loin d'en partager l'extrémisme. Il n'est pas du propos de cet ouvrage de considérer l'œuvre du politologue, mais on ne peut éviter d'en souligner certains aspects importants pour cette période où la monarchie est remise en question. L'avocat écrit pour réfuter les doctrines de Machiavel en usage à la cour de France où sont oubliés les principes de religion et de justice et où le pouvoir s'exerce au profit de quelques particuliers et non pour le bien commun. Sans doute a-t-il en tête la Saint-Barthélemy ? Dans le même mouvement, il voudrait s'opposer aux courants extrémistes, ceux des protestants, comme ceux des catholiques prônant que la religion et l'Église se situent au-dessus des rois. L'État, constate-t-il, représente une cohésion, une entité à la fois reconnue de tous et imposée par le roi. La vraie et légitime royauté diffère de la tyrannie par le respect montré par le souverain à l'égard des lois divines et à « plusieurs lois humaines communes à tous peuples », en quelque sorte un droit naturel, le but de la monarchie et donc de l'État étant le bien commun des sujets. Parmi ces lois humaines, les lois fondamentales du royaume apparaissent comme une constitution inviolable, assurant, surtout en ce qui concerne la loi salique, l'hérédité royale. Un souverain autoritaire, fort, se trouve en mesure de refuser les doléances et propositions du pays représenté aux états généraux et états provinciaux, bien que Jean Bodin avance que les premiers pourraient à bon droit prétendre à voter les impositions. Le fondement de cette organisation politique se situe non pas tant dans le religieux, puisqu'il ne prend pas tellement en compte le sacre et le serment du sacre, que dans un ordre conforme à la nature et à la raison humaines, toutes deux dons de Dieu [2]. La religion certes importe, il faut qu'elle soit unique et nationale (gallicane), car Jean Bodin

1. Mariejol Jean, *op. cit.*, t. VI, 2, p. 180-181.
2. Mesnard Pierre, *op. cit.*, p. 504-508, et Touchard Jean, *op. cit.*, p. 291.

exclut la notion de chrétienté et donc d'ultramontanisme, ce qui laisse à la royauté les mains libres pour ramener par la douceur les dissidents de la foi. D'ailleurs, constate-t-il dans l'*Apologie de René Herpin* (1581), un prince doit s'élever au-dessus des passions, ne pas être partisan et « suivre la querelle de ses sujets [1] ». En souverain conscient du bien commun, lors de dissensions intestines pour faits de religion, il « doit passer par souffrance ce qui ne se peut ôter » puisque, affirme-t-il, laissant la théorie politique pour des vues plus pragmatiques, l'État sera sauvé de l'anarchie non tant par la victoire de l'Église catholique sur les hérétiques que par la cessation des guerres civiles. Sécularisation et nationalisation de la monarchie, telles sont, en un temps où la Ligue s'apprête à énoncer les notions de théocratie et de chrétienté universelle, les nouveautés majeures qu'apporte la construction politique de Jean Bodin.

A l'égard de la chose publique, les passions se révèlent néfastes, détruisant l'État et la monarchie même ; au cœur de l'individu, explique Michel de Montaigne, elles opèrent les mêmes ravages. Les *Essais*, dont les deux premiers livres paraissent à Bordeaux en 1580, suscitent un intérêt immédiat, beaucoup plus important que celui suscité par l'œuvre de Jean Bodin. Le registre n'est sûrement pas le même, Montaigne parlant de lui n'a rien d'un théoricien même s'il atteint à l'universel. S'il s'est retiré en son château du Périgord plusieurs années durant lesquelles il compose son ouvrage, il n'est pas, au point qu'on a voulu le dire, retiré des choses de ce monde ; d'autant que cette solitude apparente n'est sans doute qu'une fausse sortie dans l'attente d'importantes fonctions officielles ! Fruits de ses lectures comme de ses réflexions sur son siècle, les *Essais* maintiennent bien à ce courant du *medium* des Politiques dont le *tempo* modéré ne cesse de se faire entendre au long des troubles civils. Conservateur certes il l'est, détestant l'« innovation », accusant les protestants d'avoir donné « le branle » au royaume en professant une nouvelle religion et ordonné une nouvelle Église ; car « en vérité l'excellente et meilleure police est à chacune nation celle sous laquelle elle s'est maintenue ». Tolérant certes il l'est,

1. Yardeni Myriam, *op. cit.*, p. 169.

se défiant des idées prises comme des vérités de foi et donc de tous les dogmatismes ; sa méfiance des passions le conduit à la modération. Modéré lui-même, évitant de s'engager trop avant, il dit plaisamment : « Je suivrai le bon parti jusqu'au feu exclusivement », il déteste le fanatisme d'où qu'il vienne. Aux princes reviennent les tâches ingrates et violentes nécessaires au bien commun, mais, « à l'homme qui n'a ni charge ni commandement exprès qui le presse », certes l'engagement s'impose mais avec une telle modération qu'il n'en puisse souffrir non plus que les autres. Pour sa part, Montaigne demeure du côté de la légalité monarchique, s'écartant des extrêmes protestants et des extrêmes catholiques. « Les lois », écrit-il dans le livre III des *Essais* paru en 1588, « m'ont ôté de grande peine ; elles m'ont choisi parti et donné un maître ; toute autre supériorité et obligation doit être relative à celle-là et retranchée [1]. » L'obéissance aux lois et donc au roi conduit en 1584 Montaigne à admettre comme successeur légitime d'Henri III Henry de Navarre et à repousser les haines ligueuses à son égard. « Mais il ne faut pas appeler devoir (comme nous faisons tous les jours) une aigreur et âpreté intestine qui naît de l'intérêt et passion privée ; ni courage, une conduite traîtresse et malicieuse. » Parallèlement, Montaigne dans sa vie personnelle ne cherche nullement à se « désengager du monde [2] ». Plusieurs fois chargé de mission diplomatique par Henri III, maire de Bordeaux lorsque en 1585 il déjoue un coup de main ligueur sur sa ville, il prend le risque de recevoir le 24 octobre 1587 Navarre qui, vainqueur de Coutras, traverse la Guyenne avec ses cavaliers pour « aller porter vingt-deux drapeaux à la comtesse de Gramont... lors en Béarn ». L'auteur des *Essais*, s'il se montre dubitatif sur la validité des opinions trop vigoureusement affichées, ne s'en tient pas moins à une ligne de conduite fort traditionnelle pouvant se résumer à une foi, une loi, un roi ; mais pour lui l'essentiel demeure de la loi et du roi avant la passion pour la défense d'une religion et d'une Église.

1. Montaigne Michel de, *Essais*, publ. par Maurice Rat, Paris, Classiques Garnier, 1952, 3 vol., t. 3, p. 7.
2. Crouzet Denis, *op. cit.* , t. 2, p. 552-553.

Catholiques et protestants royaux.

La famille intellectuelle des Politiques s'agrandit dès lors que, en 1584 à la mort de François d'Alençon, se constitue le parti des Guise allié à l'Espagne. Protestants et catholiques se réclament des mêmes idées et exposent les mêmes arguments ; ils sont tous « royaux ». Duplessis-Mornay devient l'un des meilleurs propagandistes de ce courant de pensée auquel l'on peut adjoindre le catholique Pierre Du Belloy écrivant en 1587 *De l'authorité du Roy*[1]. Ces deux auteurs en accord avec une foule de pamphlétaires et de libellistes avancent des thèmes déjà utilisés par leurs prédécesseurs des décennies antérieures. Tous s'élèvent contre les guerres fratricides, contre la destruction de la France sur les blessures de laquelle ils s'apitoient, tous prônent l'unité nationale et la paix civile dont seul un souverain puissant et autoritaire peut être le garant. L'État, et donc le roi, s'accordent-ils à dire, est supérieur à tout autre critère ; la raison d'État, et donc en fait le bien commun, impose la séparation de la sphère du religieux de celle du politique. « La république n'est pas en l'Église, mais au contraire l'Église est dans la république », constate le même Du Belloy dans un libelle antérieur, l'*Apologie catholique* (1585). La monarchie autoritaire se trouve ainsi justifiée par le gallicanisme des milieux de la robe favorables aux idées des Politiques. Et l'on voit même Du Belloy aller plus avant dans le thème de la laïcisation de l'État puisque, partisan d'Henry de Navarre héritier de la Couronne par la loi salique, il se risque à écrire que celui-ci peut guérir les écrouelles (donc exercer son pouvoir extra-humain accordé par Dieu) par la seule vertu que lui donne sa légitimité conforme aux règles de dévolution de la Couronne.

Cependant, sans s'aventurer aussi avant que le fait Du Belloy, maints auteurs constatent que seul un prince fort se trouve en position de « contraindre » ses sujets à la paix[2] ;

1. Yardeni Myriam, *op. cit.*, p. 178-179, et Touchard Jean, *op. cit.*, p. 284.

2. Crouzet Denis, *op. cit.*, t. 2, p. 557. Denis Crouzet se réfère au texte de Loys Le Carron, *De la tranquillité d'esprit. Livre singulier*, paru en 1588.

entre ses mains reposent l'unité nationale et le repos du royaume. Le sentiment d'appartenance à une entité nommée France qui s'incarne dans un roi conforme aux lois fondamentales anime les Politiques protestants et catholiques, les rejette loin de la Ligue ultramontaine et « espagnolisée », les conduit sur les berges de la monarchie autoritaire.

Le sentiment de la France.

Lorsque en août 1589 Henry de Navarre devient roi par la loi salique et par la reconnaissance de son prédécesseur, le courant des Politiques n'est pas assez puissant pour permettre au Béarnais d'occuper avec facilité le trône laissé vacant par l'assassinat d'Henri III. Certains, même, demeurés jusque-là loyaux serviteurs du dernier Valois et sourds aux chants des sirènes ligueuses, rejoignent leur parti, ne pouvant accepter un roi protestant — tel est le cas du cardinal de Joyeuse. Pourtant, autour d'Henry IV, les ralliements s'opèrent parmi les officiers[1]. Ceux-ci, nous le savons, constituaient déjà les adeptes les plus nombreux de la famille des Politiques, hommes d'ordre et de gouvernement conscients que de la continuité de l'État dépendent leurs carrières. Beaucoup de ces hommes sont de surcroît des juristes réputés, ainsi Antoine Arnauld, Guy Coquille, Étienne Pasquier, Achille de Harlay, qui continuent la vieille tradition des légistes mainteneurs, depuis Philippe le Bel, par vents et marées, des prérogatives royales. Parmi ceux-là des catholiques fervents et même ligueurs redoutent la prolongation des guerres civiles et l'avènement d'un souverain étranger, c'est le cas du secrétaire d'État Villeroy et du président Jeannin ; ils poussent Mayenne, frère des Guise assassinés à Blois, à se rapprocher d'Henry IV. Tous acceptent désormais, quoique en leur for intérieur certains l'espèrent passagère, la diversité religieuse autour du roi, seul élément concret de rassemblement du royaume. Ces royalistes développent un patriotisme flamboyant. Dressant un tableau désolé d'une France dépeuplée et exsangue, Guillaume du Vair, conseiller au Parlement de Paris, Pierre Pithou, jurisconsulte et l'un

1. Venard Marc, in *Histoire de la France religieuse...*, *op. cit.*, p. 272.

des auteurs de la *Satire Ménippée*, déplorent le sort de Paris livré depuis 1588 aux excès ligueurs : « O Paris, qui n'est plus Paris mais une [caverne] de bêtes farouches, une citadelle d'Espagnols, Wallons et Napolitains, un asile et sûre retraite de voleurs [1]... » D'autres, comme le magistrat Étienne Pasquier, s'efforcent de décompter les pertes vives ; 1,6 million d'hommes, dont 50 000 gentilshommes, laissèrent la vie au cours des troubles civils. L'orgueil d'être Français jaillit de cette pitié même qui se déploie en rage contre les étrangers appelés à la rescousse par les ligueurs [2]. L'avocat Antoine Arnauld écrit en 1590 lorsque la guerre des catholiques extrémistes contre Henry IV est à son paroxysme le pamphlet au titre sans mystère, *L'Anti-Espagnol*, où se déverse tout un mépris hargneux contre les Espagnols, peuple de métis de « demi More », « demi juif, demi sarrazin » [3]. Ceux-ci souhaitent conquérir la France et l'aligner sur les cartes du monde comme l'une de leurs colonies, ils traiteront les Français comme ils traitent les indigènes d'Amérique, leur faisant fouiller les mines. Mais, reprend Antoine Arnauld, les gens de ce royaume, d'une race supérieure et pure, ne se laisseront pas dominer : « Vous n'avez pas affaire à vos Toupinamboux, n'appréhendez-vous point qu'il vous faudra affronter tant de milliers de vrais Français qui vous donneront cent et cent batailles... devant que devenir Espagnols [4] ? »

Cependant, cette France exsangue peut refleurir ; l'on a vu maintes fois l'exemple d'États se relevant vivifiés après de terribles catastrophes, et point n'est besoin d'aller chercher loin, l'histoire du royaume le montre aisément. Cette France émiettée en petits cantons par les intérêts particuliers des

1. La *Satire Ménippée* paraît en 1594 mais elle circule en manuscrits dans Paris aux mains des ligueurs dès 1593. Son influence est considérable sur les ralliements à Henry IV. Il s'agit de l'œuvre collective d'un groupe de bourgeois parisiens heureux de saluer dans la décrépitude, puis dans la défaite de la Ligue, la victoire du bon sens et de la raison. Le morceau essentiel en est bien la *Harangue de M. d'Aubray* due à la plume de l'avocat Pierre Pithou. Le thème général de l'ouvrage est la description parodique des états généraux réunis en 1593, chargés par les ligueurs de désigner un roi. Voir dans *Le Seizième en 10/18*, Paris, 10/18, 1982, p. 262-264 des extraits de la *Harangue*...
2. Yardeni Myriam, *op. cit.*, p. 266.
3. *Ibid.*, p. 267-271.
4. *Ibid.*, p. 267.

ligueurs, à nouveau elle prospérera, unie autour d'un Français, souverain légitime. Car Henry IV, « petit-fils de Saint Louis », « extrait de notre propre sang », est roi par la succession, selon la plus française des lois, la loi salique. Pierre Pithou clame avec force dans sa métaphore toute baroque sa conviction que le premier Bourbon, même s'il est protestant, est par la race, par la raison et par la nature le véritable roi des Français :

« Le Roi que nous demandons est déjà fait par la nature, né au vrai parterre des fleurs de lys de France, jeton droit et verdoyant du tige de Saint Louis... On peut faire des sceptres et des couronnes mais non pas des rois pour les porter ; on peut faire une maison, mais non pas un arbre ou un rameau vert ; il faut que la nature le produise, par l'espace du temps, du suc et de la moelle de terre qui entretient le tige en sa sève et vigueur [1]. »

Certes, parmi ces Politiques pour qui la loi salique se situe au-dessus du débat religieux, beaucoup espèrent de la part du Béarnais la conversion qu'il fait miroiter aux Français depuis qu'en 1584 il est devenu héritier présomptif. L'abjuration, on le sait, intervient en juillet 1593, faisant sauter bien des verrous mentaux quant à la légitimité d'un roi protestant dans un royaume pétri de traditions catholiques.

Dans cette émergence quasi viscérale et physique, sinon d'un patriotisme, du moins d'une conscience nationale, le ressort du gallicanisme dont les robins sont imbus joue un rôle primordial. Dès avant août 1589 lorsque Henry IV devient le roi d'un royaume en lambeaux, les Politiques s'élèvent contre l'intrusion du pape dans les affaires temporelles françaises ; la bulle d'excommunication lancée en septembre 1585 par Sixte Quint contre les deux princes Bourbons suscite même chez des catholiques « à gros grains » une vague d'indignation. Elle est identique à celle éprouvée par les officiers royaux, le chancelier de L'Hospital et Catherine de Médicis lorsque en 1563 la prétention pontificale s'élève jusqu'à déposer Jeanne d'Albret et à faire comparaître devant la congrégation romaine de l'Inquisition 7 évêques français suspects d'hérésie. Le juriste Guy Coquille ne se défend guère

1. Extrait de la *Harangue de M. d'Aubray*.

d'accuser le pape d'être complice des Espagnols ambitionnant de coloniser la France ; Grégoire XIV, traité dans quelques pamphlets de « vieux rabbin honteux », est menacé par Coquille d'être à son tour déchu sur le sol du royaume de ses droits spirituels, ceux qu'il n'aurait jamais dû abandonner pour s'ingérer dans les affaires françaises :

« Le Pape doit bien craindre en exerçant ses rigueurs extrêmes que la France n'élise un Patriarche [1]... »

Plus qu'un parti, c'est une famille de pensée qui s'efforce de réunir les Français. Ces hommes révulsés des excès iconoclastes, des massacres sacralisés, des crimes d'une monarchie aux abois, mettent en avant des thèmes qu'ils voudraient rassembleurs, fondés sur une réalité solide et de bon sens. L'idée de nature, telle que pour l'individu la caresse Montaigne, telle que pour l'image du roi la proposent Michel de L'Hospital, Jean Bodin et Pierre Pithou, les imprègne, non tellement à la manière stoïcienne, mais sûrement à la manière antique et humaniste. Leur pragmatisme politique les conduit à la tolérance de fait, même s'ils énoncent celle-ci plus comme un compromis que comme une catégorie morale ou philosophique. Ils s'appuient sur des valeurs éprouvées par l'usage, la loi salique et le gallicanisme, remparts qu'ils élèvent contre la fuite en avant des ambitieux guisards et des fanatiques manipulés par les pasteurs et les prêcheurs.

La royauté vigoureuse, paternelle et humaine, qu'ils espèrent sort dans les faits renforcée des épreuves qu'elle a subies et qu'ils ont déplorées.

Henry IV qui, non sans mal, avec l'aide des Politiques, la fait triompher s'est pourtant trouvé être un chef de parti aux appétits non moins puissants que ceux de ses adversaires. Par chance pour lui et peut-être pour les Français, il est entré dans la course au pouvoir avec de formidables atouts à la fois légaux et affectifs. Mis en valeur par une propagande remarquablement orchestrée qui le transforme en souverain « vert galant », débonnaire et Français, il peut apparaître à

1. Cité par Yardeni Myriam, *op. cit.*, p. 278.

ses sujets épuisés comme le prince providentiel capable de faire refleurir le royaume des lys. Étrangement, ces Politiques, gentilshommes, légistes, intellectuels, s'ils invoquent des notions abstraites et savantes, ne laissent pas de faire vibrer chez leurs compatriotes la corde sensible.

6

Chronique des années 1559-1598

1. Les guerres de Condé, 1559-1570

Lorsque Henri II est blessé et qu'il meurt le 10 juillet, débute réellement cette longue période de troubles que l'on nomme de nos jours guerres de Religion. La date invoquée à l'ordinaire, celle du 1er mars 1562, lors de l'attentat de Vassy, ne recouvre pas grand-chose sur le terrain, sinon qu'alors Catherine de Médicis et Michel de L'Hospital cessent d'espérer en une conciliation possible par l'arbitrage royal ; la rupture s'opère le jour où succombe Henri II. La lutte des clans nobiliaires aux affichages religieux autour du trône occupé par un adolescent (François II), par un enfant (Charles IX), par un absent provisoire, puis un souverain discrédité (Henri III), s'engage dès cette date, celle du 10 juillet.

Les Guise occupent alors au Conseil les postes de décision ; ils placent à des points stratégiques des hommes de leur clientèle, mènent une politique clanique profitant de leur parenté avec la reine Marie Stuart, épouse de François II. Le groupe des Montmorency se trouve donc éloigné du pouvoir ; non seulement le connétable et ses fils, mais encore ses neveux Gaspard de Coligny, grand amiral de France, le cardinal de Châtillon, comte-évêque de Beauvais, et François D'Andelot, colonel de l'infanterie. Ces trois Châtillon, nés de la sœur du connétable, appartiennent tous au protestantisme. Les Guise enlèvent à Anne de Montmorency sa charge de grand maître de l'Hôtel, l'une des plus prestigieuses de la Maison du roi, et voudraient de surcroît lui enlever le gouvernement de Languedoc. De là bien des frustrations. Plus largement, la politique rigide des Guise leur aliène une partie de l'opinion nobiliaire. Les soldats et capitaines assemblés pour la guerre contre les Habsbourg en grand nombre par le défunt roi se voient par le fait, logique en soi, de la paix et du traité du Cateau-Cambrésis, licenciés ; une ordonnance du 14 juillet 1559 annonce la réduction des effectifs des armées, ce qui provoque de la part des gentilshommes une nuée de revendications en forme de pensions, donations, gratifications refusées avec hauteur par le cardinal de Guise, alors surintendant des finances. Le Trésor, il est vrai, se trouve en position quasi désespérée, rongé par les guerres coûteuses et longues qu'Henri II vient de conduire contre la Maison des Habsbourg. Le monarque s'est vu contraint d'aliéner des parts du domaine royal pour alimenter ses guerres, aliénations que le cardinal de Guise révoque à peine est-il entré en fonctions. Surtout, les Lorrains excluent des faveurs royales les nobles ayant embrassé ouvertement le protestantisme, dont les puissants frères Châtillon. Par ailleurs, ils continuent la dure répression conduite par le souverain précédent en promulguant en septembre et novembre 1559 des édits ordonnant de raser les maisons où se seraient tenus des « conventicules », de mettre à mort les participants des assemblées illicites ainsi que leurs « receleurs ». Anne Du Bourg, conseiller clerc au Parlement de Paris, emprisonné sous Henri II pour avoir publiquement réprouvé la persécution des calvinistes, est brûlé en place de Grève le 23 décembre 1559 alors qu'un mouvement d'opinion espère en la clémence des nouveaux dirigeants du pays.

La conspiration d'Amboise.

La conspiration d'Amboise se présente donc non pas comme un événement isolé conduit par quelques têtes chaudes mais bien comme la première secousse des guerres dites de Religion [1]. Les frustrations nobiliaires dues à la fin des

1. Sur la conspiration d'Amboise, voir Naef Henri, *La Conjuration d'Amboise*, Genève, Droz, 1922, et Kingdon Robert, *Geneva...*, *op. cit.*, chap. VII. Voir aussi Jouanna Arlette, *Le Devoir...*, *op. cit.*, p. 134-142, et pour la vision qu'a un gentilhomme catholique de la conspiration et de sa répression, voir Cocula-Vaillières Anne-Marie, *Brantôme, amour et gloire au temps des Valois*, Paris, Albin Michel, 1986, p. 72-77.

campagnes extérieures, les huguenots au sang bleu écartés des faveurs tout comme le sont les clients des Montmorency, les progrès du protestantisme dans le royaume et tout particulièrement dans ces milieux de la noblesse constituent un *back-ground* favorable au complot. Le chef en est Louis de Condé ; le programme, assez traditionnel, se propose d'emprisonner, pour après les passer en jugement, les Guise accusés de tenir captif le jeune roi. Des tracts dénonçant la tyrannie guisarde circulent dans le royaume ; plus explicatif est le texte intitulé *Les États de France opprimés par la tyrannie de Guise*, où sont exposées les motivations du complot. Le roi trop jeune, énoncent-ils, n'est pas en mesure de gouverner et donc de choisir les membres de son Conseil ; dans un cas aussi patent, les états généraux doivent intervenir, désigner les ministres, parmi lesquels doivent obligatoirement figurer les princes du sang et dont les étrangers (les Lorrains) sont exclus. D'autre part, il importe de faire connaître à l'opinion française et internationale que ce ne sont pas seulement des gentilshommes huguenots qui ont voulu « remettre sus l'ancien et légitime gouvernement du royaume [1] ». Parmi les conjurés figurent nombre de nobles protestants, mais pas seulement ; des pasteurs, tel François de Morel, le ministre de Paris, des hommes venus de Genève, tel Théodore de Bèze, prennent une part active au complot alors que Calvin, semble-t-il, désapprouve le projet. Louis de Condé agit dans l'ombre, laissant agir le gentilhomme périgourdin La Renaudie. Enrôlés dans le royaume, les soldats reçoivent la consigne de gagner la Loire pour, le 6 mars 1560, surprendre le roi et ses ministres. Dénoncé de divers côtés, conduit par des imprudents, le complot est déjoué par les Guise qui, pour s'en prémunir, conduisent François II et la cour à Amboise dont le château possède des murs solides. Au fur et à mesure que les conjurés par petits paquets atteignent la demeure souveraine, des cavaliers s'en saisissent alors que leurs complices à l'intérieur du château sont conduits au cachot. Les autres assaillants reçus à coups de canon cèdent le terrain ; ramassés un peu plus tard par les hommes des Guise, quelques-uns sont égorgés sur place, d'autres jetés pieds et mains liés dans

1. Jouanna Arlette, *op. cit.*, p. 141.

la Loire, d'autres enfin pendus aux créneaux ainsi qu'aux portes d'Amboise. Brutale répression ! elle émeut les contemporains et l'on en retrouve des échos dans les Mémoires des gentilshommes de l'époque ; Jean de Parthenay-L'Archevesque, sire de Soubise, bouleversé par la mort de son ami La Renaudie, se convertit au calvinisme.

Quelque peu décontenancés par cette hostilité, les Guise desserrent leur étreinte, acceptant Michel de L'Hospital comme successeur au chancelier François Olivier. Celui-ci, on le sait, fait publier en mai 1560 l'édit de Romorantin qui permet aux réformés de respirer plus librement. Ceux-ci pourtant, encouragés par les progrès du calvinisme en Écosse que ne peut maîtriser la reine Marie de Lorraine, sœur des Guise, accentuent leur campagne contre les Lorrains. Campagne de pamphlets, de livrets, d'opuscules ; le plus violent de ces écrits est sans conteste *L'Épitre envoyée au Tigre de la France* rédigé par le juriste François Hotman ; « Tigre enragé ! Vipère venimeuse ! Sépulcre d'abomination !... Jusques à quand sera ce que tu abuseras de la jeunesse de notre Roi ? Ne mettras-tu jamais fin à ton ambition démesurée, à tes impostures, à tes larcins ?... », le ton ne laisse guère d'être incisif, révélant l'état d'esprit des protestants. De fait, derrière les gentilshommes qui se lèvent en armes en Provence, en Dauphiné, en Guyenne, un coup de main est préparé visant à s'emparer de Lyon. Après l'échec d'Amboise, Condé prépare une stratégie de prise du pouvoir en utilisant les nouvelles institutions ecclésiastiques du protestantisme. Il entretient avec l'Allemagne, la Suisse, l'Angleterre, une abondante correspondance diplomatique, cherchant déjà à recruter des mercenaires. Le deuxième synode national de Poitiers en mars 1560 décide que chaque province synodale désignera un député noble qui suivra la cour, c'est-à-dire le gouvernement, afin de constituer un groupe de pression capable de contrebalancer l'influence des Guise. D'autres gentilshommes réfugiés à Genève après la répression du tumulte d'Amboise réintègrent secrètement le royaume, gagnant les provinces où l'agitation vient de commencer. Les chefs réformés s'emparent de villes, de villages, selon le mot d'ordre qui prévaudra pendant les trois premières guerres de Religion et dont le prince de Condé est l'initiateur. Il s'agit bien de tenir des lieux clos, îlots de résistance politique et religieuse, et de les constituer en cités indépendantes, un peu à l'image de Genève, un peu aussi à l'image de ces villes italiennes dévouées à un podestat/tyran. Le raisonnement n'est pas dénué de justesse si l'on évoque les villes du XVIe siècle, souvent enfermées de murailles, régies par une municipalité disposant de larges pouvoirs, étendant son autorité sur un plat pays dont les paysans travaillent les terres pour les citadins. La Provence, le Dauphiné, la Guyenne, la Saintonge même sont ainsi parcourus de bandes armées, conduites par des nobles provinciaux, tels Mauvans en Provence, Dupuy-Montbrun en Dauphiné, Edmée de Maligny, instigateur déçu d'un audacieux coup de main sur Lyon, Symphorien de Duras en Gascogne. Leurs troupes ravagent les églises, détruisent les représentations matérielles du sacré catholique, pillent les trésors et les objets cultuels précieux.

Dans le même temps, c'est-à-dire dans la seconde moitié de l'année 1560 et en 1561, des paysans se rebellent, refusant de payer la dîme à l'Église catholique [1]. En Normandie, autour de Saint-Lô, en Guyenne, ce dont Monluc rend compte en ses *Commentaires* ajoutant — mais peut-on le croire ? — que c'est à l'appel des ministres, en Saintonge comme le relate Bernard Palissy, autour de Nîmes, dans le diocèse d'Auch encore... Ces mouvements troublent davantage les provinces méridionales, celles où le prélèvement décimal pèse lourdement sur les récoltes, celles aussi où les églises de la Réforme se « dressent », déjà nombreuses.

Une volonté d'apaisement.

Au sommet de l'État, l'assemblée de Fontainebleau, ouverte le 21 août 1560, s'efforce de rétablir un *consensus*, au moins dans les milieux dirigeants. Ici sont réunis de grands personnages, en quelque sorte un « Conseil élargi ». L'amiral de Coligny présente une requête des protestants normands lassés des persécutions, demandant la liberté de conscience

1. Sur ces grèves antidécimales, voir Le Roy Ladurie Emmanuel, *Paysans...*, *op. cit.*, p. 382, et Garrisson Janine, *Protestants du Midi...*, *op. cit.*, p. 162-163.

comme celle de posséder des temples ; l'évêque de Valence, Jean de Monluc, celui de Vienne, Marillac, celui d'Orléans, Morvilliers, soulignent que les progrès du calvinisme doivent être imputés à une Église catholique rongée d'abus, incapable de guider spirituellement le peuple. Ils en appellent à leur tour aux états généraux ainsi qu'à un concile national chargé de réformer l'institution romaine. Les critiques, ouvertes ou mouchetées, contre le gouvernement des Guise traversent les discours officiels tandis que Coligny se fait menaçant, annonçant qu'il pourrait trouver 50 000 signataires à la supplique qu'il apporte. L'on se sépare, conscient de la nécessité de chercher une adhésion plus ample à la monarchie par la réunion des états généraux.

Leur assemblée est prévue à Orléans pour décembre 1560. Le roi et son Conseil venus s'installer en cette ville dès novembre décident, pressés par les Guise inquiets des désordres, complots et mouvements de troupes, de faire arrêter Louis de Condé ; un tribunal d'exception le condamne à mort. Lorsque François II meurt le 5 décembre 1560, le Parlement et les états généraux désignent Catherine de Médicis comme régente, puisque Charles IX est trop jeune pour régner [1].

Les Guise écartés du pouvoir, les états généraux continuent de siéger ; ils n'ont pas été réunis depuis 1484, depuis Charles VIII, avant que ne s'amorce la formidable poussée de la monarchie autoritaire de François 1er et d'Henri II. L'ambiance est étonnante ; les députés de la noblesse et du tiers état, dont quelques-uns sont protestants, se montrent partisans d'une politique de tolérance à l'égard de la nouvelle religion, réclamant de surcroît une réforme en profondeur des pratiques et des mœurs catholiques. Malgré les appels au secours lancés par le chancelier de L'Hospital demandant que soient épongés les 43 millions de dette du Trésor par des sacrifices fiscaux et des aliénations ecclésiastiques, les députés, ne se jugeant pas mandatés pour ce faire, ne votent pas les subsides nécessaires. Le gouvernement les renvoie donc, leur proposant un nouveau rendez-vous, quelques mois plus tard. Ces nouveaux états assemblés en août 1561 à Pontoise comportent un nombre moindre de

1. Mariejol Jean, *op. cit.*, 1, p. 46.

représentants puisque, selon la décision prise à Orléans, chaque ordre n'a envoyé qu'un mandaté par gouvernement. La question financière, objet de cette nouvelle réunion, est éludée par le tiers état dont l'orateur signale le gaspillage de l'argent public par des donations excessives ; le cahier des doléances proposé par lui propose que la dette de l'État soit épongée par « la vente du temporel des gens d'Église relevant de leurs bénéfices [1]... ». Un organigramme prévoyant les modalités de cette aliénation et les moyens d'en faire fructifier le revenu est développé, preuve que les richesses ecclésiastiques ne constituent pas aux yeux des députés roturiers de Pontoise un trésor sacralisé. Quant à la division religieuse du royaume, ces derniers se montrent partisans de la tolérance, considérant que la liberté de conscience appartient à l'individu comme un droit naturel : « Les opinions diverses que tiennent vos sujets », déclare à la cour l'orateur du tiers, « ne proviennent que du grand zèle qu'ils ont au salut de leurs âmes [2]. »

Catherine de Médicis et Michel de L'Hospital puisent dans l'attitude majoritaire des représentants du pays à Orléans comme à Pontoise un soutien suffisant pour mettre en train leur politique. Par le contrat de Poissy déjà évoqué, le Trésor reçoit un incontestable ballon d'oxygène alors que s'amorce sur le terrain de la foi un apaisement des esprits et des âmes. Du côté des Grands, tandis qu'Antoine de Bourbon devient le 27 mars 1561 lieutenant général du royaume, son frère Condé est déclaré innoçent par le Conseil privé (8 mars). Le clan des Bourbons arrive ainsi au pouvoir. Les prisons s'ouvrent, libérant les détenus pour fait de conscience selon la déclaration de janvier 1562. Dans les sphères supérieures de la décision, on prépare avec insistance une réunion à objectif religieux pour répondre aux vœux émis par les états de voir s'assembler un concile national. Alors que les violences « papistes » comme huguenotes secouent au long de l'année 1561 le royaume, des esprits mesurés, politiques, espèrent encore en un compromis possible entre les deux religions ; de là l'idée du colloque de Poissy où se rencontrent le 9 sep-

1. Pernot Michel, *op. cit.*, p. 255.
2. Mariejol Jean, *op. cit.*, p. 47-50.

tembre des envoyés des églises protestantes et des prélats et théologiens catholiques.

Ce projet, dont Catherine de Médicis est sans doute l'initiatrice, ne semble pas, pour nous qui le regardons du XXe siècle, extravagant. D'une part, la troisième session du concile de Trente ne s'est pas encore tenue qui fixera les dogmes et les rituels d'une manière plus rigide qu'ils ne l'étaient. D'autre part, en Allemagne, la paix d'Augsbourg établie en 1555 vient, après confrontation des princes germaniques, de rétablir une sorte de compromis religieux et, même s'il apparaît monstrueux à beaucoup parce qu'il récuse un retour possible à l'unité de l'Église, il procure aux peuples d'outre-Rhin le repos après les tempêtes provoquées par la Réforme luthérienne. Certes, la tolérance proposée à Augsbourg n'est pas le fruit d'une profonde conviction, mais, imposée par les pouvoirs politiques, elle met une fin provisoire aux troubles de l'Empire. Enfin, Henri VIII avait, en 1534, rompu définitivement avec la papauté, se faisant reconnaître l'autorité suprême sur l'Église anglaise et sécularisant les biens monastiques ; avec Élisabeth, l'anglicanisme achèvera de se constituer en doctrine cohérente d'une religion d'État. La rupture de l'Église universelle est donc consommée en Europe. En France, de par le concordat de Bologne, la royauté dispose depuis 1516 des bénéfices ecclésiastiques ; les conférant à des évêques et des abbés qu'elle choisit, compte tenu (en principe !) des règles canoniques, elle peut donc envisager la collaboration de cette hiérarchie dans l'élaboration d'un compromis doctrinal et disciplinaire propre à l'Église de France, que l'opinion généralement gallicane des milieux dirigeants laïcs aurait dès lors approuvé. Le colloque de Poissy est un échec, ni les ministres, dont le célèbre Théodore de Bèze, ni les prélats, dont le cardinal de Lorraine, n'acceptant de transiger avec les points de leur foi, et notamment sur la question de l'Eucharistie.

Mais la régente pas plus que le chancelier ne renoncent à leur politique de tolérance. Catherine, on l'a vu, tente d'obtenir du concile de Trente ce qu'elle n'a pu obtenir au colloque de Poissy, chargeant ses ambassadeurs et les cardinaux d'une série de propositions destinées à émousser les rigueurs dogmatiques de l'un et l'autre camp. Le 17 janvier 1562, le

Conseil accorde aux huguenots la liberté de conscience déjà acquise et la liberté de culte dans les faubourgs des villes ainsi qu'à l'intérieur des maisons particulières. Charte d'affranchissement du protestantisme, texte confirmant son existence comme Église indépendante, l'édit de Janvier consacre par une décision politique la réalité de deux religions dans le royaume de France, espérant de cet acte législatif une pacification sur le terrain.

Pourtant, les espoirs des gouvernants se révèlent très vite vains. Les nations étrangères ne laissent pas d'intervenir dans le pays. Du côté catholique, l'Espagne fait pression sur Catherine pour une éradication de l'hérésie, tandis que le pape Paul IV exhorte Charles IX à « n'épargner ni le fer ni le feu », afin de réunir les dissidents de la foi. Genève pour sa part envoie des pasteurs en vagues serrées aux jeunes églises qui les réclament — 142 sont ainsi délégués en 1561 ; la ville-lumière des huguenots leur expédie par ballots entiers des Bibles en français, des recueils de psaumes, des ouvrages d'exégèse et des tracts anticléricaux et même politiques.

Dans le pays, l'organisation du parti réformé se peaufine dans cette année 1561 et au début de 1562. Chaque église se voit chargée d'équiper un cavalier ou de pourvoir à sa dépense ; chaque province synodale se range sous la bannière d'un chef militaire, chaque colloque désigne un colonel et chaque église un capitaine. Les cadres de cette armée en gestation sont déjà en place, il s'agit bien de tous ces gentilshommes démobilisés par le traité du Cateau-Cambrésis, frustrés par la politique militaire des Guise qui, à la suite des Grands, tels Condé et Coligny, Jeanne d'Albret aussi, expriment ainsi leur mécontentement et leur opposition en s'apprêtant à défendre les armes à la main leur cause religieuse. Localement les huguenots de plus mince extraction se prévalent des décisions royales leur accordant en 1561 la liberté de conscience puis, en 1562, celle plus limitée de culte pour s'emparer par la force des églises catholiques ; afin d'y célébrer leur culte à la genevoise, ils les débarrassent avec violence de tous les supports matériels de l'ancienne religion.

Face à ce qu'ils perçoivent comme une agression, les catholiques réagissent à leur tour. Les prêcheurs les encouragent à ce faire ; dans les chaires parisiennes, ceux-ci critiquent ouvertement la régente et sa politique de tolérance religieuse. Une émeute éclate à Beauvais en 1561 lorsque Odet de Châtillon, comte-évêque de cette ville, célèbre la cène calviniste en son palais épiscopal. A Paris, en avril 1561, les étudiants attaquent au Pré-aux-Clercs un groupe de réformés et les assiègent dans une maison particulière où ils ont trouvé refuge; la force publique du prévôt de Paris évite l'assaut meurtrier. Les Guise tentent de s'attirer la sympathie des princes luthériens allemands, et notamment celle du duc de Wurtemberg, pour mieux isoler les protestants français; Montmorency se rend à Rome assurer le pape de son absolue fidélité catholique.

Vassy et la première guerre de Religion.

L'étincelle attendue en même temps que redoutée de tous, souhaitée par quelques-uns, vient du massacre opéré à Vassy par les hommes du duc de Guise sur des protestants assemblés pour un prêche en un lieu interdit par l'édit de Janvier. L'action se déroule le 1er mars 1562; la chronique note qu'il y eut 23 morts et près de 100 blessés. Voici pour l'historiographie le début officiel des guerres de Religion, mais nous savons qu'elles ont commencé plus tôt, à la fin de l'année 1559, lorsque les Guise portent à son paroxysme la répression religieuse acculant le clan Bourbon à la défensive armée.

Accueillie favorablement par les catholiques de la cour et de la ville (Paris), la nouvelle de Vassy autorise Guise soutenu par le connétable de Montmorency à tenter un nouveau coup de force. Le 27 mars 1562, la famille royale se trouve au château de Fontainebleau lorsque les cavaliers conduits par François de Guise arrivent qui pressent la régente, le roi et la cour de regagner Paris sous leur escorte. La possession du roi vaut « la moitié de la France », le Lorrain pas plus que Louis de Condé ne l'ignorent, qui utilisent la contrainte ou la violence pour donner à leur parti la légitimation de la personne royale. C'est donc le Bourbon qui prend l'initiative de la lutte armée justifiant cette levée par la *Déclaration* déjà évoquée du 8 avril 1562; la délivrance du roi et de la reine prisonniers des Lorrains comme la volonté de faire respecter l'édit de Janvier sont avancées comme raisons majeures à cette prise d'armes. En fait, Condé et les gentilshommes protestants soutenus par nombre de pasteurs bellicistes préparent, on le sait, cette guerre depuis l'échec d'Amboise. Au long de l'année 1561, des troupes s'accumulent dans les provinces et à Orléans, prise par les huguenots et devenue une sorte de QG de la cause princière et protestante. Près de 6 000 hommes de pied et 2 000 cavaliers s'y retrouvent dès les premiers jours d'avril 1562, tandis que les églises s'apprêtent à envoyer d'autres soldats. D'Andelot, le frère de Coligny, lève des reîtres en Allemagne [1].

Du côté royal et catholique, les armées ne sont pas moins prêtes, alors que Catherine s'efforce encore de négocier avec le prince de Condé auquel elle propose, ainsi qu'à ses amis, de quitter le royaume [2].

Il y a dans cette première guerre deux niveaux, l'un, disons officiel, où s'affrontent les troupes royales et catholiques et les troupes protestantes, l'autre, local ou particulier, où s'opposent, selon des rythmes spécifiques de violence, les « papistes » et les huguenots. Cependant, au-delà de l'iconoclasme, ensemble d'actions relativement logiques, voire, nous l'avons vu, pédagogiques, puisque destinées à convaincre les tenants de l'ancienne Église de ses abus, de ses erreurs, de ses déviations, du côté protestant les deux niveaux d'intervention se lisent avec la même cohérence. Le prince de Condé, nous le savons, trace dès 1560 un plan d'occupation du royaume ; il s'agit, explique Agrippa d'Aubigné, de faire « prise des villes pour, là, faire amas et former le parti [3] ». Les villes, pour les huguenots comme plus tard pour les ligueurs, constituent des espaces privilégiés et clos, pour les uns champ d'expérience de l'« ordre politique » préconisé par Calvin, pour les autres lieu traditionnel qu'ils réinvestissent du vieux rêve fusionnel, communal et mystique. Durant ces décennies de guerres, les villes représentent comme un front où les deux partis s'opposent militairement et idéologiquement, les campagnes restant largement en deçà de ces

1. Garrisson Janine, *Les Protestants au XVIe siècle*, *op. cit.*, p. 260.
2. Constant Jean-Marie, *op. cit.*, p. 50.
3. D'Aubigné Agrippa, *Histoire universelle*, Paris, Renouard, 1886-1909, t. 1, p. 14-15.

objectifs ; les paysans, on s'en souvient, éprouvent de bonne heure une extraordinaire lassitude des désordres et exactions commis par les soldats de l'un et l'autre parti qu'ils mettent dans le même sac d'exaspération et de rancœur.

La première guerre de Religion de ce point de vue se révèle exemplaire tant les villes constituent les pôles de la stratégie militaire et de la passion religieuse. Le plan de Condé réussit donc dans une large mesure, car, localement, il rencontre le mouvement spontané des néophytes protestants décidés à conquérir leur territoire politique et religieux. Les élites urbaines que l'on sait imbues de calvinisme se saisissent souvent des pouvoirs que leur confèrent les magistratures municipales et, profitant des libertés urbaines toujours considérables, car peu entamées par la monarchie autoritaire des deux premiers Valois d'Angoulême, tentent de transformer chaque cité en petite Genève. Certaines acquises très tôt par les protestants, en avril et mai 1562, sont presque aussitôt reperdues, ainsi Rouen, Tours, Blois, Sens, Angers, Beaugency. D'autres, grâce à une résistance catholique et royale venant des officiers des cours souveraines et des couches populaires, déjouent les coups de main huguenots, ainsi Bordeaux et Toulouse. Quelques-unes, après avoir connu un protectorat réformé, sont reprises par les catholiques royaux, comme Lyon, Grenoble, Valence, Orléans, Gaillac. D'autres enfin, grâce à un consensus religieux réalisé entre une partie importante des habitants, mais parfois les catholiques sont expulsés !, demeurent calvinistes (avec cependant des nuances chronologiques dues aux modalités d'application des divers édits de pacification entre les troubles) ; il s'agit de Montauban, La Rochelle, Nîmes, La Charité-sur-Loire, Sancerre, Nérac, Castres, des villes du Béarn, plus une multitude de bourgs et de villages dans les régions à haute coloration protestante.

De fait, au long du printemps et de l'été 1562, les succès protestants ne se comptent plus ; les villes tombent comme des fruits mûrs, des provinces entières sont gagnées par l'épée sauvage des lieutenants condéens. La vallée du Rhône et le Dauphiné se soumettent au prédateur qu'est le baron des Adrets. En Languedoc Jacques de Crussol, en Guyenne et Gascogne Symphorien de Duras, en Provence Paul de

Mouvans, en Saintonge La Rochefoucauld et Pons de Pons, en Normandie Montgomery, s'emparent des villes et de larges pans de province. Les généraux royaux, Monluc dans le Sud-Ouest, Laurent de Mongiron en Dauphiné, Tavannes en Bourgogne, Joyeuse en Languedoc, ne peuvent résister à cette puissante vague déferlante. Pour un temps court, cependant, car se croyant menacée dans les lieux mêmes où son pouvoir est le plus ancien et le plus solide, en Normandie, dans la vallée de la Loire, la royauté réussit à desserrer l'étreinte. Le connétable de Montmorency, Antoine de Bourbon et Guise dirigent les opérations militaires. Avant tout récupérer les villes de la Loire, et c'est le 4 juillet la reprise de Blois pillée et saccagée ; en août, c'est au tour de Bourges, nœud de communication entre Orléans, où officie Condé, et le Midi où ses lieutenants mettent les provinces à feu et à sang. En Bourgogne, Tavannes maîtrise en juin la vallée de la Saône, et en Poitou le maréchal de Saint-André s'empare de Poitiers. L'armée royale s'apprête donc à tirer sur Orléans lorsque le gouvernement apprend le traité de Hampton Court et les négociations avec Élisabeth. Rouen, où Antoine de Bourbon trouve la mort, est assiégée et reprise aux huguenots le 26 octobre ; la soldatesque se comporte ignominieusement, pillant, violant, tuant, saccageant, mais les horreurs de la guerre ne sont pas réservées aux guerres étrangères, elles courent avec semblable alacrité au long de ces luttes intestines [1].

Alors que les troupes protestantes grossies des reîtres amenés par Dandelot tournent autour de Paris, prenant Étampes, Montlhéry et cherchant à s'emparer de Corbeil, puis se dirigent vers la Normandie pour faire la jonction avec les Anglais, le connétable leur bloque le chemin à Dreux. Bataille rangée — il y en a peu durant ces guerres ! —, mais bataille confuse. Le connétable et Condé sont faits prisonniers, le maréchal de Saint-André est mort, le duc de Guise vainqueur mais de justesse ; l'événement célébré par des poèmes et des gravures se déroule le 19 décembre 1562. Demeuré seul général, le Lorrain fait route sur Orléans qu'il investit dans les premiers jours de février 1563. La veille de l'assaut, il est, comme l'on sait, assassiné par un gentilhomme protestant

1. Benedict Philip, *op. cit.*, p. 99-100.

que l'on soupçonne d'être un second couteau de Coligny.

La mort du héros catholique marque un temps d'arrêt dans le déroulement officiel de la première guerre civile. Catherine veut la paix pour le royaume, mais pas n'importe quelle paix, car elle doit désormais tenir compte d'une opinion catholique qui ne s'exprime plus seulement au sein du Conseil ou des assemblées du clergé. En effet, lorsque les bandes armées de l'un et l'autre parti ravagent le pays, au nom du roi ou du prince de Condé, tandis que les protestants s'emparent de maintes cités, dans d'autres villes les populations catholiques se jettent sur la minorité huguenote. Faut-il dire qu'en cette année 1562 les conditions d'existence deviennent particulièrement acerbes, justifiant la colère et l'angoisse des citadins ? En juillet 1562, les paysans de la région parisienne ne peuvent moissonner tant les pluies tombent longuement, faisant germer le grain déjà en épis, « ce qui renchérit fort les vivres ». Ailleurs, dans les provinces, les mercuriales du printemps 1562 suggèrent la hausse spectaculaire du prix des céréales et donc du pain quotidien ; de là l'atroce crainte pour les pauvres et les médiocres de mourir de faim. La peste rôde en France du Nord, suivante silencieuse et mortelle des troupes qui s'amassent à Orléans et au camp des catholiques royaux non loin de Paris, « de sorte que la France était affligée, et bien fort, de troys fléaux de Dieu : c'est de peste, famine et guerre civile[1] ». Il n'est pas inutile d'ajouter qu'une extrême agitation faite de la crainte des huguenots que l'on ressent comme une menace existentielle, des difficultés de la vie quotidienne, de l'attente de la guerre imminente puis de son installation, saisit les populations ; le clergé catholique (et les ministres du côté huguenot ne sont pas en reste !) entretient cette fébrilité par des cérémonies, des sorties spectaculaires de reliques salvatrices, des sermons enflammés contre les hérétiques. Les fausses nouvelles qui ne sont pas plus effrayantes que les vraies circulent, portées par les canards grossièrement illustrés, diffusés dans les cabarets, les marchés, les lieux de rencontre ; les nerfs de la majorité catholique mis à l'épreuve en ces jours incertains et douloureux

1. De Paschal Pierre, *Journal de ce qui s'est passé en France durant l'année 1562...*, Paris, Didier, 1950, p. 71.

flanchent, le protestant hérétique apparaît comme le responsable des malheurs du temps qu'il faut détruire.

Des massacres effroyables se déroulent à Tours, à Sens, à Troyes, à Rouen, à Meaux, à Toulouse, à Gaillac..., certaines de ces villes viennent d'être libérées par les capitaines royaux d'une éphémère domination protestante. Les gestes des tueurs préfigurent tragiquement ceux qui, dix ans plus tard, lors des Saint-Barthélemy, donneront la même mort. Cependant pour instinctifs et irrationnels que soient les actes des meurtriers, ils n'en sont pas moins, dans la plupart des cas, induits par une autorité supérieure, celle des prêtres et des prêcheurs, celle des gouverneurs pour le roi ou des capitaines des troupes catholiques. A Toulouse, en mai 1562, des ecclésiastiques crient à leurs ouailles : « Tuez tout, pillez, nous sommes vos pères, nous vous garantissons. » A Paris, le massacre de Vassy puis l'entrée triomphante du duc de Guise reçu solennellement par ses pairs les triumvirs autorisent les meurtres individuels commis au hasard des jours sur les huguenots, constate Denis Crouzet [1]. Mais l'arrêt rendu le 13 juillet 1562 par le Parlement parisien (il est vrai qu'à cette date le conflit officiel est déclaré) n'est-il pas plus instigateur d'une violence proprement légalisée ? Celui-ci met les protestants hors la loi et autorise les particuliers à punir les hérétiques sans que les justiciers puissent « être déférés, poursuivis ou inquiétés [2] ».

Au niveau supérieur de la décision, les négociations s'engagent entre le prince de Condé, encore emprisonné, et la royauté. La régente, libérée de l'emprise guisarde par la mort du duc François, s'estime plus forte pour imposer aux protestants sa volonté, car elle ne craint plus d'être à la merci d'un parti alors que, dans le même temps et paradoxalement, elle s'éprouve soutenue par la réaction plus ou moins spontanée des populations catholiques en plusieurs villes et même provinces. L'édit d'Amboise signé le 19 mars 1563 marque un net recul dans les conditions faites aux protestants [3]. Si

1. Sur ces violences, voir Crouzet Denis, *Les Guerriers de Dieu...*, *op. cit.*, t. 1, p. 412 *sq.*

2. De Paschal Pierre, *op. cit.*, p. 74.

3. Isambert, De Crusy et Taillandier, *Recueil général des anciennes lois françaises...*, Paris, Belin, 1829, t. 14, p. 187.

la liberté de conscience n'est pas remise en question, celle de culte subit de larges amputations ; elle est autorisée chez les seigneurs hauts justiciers pour « leur famille et leurs sujets », pour les autres gentilshommes y compris leur seule famille ; les protestants moins prestigieux pourront écouter le ministre et recevoir les sacrements dans une seule ville par bailliage, et encore le temple doit-il être situé dans les faubourgs. Cependant, dans les agglomérations où l'exercice religieux réformé s'est déroulé *intramuros* jusqu'au 7 mars 1562, celui-ci peut être continué à condition qu'il ne soit rien entrepris pour s'emparer des églises ; le culte est interdit à Paris comme dans le ressort de sa vicomté.

Le caractère aristocratique de cet édit n'échappe à personne, sinon aux bénéficiaires ! Coligny, dit-on, le reproche amèrement à Condé, et les autorités genevoises agissent de même. Çà et là les bourgeoisies urbaines s'irritent, accusant le prince d'avoir trahi leur cause et celle des églises ; ce mécontentement signale, non pas la volonté révolutionnaire déçue des huguenots de ne pas avoir changé le monde, mais la ferveur et la vitalité de leur piété frustrée par le rétrécissement imposé à son affirmation collective dans un temple.

Le roi visite son royaume.

Le royaume retrouve de mars 1563 jusqu'au printemps 1567 un temps de repos relatif. La reprise du Havre en juillet 1563 par le connétable épaulé par Condé panse les plaies de l'orgueil national blessé par le traité de Hampton Court ; après quoi Catherine de Médicis conduit Charles IX à Rouen pour que le parlement de cette ville fortement symbolique des troubles passés publie l'édit de majorité du roi. Désormais, le roi l'est à part entière, les partis ne pourront plus alléguer de sa fragilité juvénile pour s'imposer à la monarchie. Le gouvernement s'efforce de reprendre en main le pays. L'édit de Crémieu promulgué en juillet 1564 établit la surveillance royale sur les élections municipales, tant on sait au Conseil quel enjeu constituent pour les factions la possession et le contrôle des villes [1]. Un peu plus tard, en 1566, une assem-

1. Zeller Gaston, *Les Institutions de la France au XVIe siècle*, Paris, PUF, 1948, p. 45.

blée est convoquée à Moulins, sorte de conseil élargi aux présidents des parlements sur le fait de la justice. La grande ordonnance dressée par Michel de L'Hospital à la suite de cette consultation rétablit (du moins sur le papier !) les prérogatives de l'État là où elles avaient été usurpées, durant les troubles. Les corps municipaux et donc les villes, une fois encore, se trouvent placés dans le collimateur de l'État royal ; on leur enlève la connaissance des affaires civiles, ne leur laissant que « l'exercice du criminel et de la police » (article 71) ; même si l'application de la mesure ne connaît pas d'effets immédiats — nombre de villes excipant de privilèges antérieurement accordés par le roi refusent de se soumettre —, elle ouvre une brèche dans l'autorité des édiles urbains. Les parlements, à leur tour, connaissent la dure main de l'autorité royale. On sait les difficultés mises à l'enregistrement de l'édit d'Amboise comme l'obstruction à une politique de tolérance religieuse ; leur droit de remontrances redéfini est restreint, l'enregistrement des édits est rendu obligatoire pour le cas où le roi refuserait de tenir compte des remontrances des cours souveraines ; mieux encore, les ordonnances doivent être gardées et observées alors même qu'elles n'ont pas été « publiées » (enregistrées). La volonté s'exprime d'une monarchie autoritaire alors qu'à cette date elle ne possède plus tout à fait les moyens de la faire respecter. Les gouverneurs des villes et des provinces, appartenant tous à cette noblesse dont la turbulence et la violence viennent de se donner libre cours, sont à leur tour sanctionnés ; on leur interdit de lever des subsides sans autorisation royale, de rendre la justice aux dépens des officiers royaux ou d'entraver leur action. Des « chevauchées » des maîtres de requêtes de l'Hôtel, agents dévoués à la cause royale, doivent surveiller les agissements de ces hommes que les troubles transforment et transformeront en potentats locaux.

Le problème financier demeure aigu, aggravé par la solde due aux gens de guerre, notamment des fantassins suisses engagés pour combattre l'armée de Condé. Au-delà de la convention pécuniaire passée entre le clergé et l'État par le contrat de Poissy, le Conseil décrète en mai 1563 une aliénation forcée des biens ecclésiastiques portant sur un capital dont les revenus représentent près de 5 millions de livres. En

1568 suit une seconde aliénation, autorisée par le pape Pie V à condition que les armes soient sagement utilisées à faire la guerre aux hérétiques, qui rapporte au Trésor quelque 2,5 millions de livres [1].

Effort donc de la régente, de son Conseil et de Michel de L'Hospital pour imposer aux différents corps de la nation leur autorité ! Il se complète par le fameux tour de France qu'accomplissent entre 1564 et 1566 la famille royale et la cour [2]. Il s'agit bien de montrer au royaume ce souverain sacré et désormais majeur ; Charles IX au long de son périple accomplit rigoureusement sa fonction de roi thaumaturge en touchant les scrofuleux ; on en espère un renforcement de l'autorité royale qui vient d'être contestée, et l'on comprend que l'immense caravane s'attarde dans les marges méridionales où les protestants sont nombreux, où la crise politique, voire sociale, vient de se montrer à nu. Les failles et les lézardes dans le consensus monarchique peuvent-elles aussi facilement être ravaudées ?

L'union des Français, fussent-ils divers religieusement, ne se reconstitue pas aussi facilement que les dirigeants l'espéraient ; la religion royale à défaut de l'autre ne suffit pas à effacer les traces des ruptures du passé récent. La caste des Grands conserve l'agressivité qui la caractérise ; à la cour, lorsque les huguenots retrouvent leurs offices et leurs charges, la méfiance des gentilshommes catholiques à leur égard ne prend aucun masque. Henri d'Anjou refuse brutalement à Louis de Condé la dignité de lieutenant du royaume au cas de situation grave, François D'Andelot n'obtient pas l'obéissance de ses subordonnés papistes. Des meurtres, des attentats concluent ces antipathies. La plupart des parlements tardent à enregistrer l'édit d'Amboise, qui n'est donc pas appliqué sur le terrain, arguant que la coexistence religieuse est chose impie, donc impossible. Dans les cas où les protestants sont minoritaires, les autorités locales refusent de leur restituer les biens dont ils ont été dépossédés par confiscation ou pillage. Lorsque ceux-ci se rendent en groupe au prêche des faubourgs, des catholiques les attendent pour les

1. Pernot Michel, *op. cit.*, p. 256.
2. Boutier Jean, Dewerpe André et Nordman Daniel, *op. cit.*, *passim*.

brocarder, les assaillir, les disperser. De leur côté, les gentilshommes de la Religion gardent par-devers eux les terres et les revenus des ecclésiastiques dont ils se sont saisis et dont l'édit d'Amboise leur ordonne la restitution. Çà et là des violences iconoclastes, ainsi à Pamiers en 1566, éclatent.

Le regard des nations étrangères ne cesse d'être fixé sur la France. Le pape se déclare désespéré du dernier édit de pacification ; le roi d'Espagne Philippe II, marié à une princesse Valois, fille d'Henri II et de Catherine, s'inquiète du protestantisme français aux portes de la péninsule ibérique et surtout à celles des Flandres troublées depuis les premières décennies du XVIe siècle par les dissidents religieux. Au cours de la fameuse entrevue de Bayonne en juin et juillet 1565, le duc d'Albe qui parle au nom du Roi Catholique propose une alliance franco-espagnole contre les hérétiques. Catherine de Médicis, autant que les historiens en puissent savoir, élude, prenant l'engagement vague de porter remède aux choses de la religion. Quelques mois plus tard aux Pays-Bas, les « casseurs de l'été 1566 » ravagent les églises et les couvents flamands, animés d'une rage féroce contre les représentations matérielles du catholicisme [1]. Cet ouragan que suivent avec passion les huguenots français confraternels provoque l'envoi dans les Flandres du duc d'Albe chargé de remettre de l'ordre. Pour joindre leur terrain d'action, ses troupes importantes en nombre longent les frontières françaises de l'Est ; le gouvernement français s'inquiète de la présence sur les flancs du royaume de cette armada terrestre alors que les protestants respirent avec peine. Ils n'ont pas oublié l'entrevue de Bayonne, et les fantasmes soulevés par cette entrevue secrète ne cessent de les obséder ; ils s'inquiètent encore des Suisses recrutés par la monarchie lors de la remontée du duc d'Albe, peut-être cette levée de mercenaires est-elle destinée aux ennemis de l'intérieur plus qu'aux éventuels agresseurs tirant vers les Pays-Bas ? Climat d'inquiétude, de méfiance réciproque dans les provinces comme dans les milieux dirigeants qui alourdit les jours des Français pendant ces quarante ans de troubles civils. Chacun, du plus humble

1. Deyon Solange et Lottin André, *Les Casseurs de l'été 1566. L'iconoclasme dans le Nord*, Lille, Presses universitaires, 1987.

au plus grand, suspecte l'autre des pires desseins, la riposte précède souvent l'attaque !

Les deuxième et troisième guerres de Religion.

Une fois encore les huguenots prennent l'initiative de la prise d'armes. Condé n'est plus le *silent chief* du tumulte d'Amboise ; il est activement aidé par Coligny, qui de plus en plus s'impose comme seconde figure du parti. Les deux hommes mobilisent leurs troupes, font contribuer les églises, lancent à travers la France les mots d'ordre d'un rassemblement général vers le quartier général de Rosay-en-Brie où se glissent les soldats venus essentiellement du Midi et de l'Ouest. Le plan adopté souligne une fois encore à quel point le protestantisme devenu parti est utilisé pour des intérêts beaucoup plus nobiliaires et politiques que religieux. Il s'agit, comme on voulait le faire lors du coup de main sur Amboise, comme les triumvirs l'ont fait à Fontainebleau en 1562, de se saisir de la personne du roi et de lui imposer un conseil où prédomineraient les Grands huguenots. Comme à son habitude, Condé, soucieux de son image de marque devant l'opinion française et internationale, publie d'éloquentes déclarations tant en 1567 qu'en 1568 reprochant au roi de défavoriser sa noblesse protestante, de la spolier des « degrés, états et honneurs » dus à son rang, de diviser les gentilshommes en les distinguant religieusement [1]. Ces textes demandent instamment la tenue des états généraux, seuls capables de s'élever au-dessus des divisions religieuses et de participer à une entreprise de Bien public que les armes à la main le prince de Condé s'apprête à promouvoir. Les huguenots de la base se plaignent de ce que les manifestes gardent sur la tolérance élargie à tous et non pas réservée à la noblesse un silence prudent, mais les Grands n'ont pas de vergogne à leur répondre que l'union de la noblesse passe avant celle de la piétaille roturière puisque la première est investie du devoir de gouvernement.

Les opérations militaires de ces deuxièmes troubles présentent pour les populations civiles l'avantage d'être limitées dans

1. Jouanna Arlette, *op. cit.*, p. 152-153.

le temps et l'espace. Avertie du rassemblement armé, la cour installée au château de Monceaux gagne à la hâte Meaux, ville plus propre à la défensive puis, encadrée des Suisses, prend le chemin de Paris. La cavalerie de Condé harcèle le convoi qui ne doit son salut qu'aux Helvètes et s'engouffre dans la capitale. La chronique se plaît à narrer la fureur de Catherine, le dépit de Charles IX, qui enlèvent à L'Hospital les sceaux tant sa politique de tolérance se révèle un échec. L'armée du Prince bloque Paris où menace la famine et que le connétable cherche à libérer ; c'est alors l'affrontement peu significatif de Saint-Denis, le 10 novembre 1567, sans réel vainqueur. Anne de Montmorency y trouve la mort. Condé et Coligny, dont les troupes s'augmentent des mercenaires conduits par Jean Casimir, le fils du très calviniste Électeur Palatin, se portent pour assiéger Chartres, grenier de la capitale, afin de mieux intimider le gouvernement. Les négociations s'engagent alors pour aboutir en mars 1568 au traité de Longjumeau qui rétablit l'édit d'Amboise dans tous ses articles.

Personne, ni protestant ni catholique, ne comprend goutte à cette paix conclue hâtivement par le gouvernement et une poignée de leaders huguenots au sang bleu. D'autant que, sur le terrain, les individus de quelque bord qu'ils se situent jugent que le moment est inopportun. Les tenants de la religion romaine se vivent comme moins oppressés par la vague réformée, ils s'organisent localement en ligues, en confréries, ils accueillent dans leurs rangs des apostats de l'Église adverse qui reviennent à leur ancienne croyance. Parmi eux, des nobles qui entraînent leurs manants, des citadins en situation très minoritaire dans une ville hostile ; en Ile-de-France, en Champagne, dans les Pays de Loire, en Bourgogne, s'éteignent des cultes de fief allumés par le grand souffle calviniste des années 1559-1562. Dans la Normandie, battue par la guerre lors des premiers troubles, la lassitude comme l'inconfort d'appartenir à une religion et à une éthique minoritaires découragent bien des cœurs. Dans les provinces du Sud, celles de langue d'oc auxquelles se soudent depuis une longue histoire la Saintonge, l'Aunis et le Poitou méridional, le protestantisme se conforte de la deuxième guerre. Un nouveau raz-de-marée lui rend des villes réoccupées par les autorités royales et les ecclésiastiques romains selon les clauses de l'édit d'Amboise ; en d'autres cas de nouvelles villes sont conquises. La Michelade de Nîmes en septembre 1567, alors que les Grands ont choisi la date de la Saint-Michel pour engager le combat, démontre tragiquement que les pulsions furieuses des « guerriers de Dieu » contre les hommes et les choses de la « grande Babylone » sont loin d'être assouvies [1]. Après la signature de la « pacification » de Longjumeau, des murmures pleins de rancœur s'élèvent des milieux urbains qui reprochent au prince de Condé d'avoir trahi les siens. Les bandes armées, derrière un hobereau rendu à la vie des champs par l'éphémère paix, reprennent leurs courses, pillant et détruisant, s'emparant là d'un village, ici d'un château, créant insécurité et désordre ; le plat pays de Montpellier, de Montauban, de La Rochelle est sillonné de ces soudards.

Ce n'est pas du prince de Condé ni des bords de Loire que viendront les signaux de la nouvelle offensive, mais bien du Sud où les provinces méridionales fortement protestantisées regardent vers la reine de Navarre. Celle-ci quitte à l'été 1568 le Béarn pour gagner La Rochelle, environnée d'une troupe de nobles gascons ; elle conduit avec elle son fils Henry de Navarre. Cette ville, à laquelle l'océan confère l'évasion toujours possible, la complicité anglaise et les pays alentour où abondent les églises de la Réforme et donc des moyens en hommes et en argent, s'affirme déjà comme l'une des capitales emblématiques de la huguenoterie. Lorsque Jeanne arrive, elle retrouve Condé et Coligny fuyant leurs châteaux bourguignons dont les murs ne les garantissent pas d'éventuels assassins.

Le roi et sa mère, convaincus de l'inanité de leur tolérance religieuse passée, sont décidés à entreprendre de plus dures actions. Le meurtre des chefs huguenots est-il envisagé à ce moment-là ? La crainte du prince et de l'amiral pourrait le faire croire. Les gouvernants sont confortés en leur décision par des manifestations plus ou moins spontanées de l'agressivité catholique et par la situation aux Pays-Bas. La gouvernante et le duc d'Albe viennent de mater dans le sang les

1. Garrisson Janine, *Protestants du Midi*, *op. cit.*, p. 165.

iconoclastes flamands, faisant exécuter à titre d'exemple deux jeunes gentilshommes d'illustre famille, les comtes de Hornes et d'Egmont ; Guillaume d'Orange, le prince prestigieux, âme de la révolte politico-religieuse des Pays-Bas, échappe de peu à la condamnation à mort. Pour frapper un grand coup et faire grincer l'alliance du Midi et des Albret, Charles IX et la reine mère décident d'appliquer l'ancien droit de saisine datant de la période féodale de la monarchie ; les domaines français de Jeanne, le vassal félon, sont donc confisqués — le parlement de Toulouse est chargé de faire appliquer cette mesure. Mais le roi de France ne peut agir contre les domaines souverains que sont la Navarre et le Béarn, hors de la mouvance française ; aussi décrète-t-il que, durant la « captivité » de Jeanne d'Albret à La Rochelle, ils seront occupés par les troupes royales afin de mieux les protéger d'une invasion extérieure. Le temps n'est plus où L'Hospital, au Conseil, poussait à la patience et à la compréhension.

La guerre aura lieu, non plus dans les provinces du vieux domaine capétien, mais dans ces régions du Centre-Ouest et du Midi aux particularismes tenaces (leur massive adhésion à une religion autre que celle d'État n'en est-elle pas la preuve ?), aux fidélités anciennes à la Maison d'Albret. Les deux armées se retrouvent donc au sud du Poitou pour un engagement sans importance en octobre 1568 et prennent leurs quartiers d'hiver dans ces régions. Au printemps les forces royales conduites par le duc d'Anjou, jeune généralissime qu'assiste le maréchal de Tavannes plus ancien dans l'art de la guerre, rencontrent à Jarnac les régiments huguenots entraînés par Condé et Coligny. La défaite, pour ceux-ci, est sévère. La chronique, toujours à l'affût des morts sublimes ou tragiques, s'émeut à travers les siècles de l'assassinat de Louis de Bourbon contre toutes les prétendues règles de la gentilhommerie au combat ; l'ordre meurtrier d'Henri d'Anjou ressemble ni plus ni moins à tous les crimes commis par la caste nobiliaire aux idéaux en principe chevaleresques mais profitant de la licence offerte par les troubles civils et religieux ; le frère du roi se transforme en second couteau de la monarchie, éliminant un gêneur politique. L'armée de la Religion n'est pas décimée pour autant ; Coligny demeure, entouré de capitaines gascons, languedociens et provençaux, et de leurs soldats ; il attend les reîtres allemands qui s'apprêtent à passer dans le royaume par la Franche-Comté. La deuxième bataille rangée entre royaux catholiques et protestants se déroule à Moncontour en octobre 1569 quand les troupes d'Anjou mettent à mal celles de l'amiral. Celui-ci, devenu le chef militaire du parti huguenot, tente de réparer les dégâts, refaisant son armée en Guyenne et en Languedoc, ravageant par représailles le plat pays toulousain et, à la suite d'une virée aussi sauvage pour les populations qu'épuisante pour les protagonistes, s'en vient camper à la Charité-sur-Loire. A quelques heures de cheval de Paris, des lieux du pouvoir monarchique ! La capitale menacée une fois encore, La Rochelle dont les marins se livrent de conserve avec les Gueux de la mer hollandais à une guerre de course effrénée, le Trésor royal épuisé par ce nouvel effort militaire, Charles IX et sa mère, « gouvernante de France », n'ont pas les moyens d'aller jusqu'au bout de la ligne politique dure qu'ils ont inaugurée deux ans auparavant. Il faut donc une fois encore négocier dans des conditions assez peu favorables, puisque les huguenots grâce au talent stratégique de Coligny viennent de compenser leurs échecs de Jarnac et Moncontour. Pression des circonstances militaires, mais aussi danger pour la liberté monarchique qui se veut au-dessus des partis, car Henri de Guise ne vient-il pas de séduire Marguerite de Valois ? Les leaders catholiques envisagent avec plaisir un mariage entre le clan des Lorrains et la famille régnante ; ce dont Charles IX et sa mère ne veulent à aucun prix, conscients du danger d'immersion encouru par la royauté en pareil cas, au point que les Guise sont éloignés momentanément de la cour.

Tout incline donc à la pacification du royaume tant les événements des Pays-Bas préoccupent les dirigeants français à l'instar de leurs collègues étrangers. C'est au château de Saint-Germain-en-Laye que se rencontrent les représentants du parti protestant et les chargés d'affaires royaux. Les réformés obtiennent la liberté de conscience et la liberté de culte dans les lieux où il était pratiqué avant la guerre ; il peut de surcroît se dérouler dans les faubourgs de deux villes par gouvernement et dans les chapelles des seigneurs hauts justiciers. En garantie de l'exécution du traité, les protestants obtiennent pour deux ans quatre places de sûreté : Montauban, La Rochelle, Cognac et La Charité.

Cet édit apparaît fort étrange aux yeux de beaucoup de catholiques puisqu'ils ne voyaient pas le parti huguenot en position d'obtenir des conditions aussi avantageuses. Monluc, qui vient de combattre en Guyenne, se plaint de ce que les protestants vaincus par les armes gagnent « par les écrits ». Claude Haton, curé de Provins, par tempérament et par vocation fort ligueur, constate en ses *Mémoires* :

« La dite paix faite avec le huguenot amiral et ses amiralistes sembla être fort avantageuse pour la liberté huguenotique, ce qui à la vérité est. »

Le royaume cependant s'installe pour deux ans dans une paix relative.

2. La Saint-Barthélemy
Les guerres des barons : 1570-1584

La Saint-Barthélemy constitue l'événement paroxysmique de cette période. Il y a un avant la Saint-Barthélemy, vers laquelle on tend à faire converger l'histoire des années antérieures, et un après la Saint-Barthélemy, sur laquelle, semble-t-il, s'articulent le comportement et les actions des gens qui ont vécu le drame, qui le conservent en mémoire.

Sans doute est-il artificiel de se livrer à la recherche des causes ; la veille du massacre personne encore ne savait qu'il se déroulerait, puisqu'il n'était nullement prémédité ; pourtant, il n'apparaît point de pure rhétorique d'énoncer les circonstances, du moins celles qui affleurent à la surface du possible historique, où comme en un creuset s'agitent et se heurtent les ingrédients de ces jours pleins « de bruit et de fureur ».

Les prémices de la Saint-Barthélemy.

Se différencient — et cette réalité s'affirme au long des guerres de Religion — deux niveaux du vécu historique qui comme des couches géologiques jouent l'un par rapport à l'autre. En ces temps d'extrême nervosité, quand le pain vient à manquer, quand la peste frappe les plus pauvres, quand le désordre est partout, le peuple des villes, abreuvé par l'information partisane, réagit aux orientations proposées par les autorités politiques avec une vigueur et une outrance extraordinaires. C'est une formidable caisse de résonance qui transforme en vacarme le toucher de main le plus léger pourvu qu'il vienne des centres de la décision. Rarement population fut plus attentive aux comportements des puissants, cherchant en remède à la division religieuse, dans cette rupture des organisations traditionnelles, à la fois des guides éprouvés, presque des médecins en même temps que des responsables, parfois des boucs émissaires.

L'édit de Saint-Germain ou le malentendu... Le dernier traité de pacification est accueilli avec stupéfaction par les catholiques. Les huguenots reviennent dans les villes qu'ils avaient abandonnées lors des deuxièmes et troisièmes troubles, ils retrouvent leurs fonctions, ils tentent de récupérer leurs biens mis sous séquestre, ils pratiquent leur culte au cœur même de la cité, et ceci pour la première fois, puisque jusqu'alors les exercices religieux se sont pratiqués dans les faubourgs. Ce retour réactive les haines à tel point que des violences jettent les catholiques contre les protestants à Dieppe, à Rouen, à Troyes, à Sens, à Orange, à Paris, analogues à celles qui ont ensanglanté l'année 1562. Depuis le printemps 1571 et ce, jusqu'en août 1573, le prix des grains panifiables augmente formidablement ; semblable décrochage s'est déjà trouvé en 1563 et se constate amplifié en 1572 et 1573. Cette flambée où le pain quotidien double, triple et même quadruple en quelques mois, signifie, on le sait, des mauvaises récoltes, des villes gonflées par les gens des campagnes venus chercher la survie, une sous-alimentation généralisée qui aiguise les nerfs, exaspère les tempéraments. Le chômage des gagne-deniers, des journaliers et des compagnons, indissociable des crises de subsistances urbaines, emplit les rues, les places, de désœuvrés d'autant qu'à l'été 1572 la chaleur est étouffante.

Au Conseil royal, la présence de Gaspard de Coligny arrivé à l'automne 1571 ne compense pas l'impact des conseillers catholiques parmi lesquels Guise, le cardinal de Lorraine, le maréchal Tavannes, jouent un rôle de premier plan. Deux affaires en ces mois qui suivent l'édit de Saint-Germain préoccupent la cour et les dirigeants ; en politique intérieure, il s'agit du mariage d'Henry de Navarre ; en politique extérieure, d'une éventuelle intervention française dans les Flandres.

Cette province de l'Empire espagnol depuis 1560 environ s'agite de troubles politico-religieux. Groupés autour de Guillaume de Nassau, prince d'Orange, gouverneur pour Philippe II des provinces de Zélande, Utrecht et Hollande, les calvinistes revendiquent les « libertés » politiques et le libre choix de leur religion. Parmi eux des nobles, mais aussi nombre de commerçants et d'industriels et des gens appartenant à des couches plus populaires — la grande vague iconoclaste de l'été 1566 est de leur fait. Il existe une ressemblance entre les églises et le parti huguenot en France et ceux des Pays-Bas ; même système ecclésiastique dit presbytérosynodal, même organisation fondée sur une confédération souple des églises, des villes et des provinces (ici, ce sont surtout les provinces du Nord qui sont impliquées), même allégeance à un Grand chargé de fonction par la royauté et, enfin, même mixage de motifs politiques et de motifs religieux dans le déclenchement de la révolte. Une répression parallèle infligée par les autorités royales et catholiques renforce cette connivence franco-néerlandaise. Des entrevues, des contacts, des alliances se nouent entre Condé, Coligny et Guillaume d'Orange ; celui-ci fait glisser ses soldats en France lors des troisièmes troubles, se proposant d'aider l'amiral. Les marins rochelois, flamands ou hollandais, sont depuis quelques années unis pour se livrer dans l'Atlantique à la course des navires espagnols.

Sur le terrain, aux Pays-Bas, ces « Gueux de la mer » viennent en avril 1572 de se saisir de Brielle, contrôlant aussi les côtes et la Hollande. Celle-ci relance la rébellion contre Philippe II en votant par l'intermédiaire de ses états provinciaux des subsides pour l'armée, décidant aussi d'établir la liberté religieuse ; la résistance armée s'organise sur terre et sur l'océan contre la domination espagnole. Les différents États européens gardent les yeux fixés sur cette épine fichée dans le flanc du colosse ibérique, bien que la victoire remportée à Lépante, le 7 octobre 1571, sur la flotte turque, renforce la position du Très Catholique dans la rivalité qui oppose les pays protestants aux pays d'obédience romaine.

En France, les Grands protestants, dont Gaspard de Coligny se fait l'interprète au Conseil, voudraient voir le roi intervenir aux côtés des Gueux aux Pays-Bas. Au-delà de la fraternité religieuse, ils sont conscients qu'une guerre portée à l'extérieur souderait par le coude à coude chevaleresque cette noblesse, bijou du royaume mais fracturée par les troubles qui viennent de s'achever. Cette éventuelle entreprise aurait de surcroît l'avantage après dix ans d'hostilités intestines de renouer avec la vieille pratique de François Ier et d'Henri II acharnés en leur temps à élargir le territoire français aux dépens des Habsbourg d'Espagne et d'Allemagne. Enfin, dans une perspective plus intime, combattre pour le roi en territoire étranger gommerait chez bien des gentilshommes huguenots le goût amer des loyautés antagonistes qui, depuis 1559, les ont divisés en eux-mêmes. Avant que, en l'été 1572, Coligny ne réclame au Conseil une intervention officielle de la France, des nobles protestants se préparent à s'engager individuellement dans le conflit.

Dans un tout autre domaine, Charles IX et Catherine de Médicis négocient pour que se réconcilient la famille régnante des Valois et celle des Bourbons qui depuis plus de dix ans canalise les agressivités contre la monarchie. Le mariage de Marguerite, sœur du roi, et d'Henry de Navarre symboliserait l'apaisement des discordes passées; Jeanne d'Albret, mère du futur époux, ne répugne en rien à cette union qu'elle juge légitime pour son fils, prince du sang, d'autant que cette alliance matrimoniale possède de vieilles racines, souhaitée qu'elle a été par Henri II. Dans l'esprit de ce roi, comme dans celui de Catherine et de Charles IX, il s'agit bien d'amarrer au trône des Valois cette lignée féodale et puissante ainsi que ses clients, vassaux et affidés, protestants ou non; il s'agit encore de tenir au plus près ces régions du Sud-Ouest et du Centre-Ouest largement dévouées à la cause bourbonienne depuis les premiers troubles; il s'agit enfin d'obtenir une paix durable qui donnerait aux sujets un repos nécessaire et permettrait aux finances royales épuisées par les deux guerres précédentes de se reconstituer.

La Saint-Barthélemy.

Le mariage se fait donc à Paris, le 18 août 1572 — le pape avait promis son autorisation à cette union entre un huguenot et une papiste, qui arrive, semble-t-il, après la cérémonie.

Mais les éléments sont en place qui, quelques jours plus tard, aboutissent au massacre. Le plus visible, celui qui constitue le détonateur de l'affaire, se situe dans l'affrontement — au gouvernement comme à la cour — de deux positions antagonistes en matière de politique étrangère. La France doit-elle soutenir les Gueux protestants des Pays-Bas groupés derrière Guillaume d'Orange contre la domination catholique et coloniale de l'Espagne ?

Les gentilshommes protestants en sont, on vient de le voir, totalement partisans, alors que les arguments avancés par les adeptes de la non-intervention pèsent lourdement : ouvrir les hostilités contre l'Espagne, champion du catholicisme européen, revient à ranger la France dans le camp des puissances protestantes (l'Angleterre et une partie de l'Allemagne), et donc à s'aliéner la bienveillance pontificale ; c'est encore donner beaucoup d'importance à la fraction protestante du gouvernement et du pays, c'est même lui accorder le leadership en matière de politique extérieure. Dans ce camp des pacifistes figurent Catherine de Médicis et ses amis italiens (Nevers, Gondi, Birague), le duc d'Anjou, le maréchal de Tavannes et les frères Guise ; peut-être Charles IX est-il de ceux-là ; encore ne répugne-t-il pas à encourager en sous-main les projets des bellicistes.

La conjoncture internationale se tend brusquement au cours du printemps et de l'été 1572, alors qu'aux Pays-Bas une bande de nobles huguenots français venus secourir leurs coreligionnaires se sont laissé enfermer dans Mons qu'assiège le duc d'Albe, gouverneur des Pays-Bas pour le roi d'Espagne. Le champ des passions se rétrécit singulièrement du côté français : ira-t-on porter secours à ces soldats malheureux, que l'amiral de Coligny considère comme l'avant-garde de l'armée française, ou abandonnera-t-on ceux que Catherine de Médicis regarde comme des *desperados* agissant pour leur compte ? Des troupes protestantes se font massacrer près de la frontière le 17 juillet 1572 ; des lettres saisies sur le cadavre de leur chef Genlis prouveraient que Charles IX accordait sa protection aux interventionnistes réformés. Philippe II tient là un *casus belli* sans bavure s'il souhaite faire la guerre à la France, pays, à ses yeux de catholique fervent, trop métissé religieusement.

Beaucoup d'ombres pèsent sur le déroulement des faits qui constituent l'événement Saint-Barthélemy, à la fois crime d'État et pulsion populaire sanglante[1]. Hier comme aujourd'hui en telle situation le camouflage en ce cas est de rigueur ; les documents écrits sont donc très peu nombreux en dehors des Mémoires toujours sujets à caution rédigés ou dictés par les contemporains du drame.

Le mariage entre Henry de Navarre et Marguerite de Valois se célèbre à Paris le 18 août 1572, au cours de fêtes somptueuses. Le vendredi 22 août, un tireur caché attente à la personne de Gaspard de Châtillon, amiral de France. Qui a commandité l'attentat contre Coligny ? Celui-ci met en train l'engrenage. Du tueur maladroit, on connaît le nom : Maurevert ; de la maison où il s'embusque pour guetter le passage de sa victime, l'on connaît le propriétaire : un familier des Guise. L'historiographie traditionnelle s'accorde à reconnaître dans Catherine de Médicis la responsable de ce meurtre raté — Coligny ne meurt pas ! —, mais l'assassin pourrait tout aussi bien être stipendié par le duc d'Albe, Henri d'Anjou, Henri de Guise et même par le duc de Savoie ; l'amiral possède de nombreux ennemis : les Guise frustrés de leur vendetta après l'élimination du duc François, les Espagnols conscients de la menace de guerre potentielle que cet homme leur fait encourir. La violence des troubles n'est pas seulement lutte armée ou pulsions collectives ; elle procède, on l'a vu, par assassinats spectaculaires d'individus emblématiques dont le charisme ou l'influence concentrent la haine des uns et l'admiration des autres à tel point que leur disparition amoindrit le parti tout entier visé à travers eux.

Fureur des gentilshommes huguenots venus à l'occasion de ses noces entourer leur prince Navarre... ils menacent le roi, sa mère, de se venger durement si justice n'est pas faite rapidement de cet attentat. La panique envahit la famille royale et le Conseil, ce que l'on peut aisément admettre si l'on

1. Pour une polémique récente à propos des responsables de la Saint-Barthélemy, voir les articles de Bourgeon (Jean-Louis) dans la *Revue d'histoire moderne et contemporaine* (1-1987), dans le *BSHPF* (3-1988), et la *Revue historique* (1-1990). Voir également Crouzet Denis, *op. cit.* 2, chap. XI. Pour une vision d'ensemble, voir Garrisson Janine, *La Saint-Barthélemy*, *op. cit.*, et pour une étude fouillée du contexte international, voir Sutherland Nicola Mary, *The Massacre of Saint-Bartholomew and the European conflict (1559-1572)*, Londres, Mac Millan, 1973.

songe aux coups de main tentés durant les troubles sur leur personne physique par les protestants aussi bien que par les catholiques. Peut-être pense-t-on encore que l'élimination de Coligny, dans la mesure où elle serait le fait de l'Espagne, constitue comme une semonce dissuasive à une intervention française aux Pays-Bas ? Aussi décide-t-on, dans la nuit du 23 au 24 août, d'anticiper sur une éventuelle agression en éliminant les nobles protestants rassemblés à Paris. Proscription, crime de palais, réflexe de défense d'un pouvoir le dos au mur, cloué par la pression des chefs huguenots ou celle des ambassadeurs de Philippe II, écartelé entre les risques d'une guerre avec l'Espagne et ceux d'une nouvelle guerre civile, en se débarrassant des têtes du parti réformé, la Couronne pense éviter de nouveaux troubles religieux et rassurer Philippe II sur son loyalisme catholique. En 1588, alors que la monarchie risque d'être submergée par une faction ultracatholique, Henri III, en éliminant les Guise et quelques chefs ligueurs, utilise des méthodes semblables.

La monarchie s'estimant réduite aux solutions extrêmes adopte dans le désarroi la politique d'extermination des hérétiques préconisée par les ultracatholiques. Ce faisant, elle déclenche sans le vouloir aucunement une irrésistible vague de fond, celle qui conduit le peuple de Paris à participer au festin massacreur. La capitale éprouve à l'égard des protestants une haine aux racines anciennes. Celle-ci date peut-être des premiers temps de la Réforme lorsque des néophytes mutilèrent les statues de la Vierge en divers lieux de la ville ; elle s'accroît lorsque se tinrent les grandes assemblées publiques des chanteurs de psaumes, comme en 1558 celle du Pré-aux-Clercs ; elle gagne encore lorsque, au cours de la deuxième guerre de Religion, les soldats de Condé assiègent la capitale. Les Parisiens écoutent depuis des années et particulièrement depuis quelques mois les sermons des prêcheurs ; du haut des chaires paroissiales, ces clercs rompus au maniement du verbe se déchaînent contre la politique conciliatrice du gouvernement que concrétise en ce mois d'août l'« accouplement exécrable » d'Henry de Navarre et de Marguerite de Valois. L'atmosphère dans la capitale est électrique ; il fait une chaleur lourde, orageuse, l'eau des fontaines publiques se raréfie alors que la ville est surpeuplée à l'excès. A cause du mariage, la cour regorge de gentilshommes ; des rescapés du commando protestant des Pays-Bas errent dans les rues ; peut-être même les chefs réformés de Paris ont-ils déjà procédé à d'autres levées, pensant soutenir une fois encore Guillaume d'Orange. L'écho des fêtes répétées au Louvre, aux Tuileries, à l'évêché, les allées et venues autour du palais royal ajoutent à l'ambiance une tonalité quelque peu frénétique.

Or la monarchie dans la soirée du 23 août 1572 demande effectivement l'aide de la milice parisienne qui partage les sentiments des habitants à l'égard des huguenots, d'autant que, comme leur chef l'ancien prévôt des marchands Claude Marcel, beaucoup de miliciens (et beaucoup de Parisiens) ont été les bénéficiaires des confiscations faites sur les biens protestants lors des derniers troubles. Mais ils ont été perturbés en leur jouissance par les restitutions rendues obligatoires par une clause de l'édit de Saint-Germain. Celles-ci s'opèrent au niveau des offices comme au niveau des fortunes meubles ou immeubles, d'où un terrible ressentiment, d'où le pillage systématique qui accompagne le massacre.

Claude Marcel, accompagné du prévôt des marchands en exercice, est mandé au Louvre dans la soirée du 23 août 1572. Le roi leur enjoint de prendre des mesures sécuritaires, d'assembler la milice bourgeoise, de fermer les portes de Paris, d'amarrer les barques afin d'empêcher la circulation sur la Seine. Ces mesures sont-elles prises pour aider à l'élimination des nobles huguenots ou bien pour les empêcher d'agir dans la mesure où le Conseil et la famille régnante redoutent de leur part une tentative de subversion ? Là demeure l'un des mystères de ces journées tragiques.

Lorsque la milice bourgeoise assemblée en armes sur la place de l'Hôtel-de-Ville prend conscience des exécutions qui s'opèrent au Louvre même, à l'hôtel de la rue de Béthisy où résident Coligny et ses amis, dans les maisons qui abritent les gentilshommes camarades ou vassaux du roi de Navarre, elle comprend que le roi accomplit son devoir, celui d'éliminer physiquement les hérétiques ; le signal attendu depuis dix ans surgit enfin, l'autorisation officielle de débarrasser la terre de France de la « pollution » protestante qui l'infecte. N'omettons pas les frustrés des confiscations ! La ruée en forme de pogrom ainsi couverte de la royale approbation se donne libre cours, meurtres atroces en forme de nettoyage et d'holocauste, violences qui ressemblent à des crimes rituels, pillages... Les témoins, même catholiques, même extrémistes dans leurs convictions, en sont horrifiés, leurs récits se recoupent et permettent d'imaginer les gestes d'une foule chauffée à blanc par le fanatisme religieux et par les rancœurs matérielles.

Au fur et à mesure qu'arrivent en province les nouvelles des « matines parisiennes », des tueries s'exercent dans d'autres villes françaises où les huguenots en forte minorité s'étaient manifestés dans la décennie précédente ; Orléans, Meaux, Bourges, Saumur, Angers, Lyon, Troyes, Rouen, Toulouse, Gaillac, Bordeaux, connaissent à leur tour meurtres, pillages et règlements de comptes. « ... La Saint-Barthélemy n'est pas une journée ; c'est une saison... », comme l'écrit Michelet.

Le nombre des morts est difficile à établir ; les chiffres avancés par les témoins et les mémorialistes s'échelonnent de 2000 à 100000 ; ils signent plus l'ampleur de l'indignation ou celle de l'enthousiasme que la réalité. Avec précaution, on pourrait avancer le chiffre de 5000 victimes pour la France, dont 2000 au moins à Paris (soit 1 % de la population de la capitale) et quelque 50 gentilshommes tués dans l'opération conduite par les dirigeants royaux.

Après l'événement, alors qu'à Paris les massacres continuent malgré les appels au calme lancés par le Louvre et l'Hôtel de ville, et les mesures prises contre les tueurs et les pilleurs, la famille régnante se rend au Parlement le mardi 26 août. Devant les magistrats, Charles IX reconnaît dans une *Déclaration* publiée quelques jours après « que ce qui est ainsi advenu a été par son exprès commandement... pour obvier et prévenir l'exécution d'une malheureuse et détestable conspiration fait par ledit amiral... et sesdits adhérents et complices... ». Le roi prend officiellement la responsabilité de la proscription, il couvre le déchaînement populaire : nécessité de rétablir l'autorité royale menacée par l'antique réflexe du peuple usant de son droit sacré à punir les hérétiques auteurs d'un désordre cosmique, affirmation dérisoire de la toute-puissance monarchique... L'obscure notion de la raison d'État surgit en cette ambiance tragique, justifiant la proscription et assumant du coup le fanatisme des massacreurs.

Ses conséquences dans le royaume.

Charles IX maintient fermement ses positions, considérant publiquement qu'à la Saint-Barthélemy la justice royale, en châtiant les huguenots comploteurs, a suivi son juste cours. Il fait emprisonner, juger et exécuter publiquement en octobre deux personnages rescapés des massacres, Arnaud de Cavaignes, conseiller au Parlement, et François de Beauvais, sire de Briquemaut ; sur son injonction, le Parlement de Paris, qui a rendu contre ces hommes sentence de mort, entreprend le procès posthume de Coligny accusé d'être le chef de la conspiration ; l'arrêt rendu — une seconde mort pour l'amiral ! — ordonne que seront rompues ses armoiries, seront brisés et foulés aux pieds ses portraits par le bourreau, seront confisqués ses biens et dégradés de la noblesse ses descendants, sera rasé son château de Châtillon-sur-Loing, et du sel y sera jeté.

Avec la même logique, le roi règle le problème des prisonniers huguenots du duc d'Albe et des protestants enfermés dans Mons. Il demande à son ambassadeur à Bruxelles d'intervenir auprès du gouverneur espagnol afin que ce dernier mette à mort ces « sujets rebelles »; Albe, bien au contraire, traite avec les assiégés, les autorise à sortir de la citadelle avec les honneurs de la guerre, les laissant libres de gagner la France. Charles IX, poursuivant sa cohérente punition contre les rebelles conspirateurs, exige alors du duc de Longueville qu'il aille les attendre en Picardie à la frontière et enfin les extermine ; « ne souffrir » écrit le roi « que de tels factieux y rentrassent [en mon royaume] mais leur courir sus... ». Ce qui est exécuté fort proprement : bien peu en réchappent.

Chez les huguenots, la nouvelle de la Saint-Barthélemy soulève la stupéfaction horrifiée et la terreur. Le refuge à l'étranger s'impose ; une fois encore ils quittent leurs villes pour gagner des pays moins sanguinaires, l'Angleterre, l'Allemagne, les Pays-Bas, et surtout la Suisse et Genève. Une migration interne les jette à travers la France, ceux du nord de la Loire et de Lyon joignant le Midi, ceux de Bordeaux le Béarn. Ces protestants n'appartiennent plus seulement aux « mécaniques » comme ils l'étaient dans une large mesure après les grandes vagues répressives de François 1er et d'Henri II, ce sont des gentilshommes, des juristes, des ministres, des écoliers, des libraires-imprimeurs... Pour d'autres vaincus par la peur, l'abjuration semble le moyen de conserver la vie ; Théodore de Bèze gémit sur le nombre incroyable de ces « défections », Villars, lieutenant général du roi en Guyenne, s'en réjouit, l'historien américain Philip Benedict les a comptées, les estimant à 3 000, chiffre probablement sous-estimé, mais déjà considérable [1]. Ces émigrations, ces conversions affaiblissent gravement les communautés protestantes, le phénomène est flagrant pour celles situées dans les régions nordiques du royaume, en Normandie, en Bourgogne, dans le Val de Loire qui ne possèdent pas la chance de s'appuyer sur un tissu conjonctif huguenot serré et profond.

Passé le moment de paralysie lorsque l'événement les a pétrifiés, les protestants du Centre-Ouest et du Midi s'organisent pour résister. De leurs multiples rencontres informelles auxquelles les puissants gentilshommes ne participent point, qu'ils aient été tués, qu'ils aient abjuré, qu'ils soient comme Navarre et son cousin Henri de Condé prisonniers de la cour et contraints à la conversion, s'élèvent les fondements d'un État séparatiste et indépendant, les Provinces-Unies du Midi. A Anduze, en février 1573, une assemblée établit la constitution de cette étrange république : « par provision et en attendant la juste volonté ou liberté du roi avec rétablissement d'un bon État, la puissance et l'autorité publique sera retenue, gardée et conservée par le pays sur les avis et délibérations des états... » La souveraineté est donc transférée du roi considéré comme félon (ou sans libre volonté) aux états généraux (assemblée représentative élue, réunion périodique de députés de chaque province ayant prêté serment à l'Union protestante). Le contrôle de la monarchie auquel les huguenots ont aspiré pendant plus de dix ans à travers leurs princes du sang et leurs Grands, et à travers trois

1. Benedict Philip, *op. cit.*, p. 130.

levées d'armes, vient de trouver ses limites sanglantes dans la Saint-Barthélemy ; désormais, les huguenots se constituent en république séparée, en corps indépendant. Aux états généraux nommés par les historiens « assemblées politiques » revient le droit de désigner un « protecteur » chargé des affaires militaires ainsi qu'un conseil permanent, sorte d'exécutif permanent. Le protecteur se désigne de lui-même ; dans un premier temps il s'incarne dans Condé, le fils du meurtri de Jarnac tôt évadé de la cour, puis, lorsqu'il s'échappe à son tour en 1576, dans Henry de Navarre.

République fédérale, avons-nous dit en parlant des Provinces-Unies du Midi, car chaque province jouit à l'intérieur de cette organisation d'une grande autonomie ; administrée par une chambre élue réunie chaque année, dont dépend un conseil permanent et un général, elle dispose de ses finances, de ses institutions judiciaires (les chambres mi-parties, parfois les présidiaux royaux, remplacent pour les huguenots en procès les parlements), de son pouvoir de décision militaire. A la base de l'édifice, les villes, villages et leur plat pays conservent le système quasi autogestionnaire que la monarchie des Valois a laissé presque intact ; les responsables municipaux administrent leur territoire, y exercent la police, rendent parfois la justice, procèdent à la répartition et à la levée des impôts dus au roi, maintenant retenus par l'Union protestante. A ces revenus s'ajoutent les impôts indirects (aides et gabelles), l'afferme des biens ecclésiastiques confisqués par l'Union, les contributions extraordinaires levées sur les églises huguenotes. Des contrôleurs et des receveurs à l'échelon fédéral, provincial et local, se chargent de cette administration financière [1].

Hors la détention de la souveraineté par l'assemblée élue des états généraux, le système entier ne représente guère de rupture fondamentale avec la réalité institutionnelle existante. Les provinces possèdent de longue date des assemblées, rouage de transmission traditionnel, chargé de répartir et lever l'impôt direct pour le compte du gouvernement central. Les communautés urbaines jouissent des « libertés » que l'on

1. Garrisson Janine, *Protestants du Midi*, *op. cit.*, 2e partie, chap. II et III, p. 177 et 224.

sait. L'assise politique que les protestants voulaient obtenir depuis le début des troubles et qu'ils n'ont pu obtenir par leur influence au Conseil royal, ils la trouvent en 1573 inscrite dans l'organisation administrative des régions contrôlées par les Provinces-Unies du Midi. Cette assiette géographique n'en demeure pas moins l'une des faiblesses de l'État huguenot ; celui-ci règne de manière fragmentaire à partir des pays et des villes à forte concentration protestante, incluant dans sa gestion les « catholiques paisibles ». Des lambeaux du Dauphiné, du Languedoc, des Cévennes, de la Guyenne, de la Saintonge, de l'Aunis, de l'Angoumois, le Béarn entrent dans son ressort, mais jamais des provinces entières. De là, la dualité administrative et fiscale de ces régions puisque les hommes et les institutions fidèles au roi Charles IX continuent d'exister ; elle surimpose une nouvelle fracture aux multiples lézardes dont est affecté l'édifice monarchique.

Autre forme de résistance à la « tyrannie », et c'est la levée d'armes dans le Midi et le Centre-Ouest. Les villes ferment leurs portes aux représentants du roi, une noblesse plus provinciale, moins prestigieuse que celle qui vient d'être éliminée, lève des bandes, s'empare en Cévennes, en Vivarais, de bourgs et de châteaux. Le lieu symbolique de cette nouvelle vague guerrière se situe pourtant à La Rochelle, emplie de réfugiés parmi lesquels une grosse foule de pasteurs, peut-être 50 ; la cité portuaire refuse le maréchal de Biron envoyé par le roi pour être son gouverneur, implore les secours d'Élisabeth Ire en lui proposant en échange la souveraineté de la Guyenne « qui de toute éternité vous appartient et vous est sujet ». La quatrième guerre débute en février 1573 lorsque l'armée royale investit la ville en révolte ; Anjou conduit le siège pendant que La Rochelle vit des heures intenses d'exaltation religieuse, de fièvre défensive, de sublimation, de privations, car la famine s'installe rapidement. Les assauts répétés d'avril ne réussissent pas à faire tomber la ville qui, épuisée et sans secours venu de la mer, aurait sans doute capitulé ; elle ne doit son salut qu'à la tension politique régnant dans le camp royal où les gentilshommes officiers murmurent contre les agissements de Charles IX et à l'arrivée du messager annonçant l'élection d'Henri d'Anjou à la couronne de Pologne. De la même manière, à l'automne 1572 et au printemps 1573, la ville de Sancerre ayant refusé un gouverneur envoyé par le souverain subit un siège rendu atroce par la famine qu'entretient rigoureusement le maréchal de La Châtre; ce dernier obtient enfin en août 1573 la reddition de la Cité, laissant aux habitants la vie sauve et le droit de célébrer leur culte. Quelques jours auparavant, le gouvernement, mesurant le danger d'une guerre trop longue, connaissant la résolution des protestants du Midi et du Centre-Ouest, leur accorde l'édit de Boulogne; la liberté de conscience est admise, celle de culte limitée à La Rochelle, Nîmes, Montauban et Sancerre et aux chapelles des seigneurs hauts justiciers qui n'auraient pas abjuré. Quelques mois après la Saint-Barthélemy, le gouvernement se trouve forcé d'admettre que les réformés existent encore; amoindris certes, aussi cet édit leur est-il moins favorable que celui de Saint-Germain, trois ans auparavant, mais encore inquiétants puisqu'on se soucie de promulguer à leur usage un traité qui — on l'espère —, par la distinction de ces villes aux dépens des autres, sèmera la zizanie dans le parti et les églises.

Le royaume démantelé.

Il n'en reste pas moins que, dans les années qui suivent la Saint-Barthélemy, la monarchie française récolte les fruits amers de ses efforts d'arbitrage des passions. Pour s'être refusée à se couler dans un parti, elle est contestée dans son principe — on connaît le contenu vengeur des écrits monarchomaques! —, elle est contestée en sa souveraineté — on a vu la naissance des Provinces-Unies du Midi! —, elle est contestée dans sa suzeraineté par les « barons » révoltés.

A ces oppositions nobiliaires conjuguées trop souvent à la guérilla huguenote, les motifs réels ou avoués ne manquent guère. Difficile de démêler les uns des autres, d'autant que les justifications écrites en forme de déclarations, manifestes, adresses et autres lettres ouvertes fleurissent, où sont exposées les bonnes et saintes « causes qui ont mu » le prince X ou le duc Z à prendre les armes. Le massacre de la Saint-Barthélemy quand une cinquantaine de gentilshommes trouvent à Paris une fin misérable suscite sans doute dans la caste nobiliaire une réaction de solidarité transcendant les clivages religieux ; Coligny, dont on connaît la fin tragique, n'est-il pas un proche parent des frères Montmorency, tous bons catholiques ? En réponse, le gouvernement se montre intransigeant. Il n'hésite pas à faire exécuter les factieux protestants (Montgomery en 1574, Montbrun en 1575), les comploteurs affidés d'Alençon (La Molle et Coconas en 1574), à faire emprisonner deux maréchaux de France suspectés de conspiration (Montmorency et Cossé en 1575) ; enfin il tient à la cour dans une étroite surveillance les princes du sang porte-drapeau de cette agitation nobiliaire, François d'Alençon, Henri de Condé et Henry de Navarre. Cette fronde se durcit des soupçons grandissants quant aux agissements ténébreux de Charles IX, puis d'Henri III et de leur mère ; une véritable psychose de meurtre règne dans cette caste d'ordinaire sûre d'elle, justifiant les extrapolations romantiques et romanesques des écrivains du XIXe siècle fort inspirés par la cour des Valois. Damville redoute d'être empoisonné par la reine Catherine, ne dit-on pas que Birague aurait conseillé de faire étrangler dans leur prison de Vincennes les deux maréchaux évoqués à l'instant ? Autour du roi Henri III, les clans s'affrontent par mignons interposés ; ceux du souverain et ceux du duc d'Alençon s'éliminent mutuellement avec une fraîcheur carnassière.

A tel point de défiance que le pamphlet *Le Discours merveilleux*... ruisselle des poisons que Catherine n'a probablement jamais utilisés, exprimant le ressentiment et la crainte des nobles protestants et catholiques. Cette violente diatribe s'accorde au niveau des idées avec les communiqués lancés à l'opinion publique par les Grands. Tous ces écrits déplorent d'une même plume affligée le manque d'égards de la royauté envers sa noblesse, alors que celle-ci ne vit que pour servir le roi et défendre le bien public ! Aussi peut-on lire les revendications de ce groupe frustré. Clairement énoncés les buts de ces révoltés stipulent le départ des « étrangers » du Conseil royal ; en ces années ces « étrangers » ne sont plus les Guise sur lesquels se concentrait la vindicte nobiliaire (en majorité protestante, il est vrai !) des années soixante, mais les Italiens, amis de Catherine, le chancelier Birague, le duc de Nevers, le baron de Retz. On les accuse des horreurs de la Saint-Barthélemy, de la ruine financière, de la « dissipation » du royaume. On réclame encore la liberté de conscience et de culte, tant ces Grands, non sans lucidité, constatent l'échec de la politique d'unité religieuse ; d'ailleurs, les huguenots ne sont-ils pas les associés des catholiques dans ces révoltes ouvertes ? Damville, l'un des plus entreprenants de ces gentilshommes, pour ambitieux qu'il soit, appartient sans conteste au courant des Politiques, comme ses frères Montmorency, Thoré et Méru ; ce n'est pas le cas d'autres gentilshommes qui expriment leur malaise en rejoignant un peu plus tard la Ligue des Guise. Autre antienne reprise dans nombre de ces manifestes, la réunion des états généraux ; en ces temps de crise, le mythe de la représentation par ordres du royaume surgit une fois encore comme remède universel à tous les maux. Faut-il dire que dans cette assemblée la noblesse, au regard de sa faible importance numérique, se taille la part du lion, utilisant les états pour exposer ses propres revendications afin d'impressionner le souverain.

Plus feutrés, du moins peu claironnés par écrit, les appétits féodaux se réveillent à l'occasion de circonstances fortuites dans l'histoire du règne de Charles IX et d'Henri III. Le premier, malgré son jeune âge, rongé par la tuberculose, décline aux yeux et au su de tous, la cour n'est-elle pas aussi un miroir des misères royales ? Il finit par s'éteindre le 30 mai 1574. Henri d'Anjou, son éventuel puis effectif successeur, quitte la France à l'automne 1573 pour rejoindre son royaume de Pologne, il n'en revient qu'un an plus tard en septembre, l'intérim du pouvoir étant assuré par Catherine de Médicis. En cette conjoncture, François d'Alençon dispose d'une excellente position de prince du sang, il focalise donc sur sa piètre personne les espoirs en forme de revendications de la haute noblesse protestante et catholique, proposant la solution de rechange d'une politique de tolérance et d'ouverture aristocratique ; l'intervention française aux Pays-Bas contre Philippe II apparaît à nouveau, point important de ces programmes.

Écrire l'histoire de cette décennie représente une réelle gageure tant les alliances se révèlent complexes, tant les chefs,

François d'Alençon en pousse le modèle jusqu'à la caricature, s'engagent ou se désengagent au gré de leurs intérêts immédiats ou de leurs contraintes ponctuelles. Cette dernière remarque joue à un degré moindre pour les barons huguenots qui imperturbablement perdurent dans leur volonté d'élargir l'assise géographique des Provinces-Unies du Midi et du Centre-Ouest. Nécessité donc pour plus de clarté de choisir dans cette matière confuse des axes et de tenter d'y accrocher une analyse que l'on souhaite cohérente.

La cinquième guerre de Religion (1574-1576) oppose à la royauté les Malcontents catholiques et les huguenots. Les personnages impliqués dans la levée d'armes sont François d'Alençon, le protestant La Noue, le « politique » Henri Damville de Montmorency et ses autres frères, ainsi que le prince du sang Henri de Condé, évadé de la cour en 1573. Les opérations se déroulent en Poitou, en Aunis et en Saintonge, sous le haut commandement de François de La Noue ; profitant de la nuit du Mardi gras, des soldats déguisés en « masques », surprennent sur un mode carnavalesque maintes villes où les « ventres pleins » papistes se livrent aux « desbauches accoutumées ». Dans le même temps, Montgomery débarque en Cotentin et prend pied en Normandie. En Languedoc, Damville, qui a fait alliance avec les protestants, se saisit de Montpellier, s'entend avec Nîmes, s'empare de quelques places fortes fidèles à la royauté. Voulant conforter ses positions, il réunit en novembre et décembre 1574 les états provinciaux du Languedoc alors qu'Henri III pour l'heure en Avignon convoque avec d'autres députés une semblable assemblée aux fins d'obtenir quelques subsides. Damville, il est vrai, s'estime avoir les mains libres dans sa vice-royauté de Languedoc puisque Catherine, la régente, lui a enlevé en juin son gouvernement pour le confier à son oncle, le marquis de Villars. En Dauphiné, Montbrun et son compagnon Lesdiguières saisissent Die, Gap, Embrun, assurant la liaison avec la Provence où des bandes de catholiques modérés et de protestants affrontent le lieutenant général du roi, le comte de Carcès. En Guyenne, et en Haut-Languedoc, Turenne vient prendre en 1575 et pour quelques mois le commandement de troupes bigarrées religieusement avant de les confier à Navarre. Enfin, dans l'est du royaume pénètrent en rangs serrés les reîtres, les lansquenets levés par Condé en Allemagne et conduits par Jean Casimir, le fils de l'Électeur Palatin.

Un royaume livré aux quatre vents de la révolte féodale, l'équipe dirigeante ne peut que parer au plus pressé. Le complot de cour conduit par Alençon est éventé en mai 1574, quelques conspirateurs arrêtés, dont les maréchaux Montmorency et Cossé, d'autres exécutés ; le projet des conspirateurs visait à rejoindre à Sedan, ville libre, le duc de Bouillon et à se ranger aux côtés des Orange-Nassau. Sur le plan militaire, l'armée royale contient celle de La Noue dans l'Ouest, le duc de Guise arrête à Dormans en octobre 1575 une première vague de mercenaires germaniques mais ne peut les contenir puisque en décembre ils campent à Pontoise. Henri III venu en Avignon à la fin de l'année 1574 se trouve incapable de lutter contre les bandes rivales ; il regagne Reims où il est sacré en février 1575, puis Paris. Il faut donc résoudre par la négociation ces nœuds de vipères que les armes ne sont pas en mesure de mettre à plat. Celle-ci s'engage à deux niveaux. Avec le duc d'Alençon auquel Catherine et Henri III accordent en apanage l'Anjou, la Touraine et le Berry, plus la ville de La Charité-sur-Loire, l'un des passages clés entre le nord et le sud du royaume. Avec les fédérés catholiques et protestants, les transactions sont de plus longue haleine ; Henri III a reçu à Paris en avril 1575 les députés porteurs des exigences formulées par les assemblées politiques, par Condé et par Damville. Un accord est signé à Beaulieu près de Loches en mai 1576 [1]. Très favorable aux huguenots, plus favorable même que celui de Saint-Germain est cet édit de pacification. La liberté de conscience et la liberté de culte leur sont accordées, sinon que celle de culte n'est pas admise à Paris non plus que dans les lieux où la cour se trouve résider. Des chambres mi-parties, outre celles déjà installées dans les zones contrôlées par les Provinces-Unies du Midi, sont installées à Poitiers, à Montpellier, à Grenoble, à Bordeaux et (mais la mesure demeure sur le papier) auprès des tribunaux de parlement. Des places de sûreté au nombre de 8 parmi lesquelles Aigues-Mortes, Beaucaire, Périgueux, Mas-Grenier, Serre en Dauphiné et Seine-La-Grand-Tour en

1. Isambert..., *op. cit.*, p. 291.

Provence. Les victimes de la Saint-Barthélemy sont réhabilitées, et la plus célèbre d'entre elles, le « feu sieur de Châtillon », est restituée en ses « honneurs et biens » ; les enfants et les veuves des massacrés appartenant à la noblesse exemptés des impositions de ban et d'arrière-ban ; ceux appartenant à la roture, libres pour six ans de la taille. Les gentilshommes exécutés pour cause de protestantisme, Montgomery, Montbrun, Cavaignes et Briquemaut voient, à leur tour, leurs noms lavés du déshonneur, les processions célébrant la mort du prince Louis de Condé à Jarnac et celle des meurtris de la Saint-Barthélemy se voient interdites. Les Grands protestants conservés en vie se voient confortés en leurs privilèges, Condé et Damville gardent leurs charges de gouverneurs ; Henry de Navarre, qui après maintes tentatives malheureuses réussit enfin à fuir sa geôle dorée de la cour, reçoit le gouvernement de Guyenne selon la tradition qui confère aux rois de Navarre cette puissante charge. Il ne leur suffit point de réintégrer leurs hautes fonctions dans l'État, encore faut-il qu'on les dédommage pour avoir exercé leur « devoir de révolte ». Alençon est crédité de 300 000 livres de revenu annuel, Navarre tout fugitif qu'il soit est remboursé d'arriérés divers et de dettes contractées par sa mère, soit presque 600 000 livres [1]. Jean Casimir pour ses bons offices en pourvoiement de chair à canon reçoit une pension de 400 000 livres par an, plus une fortune de 6 millions de livres pour paiement de quatre mois des soldes mercenaires, règlement d'anciennes dettes et indemnités de guerre. Considérant que l'argent tarde à venir, il prend en otage le surintendant des finances Bellièvre, l'emmène prisonnier à Heidelberg, laisse les reîtres mettre à mal les campagnes champenoises et bourguignonnes. Parachevant son onéreuse réconciliation avec la haute noblesse, Henri III annonce dans un article de l'édit de Beaulieu la prochaine convocation des états généraux.

Dans les années qui suivent, la royauté, sans souffrir la situation extrême de 1574 à 1576, connaît comme un rétré-

1. Miquel Pierre, *op. cit.*, p. 315-316.

cissement de son aire d'influence. Dans le Nord, en Picardie, son autorité est contestée par la montée d'une opposition ligueuse, Péronne, on le sait, refuse d'accepter le gouverneur Condé. En Champagne et en Bourgogne, l'influence des Guise s'étend, assise sur une vaste clientèle nobiliaire, sur un réseau de seigneuries et de domaines qui leur assure des fidèles, sur les convictions fermement catholiques des populations. En Languedoc, alors que Damville reprend ses distances avec les huguenots de l'Union, des seigneurs de la guerre des deux religions s'ébattent, prenant là un village, ici une maison forte, fondant comme des vautours sur les marchés et les foires, prenant les voyageurs à rançon, semant l'insécurité dans la grande province depuis les portes de Carcassonne jusqu'aux confins du Vivarais. Le Dauphiné, qui entre dans la confédération des Provinces-Unies du Midi, échappe pour les villes et villages contrôlés à l'autorité administrative et judiciaire du roi. La Provence, à feu et à sang, est striée par les allées et venues de bandes armées aux étendards variés. Les unes déambulent pour le compte du nouveau gouverneur royal de Suze, les autres composées des « razés » agissent au nom des protestants et des catholiques modérés ; d'autres, enfin, les carcistes ultracatholiques, combattent pour le comte de Carcès.

Dans le Sud-Ouest, Henry de Navarre, entouré d'un Conseil mi-parti, marie habilement ses fonctions de gouverneur d'Henri III et de Protecteur des églises réformées. A peine évadé, il s'est converti à nouveau au calvinisme, jugeant avec intelligence qu'il valait mieux être le premier dans le parti que le deuxième ou le troisième à la cour où rôdent, pense-t-il, des assassins qui lui sont destinés. La dualité de ces charges ne le trouble guère et, bien qu'il demeure jusqu'en 1588 enkysté dans sa province de Guyenne, presque une vice-royauté, il ne manque pas d'interpeller l'opinion nationale et internationale en tant que prince du sang, porteur d'un éventuel devenir monarchique. S'il refuse comme son cousin Condé de se rendre aux états généraux où le roi les convoque en 1576, il fait rédiger une superbe lettre à « Messieurs les gens tenant les états à Blois » où déjà il fait miroiter une possible reconversion au catholicisme, car « après la personne du roi mon seigneur et Monsieur son frère, j'ai plus grand intérêt à la conservation et restauration de ce royaume que personne de ce monde[1] ». Ce qui n'empêche guère le roi de Navarre de déclencher la guerre pour des raisons complexes où se mêlent volonté de satisfaire les protestants irrités de la mauvaise application du dernier édit et désir de démontrer sa force face au gouvernement ainsi qu'à la Ligue des Guise. Les sixièmes et septièmes troubles en 1576-1577, puis en 1579 et 1580, suite d'opérations confuses conduites par Condé et le Béarnais très temporisateur, car il ne veut humilier son « seigneur » Henri III, se closent par l'édit de Poitiers et celui de Fleix. Le premier conclu en 1577 se situe en retrait de celui de Beaulieu, limitant le droit de culte mais laissant aux huguenots les 8 places de sûreté, les chambres mi-parties ; le second en 1580 conforte le système des places de sûreté, en augmentant leur nombre juqu'à 15 pour une durée limitée à six ans.

Le royaume s'épuise de ces incessantes prises d'armes et des ravages qu'elles occasionnent. Les reîtres en Champagne et en Bourgogne, le banditisme endémique en Languedoc contre lequel ni Damville pour le roi, ni Navarre et Châtillon pour l'Union protestante ne peuvent lutter ; en 1579, la prise de La Fère par Condé produit le saccage de ce pays « à dix lieues à la ronde[2] » ; en 1580 la capture de Cahors par le roi de Navarre s'opère dans un bain de sang. Les paysans du Dauphiné, la population de Romans, accablés de taxes, las de la guérilla incessante, se soulèvent en 1579 et 1580 sans motif religieux pour protester de leur existence ; les états provinciaux de Normandie, Bourgogne et Bretagne protestent, eux, contre l'augmentation des impôts. Même les huguenots si combatifs à l'ordinaire n'ont « pas bougé de leur maison » durant les septièmes troubles. Si une relative paix s'établit pour environ cinq ans, la France, exsangue de ces vingt années de guerres civiles, n'en demeure pas moins écartelée entre une multiplicité de pouvoirs parallèles.

Lorsque l'État essaie de surnager...

Catherine de Médicis, Charles IX et Henri III ne cessent pour autant de gouverner, dans la mesure de leur autorité

1. Garrisson Janine, *Henry IV*, Paris, Éd. du Seuil, 1984, p. 121.
2. L'Estoile Pierre de, *Journal...*, *op. cit.*, p. 245.

effective, le royaume. Malgré les apparences qui contribuèrent à son formidable discrédit, Henri III, nous le savons, prend tout à fait au sérieux son métier de roi. C'est un monarque législateur presque autant que l'ont été son père Henri II et son grand-père François 1er, mais, comme les lois promulguées par ces derniers, celles d'Henri III sont bien souvent demeurées lettres mortes. A ce titre, la gigantesque ordonnance de Blois (363 articles), publiée en 1579 après la consultation des états généraux, reste exemplaire tant par la variété des matières traitées que par l'inapplication des mesures adoptées. Cette activité législative, si elle peut apparaître souvent dérisoire — par exemple les nombreux édits somptuaires ou encore la réglementation minutieuse et répétitive concernant l'ordre du Saint-Esprit —, signifie une volonté de gouverner, d'imposer une règle étatique. Elle se déploie selon trois axes principaux, l'un proprement politique, le deuxième financier et le troisième de gestion de la crise sociale et économique.

En ce qui concerne le premier domaine, Henri III, roi sédentaire — il séjourne volontiers à Paris malgré l'hostilité non déguisée de cette ville à son égard, marquée surtout après 1584 —, abandonne en partie à sa mère le soin de régler sur place dans les lointaines provinces les problèmes épineux de rébellions collectives ou individuelles. Rentrant de Pologne en 1574, le dernier Valois réorganise à Lyon le Conseil de son défunt frère; il le réduit considérablement en nombre puisqu'une dizaine de conseillers seulement en font partie. Les Guise, le duc Henri et son frère le cardinal Louis de Guise, ne siègent pas; en revanche, des hommes rompus aux affaires d'État, liés à Catherine de Médicis, plutôt favorables à la tolérance religieuse, y figurent, l'évêque Jean de Monluc, Dufaur de Pibrac, Hurault de Cheverny, Paul de Foix, Bellièvre, Morvilliers et le brillant Villeroy. Ils portent désormais le titre de conseillers d'État qui les distingue des conseillers du roi, appellation très largement répandue puisqu'elle qualifie tous les magistrats des cours souveraines. Ce Conseil d'État ou privé s'occupe de manière indifférenciée des problèmes de gouvernement, mais, sous la conduite de Bellièvre, adorné de la dénomination de surintendant des finances, se détache, semble-t-il, une section spécialisée en ce domaine[1]. Cependant, les affaires importantes se débattent en un comité plus restreint encore où figurent le roi, Catherine de Médicis et le garde des sceaux/chancelier, d'abord René de Birague, puis dès 1578 Philippe Hurault de Cheverny. Alors que le pouvoir de décision se concentre dans un mince noyau, la cour s'élargit, se ritualise, où la royauté procède à sa propre représentation. La noblesse, on le sait, participe à cet organisme curial, dotée plus ou moins largement d'offices de la Maison du roi, de la reine, de Monsieur frère du roi, de la reine mère, etc. Tenir un Grand à la cour représente pour l'équipe royale un gage de sécurité en ces temps de troubles nobiliaires ; Henri III, que la noblesse déserte, s'efforce tout au long de son règne de se constituer une clientèle dévouée de gentilshommes fidèles auxquels il confie les charges de sa Maison et le commandement militaire. Tel est le rôle de contrepoids qu'il veut faire assurer à ses mignons et dont s'irritent les clans traditionnels ; tel est le but recherché par la création de l'ordre du Saint-Esprit, élevant une nouvelle noblesse pour mieux se défendre de l'ancienne. D'une manière paradoxale, Henri III gouverne en souverain autoritaire, jaloux de son pouvoir au point de ne le partager qu'avec très peu d'intimes, mais dans le même temps il joue à fond le rôle d'un suzerain, premier d'entre les nobles dont il cherche à renouveler les rangs, voire à les élargir. En 1576, la vente de 1 000 lettres de noblesse, l'octroi de cette qualité aux magistrats municipaux de Paris et, à un niveau supérieur, la création de 11 duchés-pairies, signifient la volonté royale de contrebalancer, peut-être bien de noyer l'autorité politique des lignages anciens, en particulier celui des Guise. Une part importante de l'activité législative du souverain, soit environ 8 % des actes royaux, concerne, à quelque titre que ce soit, la noblesse, preuve de l'attention portée par le roi et son Conseil à ce groupe social.

Les problèmes financiers assaillent les gouvernants tant la France vit au-dessus de ses moyens. La dette du Trésor, énorme dès 1560, due à l'impayé des guerres menées par Henri II se gonfle des dépenses provoquées par l'équipement et la solde des troupes à l'intérieur du royaume ; les sommes

1. Mariejol Jean, *op. cit.*, p. 221.

versées ou promises aux Malcontents par le traité de Beaulieu, celles exigées par Jean Casimir excèdent les capacités des finances royales. Henri III recourt en 1576 aux états généraux demandés, on le sait, par les barons en leurs manifestes ainsi que par maintes libelles de l'époque. Les députés refusent de consentir une augmentation des impôts directs, mais n'en demandent pas moins le retour à l'unité religieuse ; le meilleur moyen — et le moins onéreux — d'obtenir la conversion des protestants serait, disent-ils, de les ramener par « les plus douces et saintes voies » sans guerre et sans violence, et donc sans sacrifice supplémentaire exigé des sujets du royaume. Une assemblée de notables réunie en 1583 à Saint-Germain discute des moyens d'enrichir le royaume et donc de faire rendre plus aux impôts, surtout aux taxes sur la consommation (les aides) dont les rentrées ne cessent de baisser, preuve évidente de la pauvreté dans laquelle stagne la France. Les beaux Messieurs tant princes du sang, dignitaires de la Couronne et gens de la haute fonction publique, conseillent au roi de traiter son domaine (aliéné jusqu'à l'extrême) en bon ménager, le rachetant, et d'affermer à un bon prix les parties possédées encore par la Couronne. Ils lui suggèrent encore de revoir à la hausse les baux de la ferme des impôts indirects passés avec les traitants, mais dans le même temps lui proposent des dégrèvements fiscaux propres à stimuler l'industrie pourvoyeuse en or et en devises mais de limiter l'entrée des produits étrangers, tels les draps anglais.

Aussi bien le problème financier demeure-t-il intact. Une fois encore le gouvernement se retourne vers l'Église, ce qui provoque entre la royauté et le clergé ces rencontres agressives de 1579 et 1580 à Melun et à Paris aux termes desquelles l'ordre ecclésiastique contribue régulièrement à la dépense nationale. Il est vrai, le temporel du clergé, qui est le plus grand propriétaire foncier du royaume, ne cesse d'exciter les convoitises ; plusieurs traités se publient — deux paraissent en 1581 — dans lesquels est montré combien opportunément la saisie des biens ecclésiastiques et leur vente calmeraient la détresse financière de l'État.

Le recours aux moyens traditionnels s'impose. L'augmentation de la taille devient vertigineuse, elle se fait en passant outre aux protestations des états provinciaux ; en 1576 cet impôt direct devrait rapporter au Trésor autour de 7 millions de livres ; en 1588, le gouvernement en attend 18 millions. Même en tenant compte de l'inflation, la hausse est spectaculaire[1] ! Il en est de même pour la gabelle : cette taxe indirecte sur le sel bondit dans le même temps d'un revenu attendu de 1 million à 3,4 millions. Reste à connaître exactement ce que les caisses royales engrangent de ces impositions ; on connaît les désórdres politiques des années 1572-1580 et l'usurpation par des roitelets provinciaux des revenus de la Couronne. Les rentrées, de toute manière, se montrent insuffisantes puisque la dette monarchique grimpe à des sommets vertigineux, plus de 133 millions en 1588 !

Demeurent les moyens de renflouer le Trésor que les historiens qualifient du vocable réprobateur d'« expédients ». Le décri des monnaies s'opère par l'édit de Poitiers du 15 juin 1577 ; l'écu d'or au soleil est fixé à 3 livres 10 sous tandis que disparaissent les petites monnaies, douzains, blancs et autres menues pièces, provoquant une hausse des prix et l'appauvrissement du petit peuple qui ne dispose guère de monnaies d'or pour régler ses achats. Le roi, réévaluant ainsi le métal fin à la hausse, s'acquittera plus aisément de ses dettes. La vente des offices s'accélère, bien que l'ordonnance de Blois en 1579 interdise une fois encore la vénalité des charges publiques, mais la monarchie n'en est plus à une contradiction près ; en 1577, 1578, 1580, 1581, 1586 sont mis sur le marché une foule d'offices qui rapportent au Trésor de l'argent frais compensé par les gages que l'on devra par la suite verser au titulaire[2]. Plus de 7 % de l'activité législative d'Henri III concerne la création de charges nouvelles. Le roi fait flèche de tout bois pour renflouer les caisses, il vend aux artisans des lettres de maîtrise sans que le postulant ait accompli le *cursus* exigé par la tradition. Il emprunte aux particuliers (aux banquiers italiens), aux villes ; il rafle les rentes de l'Hôtel de Ville à Paris. En cette dernière ville, les razzias royales, comme nous le verrons, sont fréquentes

1. Chaunu Pierre et Gascon Richard, *op. cit.*, p. 175.
2. Gassot Jules, *Sommaire Mémorial (souvenirs) (1555-1625)*, Paris, Champion, 1934, p. 144.

et considérables, d'où l'hostilité croissante des Parisiens contre le dernier Valois. Surtout Henri III met-il l'État plus profondément encore dans la main des traitants et des partisans. Ces gens aisés qui, individuellement ou en groupe (parti), avancent à la monarchie les sommes qu'elle attend des impôts indirects (aides, gabelles et douanes intérieures) deviennent des rouages nécessaires du fonctionnement de la royauté, exigeant en échange de leurs prêts des charges, des offices, des évêchés. Tous ne sont pas cependant des parvenus ou des Italiens, puisque la très haute noblesse ne recule pas à engager des sommes considérables au titre de la ferme des aides ou des gabelles. S'élabore ainsi tout un réseau financier à l'intérieur duquel se côtoient riches roturiers et gentilshommes prestigieux investissant dans l'État royal autant qu'ils en profitent. On imagine assez bien que ces prêteurs, le chancelier Cheverny, le surintendant des finances d'O qui succède à Bellièvre, et même le mignon Joyeuse ne sont pas prêts à voir sombrer une monarchie aussi juteuse pour eux [1] ; aussi les verra-t-on se rallier en temps opportun au prétendant légitime, Henry IV, sans courir les aventures de la ligue extrémiste.

Au-delà de ces efforts désespérés pour fournir à la royauté les ressources dont elle a besoin, Henri III tente d'apporter quelques remèdes à la crise économique qui appauvrit le royaume. Il légifère pour les excès commis par les gens de guerre et les punitions à leur infliger. De nombreux règlements concernent les métiers, l'obligation à s'instituer en corporations, de respecter les règles de fabrication. Mais cette vigilance ne tient-elle pas plus à la nécessité de surveillance d'une population ouvrière prompte à l'agitation qu'au souci de relancer une production dont on sait combien elle souffre de la conjoncture politique et économique ? En plusieurs occasions, le Conseil d'Henri III s'efforce d'aider le commerce, accordant des privilèges aux foires de Lyon, aux marchands allemands trafiquant en France, autorisant l'exportation des laines hors du royaume. En 1575, on instaure l'unité des poids et mesures dans le pays, déjà envisagée par François 1er, réglementation dont on connaît la vanité !

1. Mariejol Jean, *op. cit.*, p. 236.

Quelques arrêts laissent à penser de la situation misérable des sujets puisqu'ils concernent la création d'hôpitaux à Paris, la surveillance par les officiers royaux de leur gestion. En mai 1586 est renouvelée l'injonction déjà contenue dans la grande ordonnance de Moulins promulguée sous Charles IX, celle qui oblige chaque ville à nourrir ses pauvres pour qu'ainsi soit limité le vagabondage.

A bien regarder cette production de lois, édits, ordonnances et règlements, on ne peut qu'être frappé de leur caractère conservatoire ; la monarchie d'Henri III, du moins dans le domaine législatif, n'innove pas, comme l'a fait en son temps celle de François 1er et d'Henri II — elle tente de survivre en se préservant. Trouver de l'argent, satisfaire la noblesse pour mieux s'en garer, limiter les désordres sociaux, voilà les points principaux sur lesquels porte, au-delà des problèmes immédiats, l'activité gouvernementale entre 1574 et 1589.

3. La guerre des trois Henri
Guerre et paix sous Henry IV : 1584-1598

Le 10 juin 1584, à la mort de François d'Alençon, puisque le roi régnant est encore sans descendant, l'héritier présomptif de la Couronne selon la loi salique se trouve être Henry de Navarre. Pressentant le traumatisme des catholiques intransigeants à cette éventualité, le dernier Valois incite une fois encore le Béarnais à se réconcilier avec l'Église romaine. Ce dernier n'ignorant pas de quel effet serait cette conversion trop opportune, ne voulant affaiblir les forces protestantes qui le soutiennent, oppose une fin de non-recevoir.

Le réveil de la Ligue.

Le traité de Joinville de décembre 1584 marque, on s'en souvient, l'alliance des Guise et des barons ligueurs avec le roi d'Espagne. Trois thèmes sont avancés pour justifier la formation de cette ligue nobiliaire, la « défense et conservation de la religion catholique », l'extirpation de l'hérésie, la reconnaissance du vieux cardinal de Bourbon comme futur roi de France pour le cas où Henri III mourrait sans enfant mâle.

Le danger pour l'État vient encore de la constitution à Paris dès les premiers jours de janvier 1585 d'une ligue populaire, qui s'organise en société secrète prête à s'emparer du pouvoir, au moins dans le cadre communal parisien. L'appellation des Seize donnée aux hommes de ce comité fait référence aux 16 quartiers de Paris et demeure au long des troubles ligueurs le symbole du noyau initial dur, quels que soient les individus auxquels s'applique la dénomination [1].

Cette ligue trouve facilement des adhérents et des sympathisants. L'éventualité d'un roi hérétique semble à de très nombreux catholiques des villes, soigneusement informés par les prêcheurs, un sacrilège majeur qu'il faut repousser au prix même d'une nouvelle guerre civile. L'attitude du dernier Valois, qui n'oppose aucune dénégation publique à cette possibilité, provoque chez les catholiques intransigeants le scandale mystique; l'opinion s'en déploie avec d'autant plus d'aisance que le souverain est depuis plusieurs années aux yeux de la majorité des Français tout à fait discrédité. Sa recherche frénétique de l'argent par l'augmentation des impôts, par la multiplication des offices de justice et de finances, contribue à dilapider le capital de sympathie dont il jouissait dans les premiers mois de son règne. Les faveurs, charges et pensions accordées aux mignons, d'Épernon et Joyeuse, soigneusement distillées par les pamphlétaires acquis à la Ligue ou payés par les Guise, hérissent les sujets plus accoutumés à voir comblés d'honneur les titulaires des anciens lignages. Le comportement personnel d'Henri III qui affiche une religiosité très expressionniste, n'hésitant pas à se produire dans les processions de flagellants, en irrite beaucoup qui ne font pas bien le partage entre dévotion privée et conduite politique de l'État; ils voudraient que le souverain agisse dans le gouvernement avec les mêmes convictions catholiques dont il fait montre en particulier. A Paris, le divorce est majeur; Henri III, il est vrai, pressure depuis 1575 sa capitale par des exigences financières sans cesse renouvelées — en 1575, par un emprunt forcé, de 1582 à 1587, par des impôts annuels extraordinaires, il puise sans vergogne dans la caisse des rentes de l'Hôtel de ville. La création d'offices nouveaux mécontente les officiers des cours souveraines puisque leur patrimoine s'en trouve dévalorisé. Les procureurs au Parlement et au Châtelet se voient contraints de payer une taxe qui les confirme dans leur situation; pris de

1. Sur la Ligue, voir Lebigre Arlette, *La Révolution des curés. Paris, 1588-1594*, Paris, Albin Michel, 1980; Barnavi Élie, *Le Parti de Dieu...*, Louvain, Nauwelaerts, 1980, et Barnavi Élie et Descimon Robert, *La Sainte Ligue. Le Juge et la Potence*, Paris, Hachette, 1985.

rage ils font en juin 1586 une grève des procès, le cours ordinaire de la justice s'en trouve bloqué à Paris comme en province, à tel point qu'Henri III révoque en juillet « l'édit des procureurs ». Les Parisiens sont à même de percevoir les extravagances du roi et de la cour, les dépenses inutiles, les fêtes onéreuses, le *Journal* de L'Estoile note avec minutie ces points de la représentation monarchique, autant de motifs d'irritation pour les habitants de la capitale en désaffection de leur souverain.

Sous l'impulsion des Guise auxquels la ligue de Paris apporte son aide, la huitième guerre reprend. Les provinces et les villes se séparent du roi, la Picardie, la Normandie, la Bretagne, Orléans, Dijon, Lyon... Le royaume s'en va en miettes, tout le Nord et le Centre, la majorité des grandes villes se déclarent pour la Ligue. Guise fait procéder en Allemagne et en Suisse à la levée de mercenaires qui passent dans le royaume en avril 1585 ; à Paris les Seize encore cantonnés dans le secret achètent des armes, pour en équiper les conjurés. En mars 1585, le manifeste de Péronne explique les raisons de cette levée militaire, expose les revendications politiques et religieuses de la ligue nobiliaire comme de la ligue parisienne.

Le roi et sa mère pris de court, peu assurés en leur capitale que pourtant Henri III tente de contrôler en écartant les éléments douteux de la milice bourgeoise, tentent de parer au plus pressé. Catherine court à nouveau les chemins, rencontrant Guise à Épernay ; son fils s'entoure d'une garde prétorienne de 45 Gascons dévoués jusqu'à la mort ; démunis d'armée, puisque ses cadres figurent en bon nombre chez les ligueurs ou chez les protestants, tous deux choisissent pour sauver l'État, pour ne pas être submergés, de pactiser avec l'adversaire le plus immédiatement dangereux, c'est-à-dire la Ligue. Le traité de Nemours en juillet 1585 signifie le triomphe momentané de Guise et de ses adhérents en constituant la royauté comme partie prenante du mouvement ligueur. Terrible traité de Nemours quand le roi promet de payer les reîtres des rebelles, comble de faveurs, de pensions, les princes lorrains qui entrent en possession de véritables places de sûreté ; le duc Henri obtient Verdun, Toul, Saint-Dizier, formidables points stratégiques. Aumale reçoit Rue ; Mayenne, le château de Dijon ; Mercœur, Le Conquet et Dinan. Les clauses religieuses draconiennes rangent pour l'heure présente la royauté dans le camp des ultraroyalistes ; le culte protestant est interdit, les ministres mis hors la loi sont contraints de quitter le royaume ; aux fidèles de la base le choix est laissé, pendant six mois, de partir en exil ou de se convertir. Les villes de sûreté doivent être restituées, les charges de la fonction publique occupées par les huguenots abandonnées. Le roi de Navarre se voit déchu de ses droits à la succession de France. En septembre, le pape Sixte Quint lance contre les princes Bourbons une « bulle privatoire » qui les excommunie et, ce faisant, leur interdit le trône ; dans les milieux « politiques » de la robe parisienne auxquels appartient Pierre de L'Estoile, grande est l'indignation gallicane qui provoque des remontrances au roi « d'autant », explique la cour à Henri III, « qu'elle ne trouvait point... que les princes de France eussent jamais été sujets à la justice du Pape... »

La bataille de Coutras.

Du côté protestant, Navarre et Condé sont conscients de l'enjeu du combat ; ils savent que, dominant provisoirement la personne et la décision royales, les Guise s'apprêtent à lancer toutes leurs forces idéologiques, militaires, médiatiques, dans la bataille. Aussi les deux cousins Bourbons cherchent-ils fébrilement de l'argent, des mercenaires, des munitions et des armes à l'étranger. Élisabeth Ire, moins circonspecte qu'à l'ordinaire, car elle imagine assez bien que la victoire ligueuse serait aussi la victoire de Philippe II, prête 300 000 livres et promet du matériel ; les princes allemands, le roi de Danemark, acceptent d'aider le parti protestant. Les églises sont pressurées, Montauban devient un véritable arsenal, La Rochelle transformée en QG où s'installe Navarre s'affirme comme centre des futures opérations [1].

La guerre commence en Poitou où le maréchal de Biron reprend, dès 1586, quelques villes ; une armée conduite par Mayenne opère en Guyenne, et Anne de Joyeuse descend par l'est du Massif central ; quelques mois plus tard, en 1587,

1. Garrisson Janine, *Henry IV*, *op. cit.*, p. 131.

Guise est envoyé vers l'Est attendre la soldatesque germanique demandée par les huguenots. Opérations confuses, car Catherine et Henri III espèrent encore en la conversion de Navarre et donc en un apaisement de la Ligue dont pour l'instant ils embrassent pourtant les objectifs. Une dernière fois, la reine mère tente un compromis, elle descend jusque dans le Centre-Ouest pour rencontrer son gendre, le pousser à l'abjuration et établir la paix des peuples. Comme Guise s'est moqué d'elle en 1585 à Épernay, Navarre à son tour s'en joue, lui proposant des rendez-vous où il ne vient pas, ou lui envoyant Turenne à sa place. La bataille décisive se déroulera donc ici dans les lieux où le pouvoir féodal et religieux d'Henry de Navarre est solidement assis, et dont il connaît parfaitement la géographie. Elle se déroule à Coutras le 20 octobre 1587. L'armée royale commandée par Joyeuse est taillée en pièces. Navarre, on le sait, se conduit, après sa victoire, en vrai gentilhomme ; il feint d'avoir combattu non l'armée du roi, mais les ligueurs ennemis de la monarchie et des protestants. En ces temps inquiets, où même les plus solides en leur conviction cherchent des signes approbateurs du Ciel, le triomphe du Béarnais semble un acquiescement divin qui, dans la mesure où le souverain Valois n'est pas en cause, jette sa faveur sur les politiques catholiques et protestants partisans de la tolérance. Habile, la propagande bourbonienne en fait, on le sait, la victoire des bons Français. Les ligueurs, en revanche, voient la chose d'un autre œil, considérant que Dieu vient de punir en le défaisant par les armes le roi Henri III, d'autant que leur leader Henri de Guise bat en octobre et novembre à deux reprises les reîtres venus par la Champagne au secours des protestants, succès brillants qu'efface pourtant devant la postérité le grand succès de Coutras. L'impopularité d'Henri III va croissant dans le royaume sur un fond de crise de subsistances, de crues fiscales, de flambée de prix des grains. Une méfiance irréversible conduit les sujets à douter des aptitudes du Valois à mener le pays ; nul ne pénètre cette politique sinueuse faite d'aller et retour dont on vient d'avoir récemment encore la preuve. Le souverain, au lieu d'écraser les mercenaires déjà mis à mal par le duc de Guise, conclut un traité avec les Suisses qui retournent paisiblement dans leurs cantons ; de même, il fait mollement poursuivre les Allemands par le duc d'Épernon, leur accordant ensuite une capitulation honorable. On crie bien fort dans les chaires parisiennes contre cette faveur accordée à des gens qui avaient brûlé et saccagé le pays jusqu'aux abords de la capitale.

L'organisation de la ligue populaire produit sur ce terreau d'exaspération des fruits superbes ; le nombre des adhérents augmente, elle compte peut-être jusqu'à 30000 Parisiens avant la prise de pouvoir [1]. Un système paramilitaire (qui n'est pas sans rappeler celui des huguenots en 1561 et 1562) se constitue avec un colonel de quartier secondé par deux ou trois capitaines ; ces hommes assurent le commandement de la milice bourgeoise ligueuse. Un conseil d'une quinzaine de membres assure la direction générale, les prédicateurs jouent le rôle de propagandistes. Un plan de mise en défense de la capitale par le système de barricades est envisagé, des émissaires circulent assurant la liaison avec les villes ligueuses.

Les princes lorrains de leur côté poussent leur avantage ; informés du grand projet de Philippe II d'attaquer l'Angleterre et de se défaire enfin de cette Élisabeth Tudor protestante et insolente (elle laisse ses corsaires agir contre les galions espagnols), ils envoient le duc d'Aumale en Picardie se saisir de ports et de places fortes pour les mettre à la disposition des marins et des soldats ibériques. Henri III, informé des entrevues secrètes à Paris, conscient de la collusion des Guise et de Philippe II, interdit au duc Henri de se montrer à Paris. Par bravade celui-ci vient le 9 mai jusqu'au Louvre rencontrer le souverain Valois. Le 12 mai à l'aube, violant ainsi le privilège qu'elle conserve de se garder elle-même, ce dernier fait entrer dans la ville un régiment suisse et des gardes-françaises. La capitale, où circulent les rumeurs les plus atroces sur les intentions du roi à l'égard des habitants, prend les armes et, selon le plan préconçu, se fragmente de barricades, de chaînes, de planches, de charrettes, de poutres. Ni les Suisses ni les soldats français ne peuvent circuler ; isolés, sans communications entre eux, ils négocient leur retraite sans éviter pourtant qu'une échauffourée finale laisse une cinquantaine d'Helvètes sur la chaussée. Henri III esseulé dans le Lou-

1. Barnavi Élie, *Le Parti...*, *op. cit.*, p. 78.

vre guette les bruits du combat, demande l'aide de Guise pour dégager ses troupes qu'il fait regrouper autour du palais. La nuit renforce l'emprise ligueuse sur la ville, des barricades s'édifient aux portes mêmes du palais, les écoliers chauffés à blanc par les prédicateurs parlent le vendredi matin 13 mai d'aller « prendre ce bougre de roi dans son Louvre... ». Mais la royale demeure est vide, car Henri l'a quittée par les jardins des Tuileries, abandonnant ainsi, pour faire sa résidence à Chartres, la ville à l'émeute.

Paris s'organise, les conjurés ligueurs agissant enfin à visage découvert ; la municipalité royaliste, destituée, est remplacée par des magistrats de bonne trempe, La Bastille occupée et placée sous le commandement de l'un des Seize, les capitaines de la milice changés pour des hommes dévoués au parti. Mais ce mouvement, certes insurrectionnel, s'il veut — et Guise avec lui — imposer au roi sa politique, n'envisage pas encore la déchéance royale. Des émissaires envoyés par le Lorrain, des missives expédiées par la nouvelle municipalité, trouvent Henri III à Chartres, lui jurent fidélité tout en lui faisant part de leurs exigences. Le Valois, une fois encore réduit aux extrémités, signe en juillet 1588 l'édit d'Union ; il promet de combattre et chasser l'hérésie, de ne jamais reconnaître pour successeur un prince hérétique, il accorde totale amnistie pour les événements survenus au cours de la journée des Barricades, il s'engage à faire publier le concile de Trente. Par lettres patentes du 4 août 1588, Henri désigne Guise comme lieutenant général du royaume, il reconnaît le cardinal de Bourbon comme son héritier présomptif pour le cas où ne lui viendrait pas de descendant mâle, il disgracie de leurs charges ses anciens favoris, parmi eux le duc d'Épernon. C'est un alignement complet de la monarchie sur les positions des Guise, le roi en cela est conseillé par Catherine sa mère et par des ministres, tel Villeroy, favorables au parti ultracatholique ; en revanche, les revendications démocratiques émises par la municipalité parisienne ligueuse ne sont nullement prises en compte. Où l'on retrouve ici la trahison des Grands vis-à-vis de la piétaille du parti maintes fois constatée du côté des protestants [1].

1. Lebigre Arlette, *op. cit.*, p. 144-145.

En août 1588, parvient en France la nouvelle de la défaite de Philippe II. L'Invincible Armada bénie par le pape, orgueil de l'Espagne, espoir des catholiques européens fervents, est « ruinée, défaite et réduite au vent et à néant », non pas tellement par la flotte anglaise que « par un vent contraire qui la submergea [1] ». Le Valois respire, l'étreinte se desserre, puisque le soutien étranger des Guise et de la Ligue s'affaiblit de cette terrible défaite. Sans doute puise-t-il là le courage d'un sursaut. Il le marque en septembre par le renvoi de son équipe de conseillers, Villeroy, Cheverny, Bellièvre, et des secrétaires d'État Brulart et Pinart chers à la reine mère. Juge-t-il que ces ministres, suivant en cela Catherine de Médicis, se sont montrés trop complaisants à l'égard des barons ligueurs ? Veut-il flatter l'opinion publique toujours prête à critiquer les détenteurs des affaires publiques, désamorçant ainsi les attaques des députés se préparant à assister aux états généraux convoqués pour octobre à Blois ? N'est-ce pas là pure démonstration qui voudrait prouver que le roi est encore tout-puissant, qu'il peut faire et défaire les fortunes... avertissement aux Guise, signal d'alerte pour les ligueurs élus aux états et à ceux détenteurs des municipalités, villes, places fortes et provinces ?

Blois ou l'assassinat des Guise.

L'assemblée réunie à Blois n'est guère favorable à une monarchie autoritaire, elle arbore les couleurs ligueuses dans le tiers comme dans les deux autres ordres [1]. Les cardinaux de Guise et de Bourbon président le clergé, Cossé-Brissac, « maréchal de la ligue », la noblesse ; pour le tiers le président se nomme La Chapelle-Marteau, il vient d'être nommé prévôt des marchands à Paris et appartient au Conseil secret, matrice de la ligue parisienne. Henri III, malgré ses réticences, se voit contraint de jurer à nouveau l'édit d'Union. Les députés, surtout ceux du tiers, demandent que les décisions adoptées par les trois ordres assemblés en états acquièrent force de loi, ce qui dans la perspective du roi représente une atteinte sans égale à ses fonctions de souverain justicier ;

1. L'Estoile Pierre de, *op. cit.*, p. 576.

d'autant que cette revendication législative s'accompagne de douteuses équivalences. N'est-ce pas, comme en Pologne, en Angleterre, en Suède, les états qui ont donné aux rois le pouvoir dont ils disposent ? Rêve politique formulé ou non par ces assemblées depuis qu'elles ont commencé de se tenir, vieux dilemme du partage des pouvoirs et des origines de la souveraineté, tranché depuis quelque cent ans en faveur de la monarchie. Sur un point plus précis, le tiers ne transige pas quand il demande que les impôts soient ramenés au niveau de ceux prélevés en 1576, exigeant dans le même temps la continuation de la guerre contre les protestants. Une négociation s'engage au terme de laquelle le Valois se voit attribuer pour les dépenses de la cour et celles des opérations militaires une somme insuffisante dont on discute pour savoir qui va la payer.

Les députés de Blois venus aux états avec enthousiasme, agitant le grand rêve de la « réformation du royaume », se retrouvent discutant sou à sou face à un roi qui ne pense qu'à l'argent. De plus en plus, Guise se révèle le héros capable de remettre toutes choses dans le bon ordre ligueur. Le Lorrain, sensible à cette atmosphère lourde de malentendus, exploite la situation, influence les gens du tiers partisans de la Sainte Union, les reçoit chaque jour dans sa chambre. Il ne se prive guère de multiplier les provocations à l'égard d'Henri III, trouvant toujours de nouvelles façons de l'humilier, de le braver publiquement.

Mais Blois, pour autant que la ville se transforme en huis clos tragique, n'est pas absolument coupée du monde. Les courriers apportent de mauvaises nouvelles : le duc de Savoie, Charles-Emmanuel, vient d'entrer dans le marquisat de Saluces, tout ce qui reste ou presque en Italie du rêve colonial développé par Charles VIII, Louis XII et François 1er ; les protestants de Navarre progressent en Poitou, cette province enjeu des deux partis ; Niort, Fontenay, Châtellerault sont pris par les huguenots qui s'avancent près de la Loire. Henri III a-t-il déjà conçu son plan et, rassuré par la proximité armée de son beau-frère, pense-t-il déjà jouer la carte de l'alliance et, avec elle, celle de la reconquête du royaume entamé en ses villes et provinces par la Ligue ? Auquel cas, le meurtre des Guise se lit comme un gage de réconciliation avec les huguenots tout autant que comme l'espérance d'amoindrir le parti en éliminant les leaders [1]. Ou bien le Valois est-il à ce point réduit à la défensive que seule la violence physique peut le libérer, selon le processus de la Saint-Barthélemy, quand l'élimination des gentilshommes réformés dissipait la panique des gouvernants et rassurait peut-être Philippe II sur la non-agressivité française en Flandres ?

Henri III prépare minutieusement l'exécution, il n'est pas pris au dépourvu comme l'ont été son frère et sa mère le 24 août 1572. Les assassins sont là, les Quarante-Cinq, le prétexte en forme de justification officielle est avancé : le duc a commis un crime de lèse-majesté, et le roi, en de tels cas, peut s'autoriser d'une justice expéditive et sans procès. Henri de Guise, attiré dans la chambre du Valois, est tué le vendredi 23 décembre 1588, son frère le cardinal de Guise, d'abord emprisonné, est exécuté ; le lendemain, les deux cadavres sont brûlés pour que nul n'en puisse tirer des reliques propres à fonder un culte des « martyrs [2] ». En pleine assemblée sont arrêtés quelques-uns des députés ligueurs.

Paris et l'assassinat d'Henri III.

Paris apprend rapidement, le 24 au soir, l'exécution du Lorrain, « il se fait en une heure 100 000 ligueurs [3] ». La capitale rompt une nouvelle fois avec son souverain devenu un « tyran », le « vilain Hérode ». Le 7 janvier 1589, la Sorbonne approuve l'union des Français « contre un roi qui avait violé la foi publique dans l'assemblée des états » et légitime les sujets en rupture de fidélité. La Ligue, comme les protestants après la Saint-Barthélemy, rompt avec la monarchie ; il faut pour parvenir à cette rupture l'acte de violence intolérable qui transforme le roi en tyran, point de non-retour difficile d'accès pour des hommes élevés dans le culte royal d'un souverain, oint du Seigneur.

Une organisation révolutionnaire composée de divers conseils fait de Paris la tête de la ligue française ; le conseil

1. Lebigre Arlette, *op. cit.*, p. 151.
2. Constant Jean-Marie, *Les Guise*, *op. cit.*, p. 18.
3. Cité par Arlette Lebigre, *op. cit.*, p. 161.

de l'Union composé de 40 personnalités des trois ordres admet quelques représentants des provinces et joue un peu le rôle des assemblées politiques dans le parti huguenot, alors que les conseils de quartier et le conseil des Seize concernent plus exclusivement le gouvernement de Paris. Ailleurs, comme à Toulouse, mais il en est de même dans la capitale, la chasse aux « politiques », aux ventres mous de la Sainte Union commence..., exils forcés, arrestations, meurtres sur fond de délation. Mayenne est nommé lieutenant général de l'État et de la Couronne de France, en quelque sorte le Protecteur des ultracatholiques. La guerre est lancée contre les royalistes et les huguenots, financée par l'argent espagnol, par les contributions forcées sur les villes du parti, par des confiscations opérées sur ceux qui ont fui ces périmètres urbains livrés à la parole fanatique des prédicateurs. Les institutions représentatives de la justice royale, tel le Parlement, épurées de leur personnel modéré, fonctionnent à Rouen, Toulouse, Dijon, Aix, et à Paris bien sûr !

A Blois, au début du mois de janvier, Henri III renvoie les états généraux après avoir fait relâcher quelques prisonniers. Les présidents de chacun des ordres (Renaud de Beaune, archevêque de Bourges au lieu du cardinal de Guise dont les cendres avaient été dispersées dans la Loire...) expriment leurs revendications au roi, puis les députés, chargés d'émotions et de souvenirs, regagnent leur logis. Le roi Valois dont le royaume s'effiloche n'a pas tué la Ligue en tuant les Guise, mais il a désormais choisi le camp qu'il juge le moins dangereux pour la conservation de son autorité, celui du roi de Navarre. Henri III s'installe à Tours avec son Conseil, un Parlement de fortune auquel viendront se joindre les exilés de la cour parisienne. Le Béarnais, qui poursuit sa remontée vers le Nord en s'emparant de places fortes et de villes, rencontre enfin le Valois le 30 avril 1589 à Plessis-lez-Tours ; Navarre retrouve son suzerain après treize ans, il revient à sa place de premier prince du sang, il concilie ses devoirs de fidélité, ceux dus à son roi, ceux dus à son rang, ceux dus à ses coreligionnaires. Méfiant, car en cette époque étrange la goutte de poison ou le coup de poignard deviennent d'une grande banalité, il est pourtant heureux de répondre à l'appel d'Henri III, puisque les circonstances se trouvent être de son côté propices à ces retrouvailles. On se souvient qu'en maintes occasions, depuis 1576, Catherine de Médicis et son fils avaient insisté pour que le prince de Navarre regagnât la cour ; celui-ci attend depuis cette date qu'un rapport de forces favorable le mette en bonne position pour ce faire. L'assassinat des Guise lui apparaît-il comme le signe qu'il espérait ? La percée militaire facile que ses troupes viennent d'accomplir jusqu'à la Loire lui assure-t-elle des arrières assez puissants pour qu'il ne redoute plus un attentat sur sa personne ? Il « passe l'eau en [se] recommandant à Dieu » et pleure à gros bouillons en embrassant Henri III.

Les deux rois réunissent leurs armées et établissent un plan de bataille commun. Leur but est la conquête de Paris ; Paris, ville-phare de la Ligue, lieu symbolique de la déchéance du Valois, capitale médiatique de la Sainte Union d'où partent pamphlets, modèles de comportement et directives pour les affiliés provinciaux. Royaux et huguenots progressent avec alacrité, balayant les troupes de Mayenne, ravageant les villages proches de la « Jérusalem » ligueuse pour enfin converger vers Saint-Cloud avant de donner l'assaut prévu pour le 2 ou 3 août. Le 1er août, le cours des événements se rompt du couteau meurtrier de Jacques Clément [1].

La guerre d'Henry IV (1589-1594).

Henry de Navarre recueille en ce 1er août les fruits d'une stratégie mise en place de longue date, depuis qu'en 1576 il a fui la cour, conduite avec patience, intelligence et détermination. Mais n'est-il pas un peu tôt ? L'événement brutal ne fait-il pas que ces fruits sont trop verts ? Face à la Ligue, face à l'Europe catholique, de quels atouts dispose le nouveau roi ? Il est le souverain légitime selon la loi salique qu'Henri III avant de mourir a fait reconnaître comme son héritier à ses gentilshommes catholiques. Mais, passé la première émotion, ces derniers exigent du nouveau souverain une sorte de contrat dans lequel la conversion d'Henry à la religion dominante est déjà mise en avant. Ce pacte oral est dressé en forme publi-

1. Chevallier Pierre, *Les Régicides*, Paris, Fayard, 1989, p. 27-55.

que de Déclaration, le 4 août, quand le roi s'engage à garder le royaume dans la confession catholique, à maintenir les sujets de cette conviction dans leurs charges et honneurs, à se faire instruire dans la religion romaine par « un bon, légitime et libre concile national ou général ». Voilà de quoi rassurer les sujets point trop ligueurs, d'autant que les Grands sont déjà contentés par de bonnes prébendes : le maréchal de Biron pour prix de son adhésion demande et reçoit le comté de Périgord. Bref, à peine roi, le Béarnais acquitte le prix des consciences nobiliaires chatouillées par la présence d'un hérétique sur le trône du Très Chrétien. Pourtant l'abandonnent le favori d'Henri III, le duc d'Épernon, qui espère se tailler dans son gouvernement de Provence une principauté autonome, le très huguenot La Trémoille décidé à agir de même en Poitou, entraînant 9 bataillons de réformés saintongeais et poitevins, le plus authentique Louis de L'Hospital, marquis de Vitry, qui regagne le camp ligueur. La grande armée, réunie pour le siège de Paris, fond rapidement de presque moitié.

Le premier Bourbon n'est pourtant pas démuni à ce point. Les Provinces-Unies du Midi, bien que rendues méfiantes par ces promesses de conversion trop facilement jetées aux quatre vents de l'opinion publique, continuent de tenir pour lui et avec lui une grande partie des régions du Sud et du Centre-Ouest. Les Politiques royaux se sont ralliés, espérant en l'abjuration ; parmi eux des magistrats à l'autorité reconnue comme Achille de Harlay, épuré par la Ligue du Parlement parisien. Des évêques et des prélats reconnaissent, on l'a dit, le nouveau roi. Des villes en maigre nombre... Bordeaux, Châlons, Langres, Compiègne. L'appui de l'étranger, celui de l'Angleterre, des princes protestants allemands, des calvinistes des Provinces-Unies du Nord, des Vénitiens qui parient sur le succès du Bourbon, permet à celui-ci d'escompter de l'argent, des hommes, du matériel militaire. Surtout jouent en faveur d'Henry IV deux éléments essentiels. Le premier réside dans la solidité de l'organisation monarchique patiemment édifiée depuis Louis XI et surtout depuis les premiers Valois d'Angoulême. Même ébranlé par les troubles civils et religieux, même amoindri par le discrédit dont était entouré Henri III, l'« État royal » a poussé de si solides racines qu'un ébranlement ne le pourra déraciner. Le roi et la France ne font qu'un dans l'esprit des légistes comme dans celui des sujets, du moins de ceux qui n'appartiennent pas à la Ligue extrémiste ; l'habitude est ancrée, en dépit des vicissitudes, du nécessaire gouvernement par un seul indépendant de tout contrôle. Dans cette perspective, les tenants de l'État, aussi émietté soit-il, constituent une clientèle royale d'officiers, de nobles, de prélats, de traitants qui auraient tout à perdre dans un changement brutal de cap. Dans cette perspective, la religion monarchique teintée de nationalisme..., « la France, le plus beau royaume du monde », pourra triompher des lézardes passées, la propagande henricienne excelle à émouvoir cette fibre dans le cœur des Français. Le second atout dont dispose Henry IV réside en lui-même, en son charisme, son intelligence, son habileté souriante. En faisant tuer le duc de Guise, le dernier Valois rend à son beau-frère le meilleur service du monde, car il prive la Ligue de son leader de séduction, celui qui pouvait entraîner par l'affectivité l'adhésion du peuple à des solutions extrêmes. Le premier Bourbon, souverain baroque, « stratège [qui] use toujours de stratagèmes », jouant lui-même les contrastes et le mouvement, réussit à rassembler les parties d'un royaume éclaté en mouvements dissidents par l'application de procédés baroques qui sont une rationalisation de la pratique du pouvoir [1].

Du 4 août 1589 au 17 mai 1593, un blocage des positions royalistes et des positions ligueuses conduit à une sorte d'équilibre des forces sans qu'un réel avantage se dessine pour l'un ou l'autre des partis. Le problème majeur reste celui de la religion royale. Les ligueurs demeurent inexorables, refusant un roi protestant ; le 4 août, ils ont reconnu le cardinal de Bourbon comme leur souverain sous le nom de Charles X, Mayenne étant son lieutenant général, le conseil de l'Union jouant le rôle de conseil de gouvernement pour l'ensemble du royaume. Les Politiques et les royalistes ralliés à Henry IV attendent la conversion annoncée dans la Déclaration de Saint-Cloud, estimant par conviction religieuse et par raison politique que le royaume ne peut connaître le repos et l'unité

1. Pour une interprétation stoïcienne et non pas baroque d'Henry IV, voir Crouzet Denis, *op. cit.*, t. 2, chap. XX.

sous un souverain protestant. Or, le premier Bourbon ne peut à l'instant changer de religion ; sinon, il perdrait une partie des atouts dont il dispose, l'alliance des pays réformés européens et l'appui d'une large partie des provinces du Midi et du Centre-Ouest. A tel point que, en dépit de ses protestations renouvelées à Mantes en juillet 1591 de vouloir garder dans le royaume la religion catholique et les libertés gallicanes, la lassitude s'installe parmi les ralliés de la première heure. Des prétendants au trône de France acceptables par le plus grand nombre surgissent, rivaux dangereux pour le Béarnais. Parmi eux des étrangers. Charles-Emmanuel, duc de Savoie, petit-fils par sa mère de François 1er, a commencé depuis 1588 à intervenir en France pour grossir son royaume alpestre du Dauphiné et de la Provence ; Charles III, duc de Lorraine, marié à Claude de France, fille d'Henri II et de Catherine, pourrait prétendre à son tour à la Couronne, mais pour l'instant il convoite la Champagne contiguë à son duché. Également fille de France par sa mère Élisabeth de Valois mariée à Philippe II, l'infante d'Espagne Isabelle-Claire pourrait être désignée comme reine après avoir épousé un prince du royaume (le jeune duc de Guise ?). Il ne manque pas de prétendants, appartenant à la famille Bourbon, donc plus légitimes selon la loi salique, qui pourraient remplacer le Béarnais s'il persistait en son protestantisme ; Charles X s'est éteint en mai 1590, le cousin germain d'Henry IV, Charles, cardinal de Vendôme, devient cardinal de Bourbon, et figure un candidat très sérieux. Jeune, appartenant déjà au Conseil du roi, il peut, si le pape le relève de ses vœux, prendre rang de monarque et faire souche ; des ligueurs parisiens, tel le président Jeannin, l'estiment tout à fait convenable et avec lui des royaux ralliés pourtant à Henry IV. Ce tiers parti considère d'un œil non moins favorable le comte de Soissons, frère de Charles de Bourbon-Vendôme, fils catholique de Louis de Condé ; ce jeune et beau gentilhomme a combattu à Coutras aux côtés du Béarnais. Cette armada de prétendants effraie les Politiques, car ils mesurent les convoitises étrangères sur la Couronne française, mais leur offre dans le même temps un moyen de presser la conversion du roi.

Cette crainte est tout à fait justifiée, car l'émiettement du

La France des guerres de Religion
Les réfugiés français à Genève

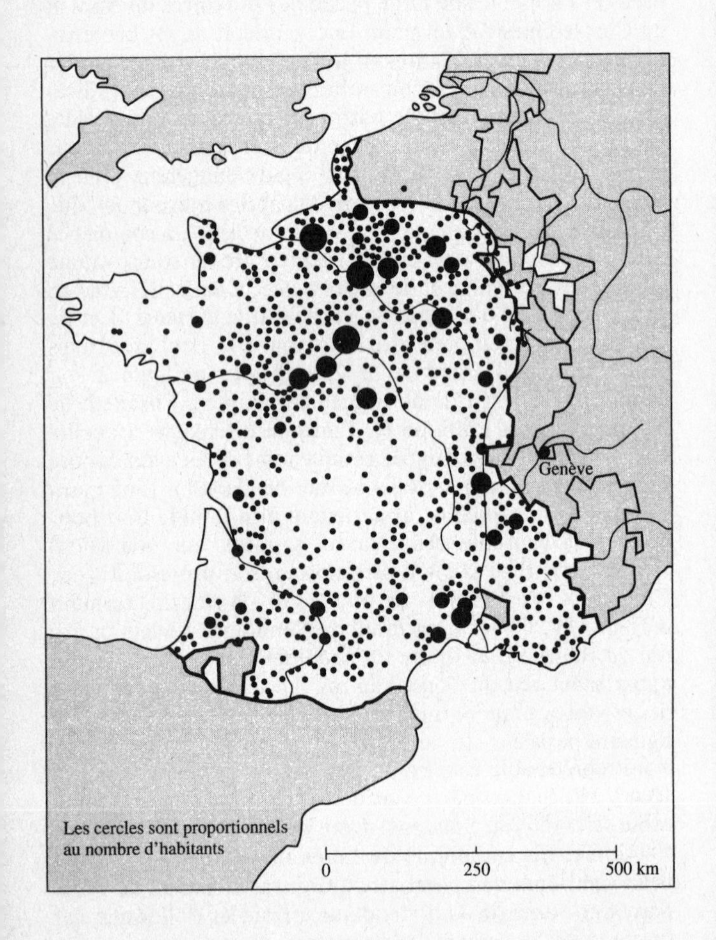

Source : Michel Péronnet et Michel Balard, *Le XVIe Siècle : des grandes découvertes à la Contre-Réforme*, Paris, Hachette, coll. «Hachette Université», 1981, hors-texte.

La France des guerres de Religion
Les premières guerres de 1560 à 1572

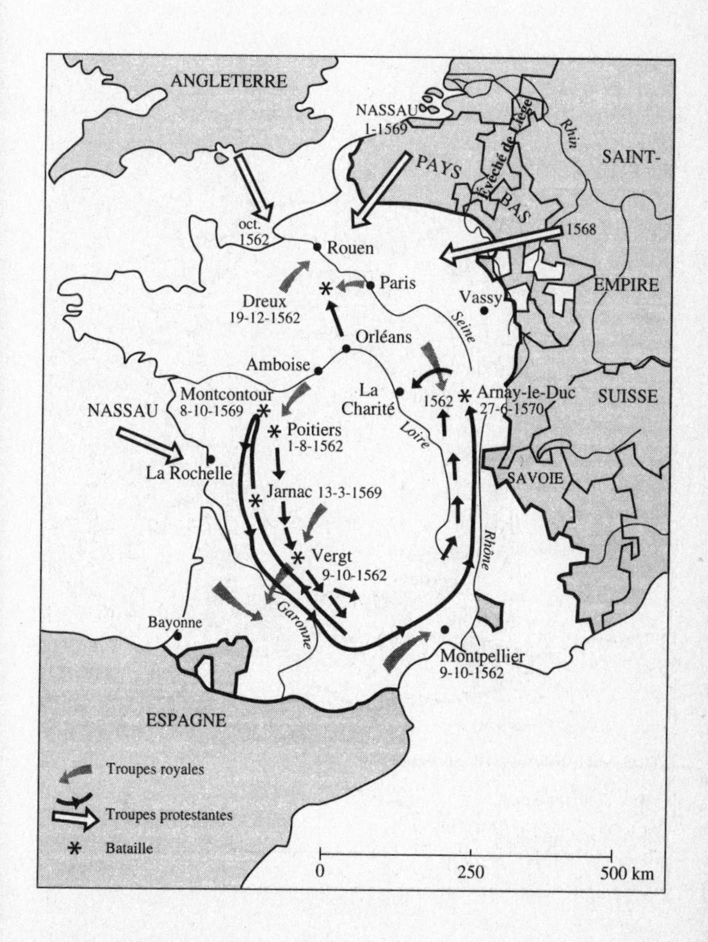

Source : Michel Péronnet et Michel Balard, *Le XVIe Siècle : des grandes découvertes à la Contre-Réforme*, Paris, Hachette, coll. «Hachette Université», 1981, hors-texte.

La France des guerres de Religion
Les guerres de 1572 à 1585

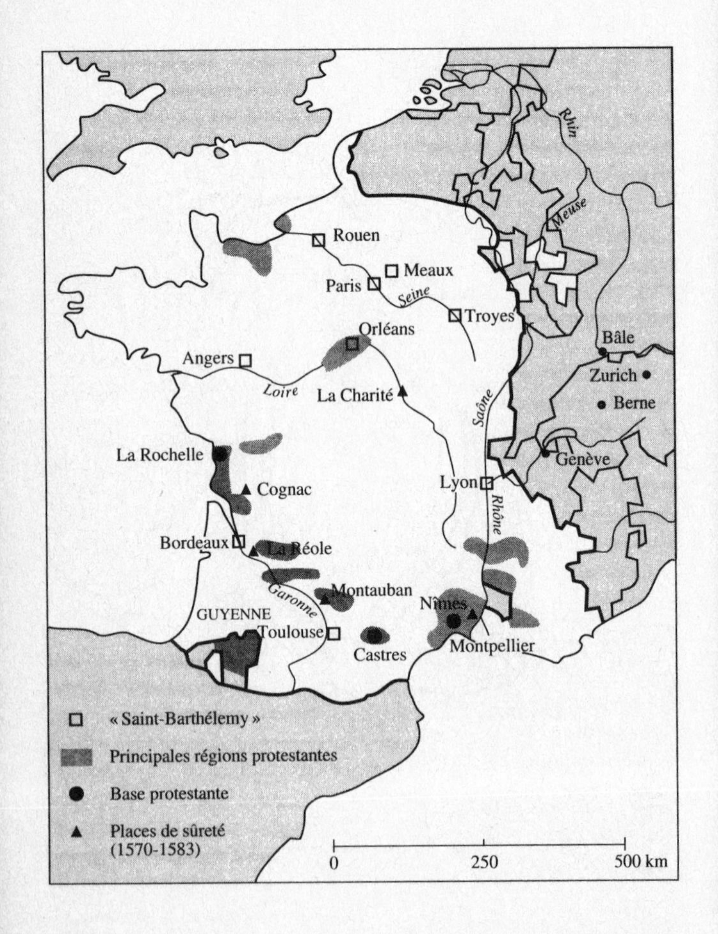

Source : Michel Péronnet et Michel Balard, *Le XVIe Siècle : des grandes découvertes à la Contre-Réforme*, Paris, Hachette, coll. «Hachette Université», 1981, hors-texte.

La France des guerres de Religion
Les dernières guerres de 1585 à 1601

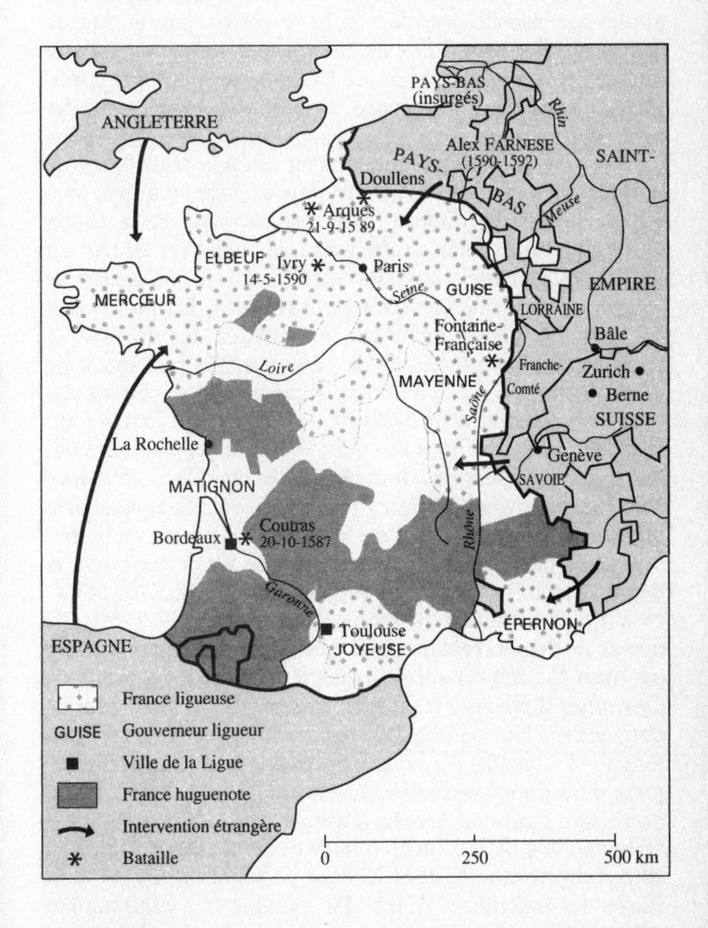

Source : Michel Péronnet et Michel Balard, *Le XVIe Siècle : des grandes découvertes à la Contre-Réforme*, Paris, Hachette, coll. «Hachette Université», 1981, hors-texte.

royaume se poursuit d'une manière qui semble inexorable. En Champagne, en Dauphiné, dans la vallée du Rhône et en Provence, ce sont les agressions lorraines et savoyardes, dans la région parisienne et jusqu'en Normandie les troupes espagnoles s'avancent, appelées à la rescousse par le duc de Mayenne. Paris vit à l'heure ibérique et italienne quand le duc de Feria, l'ambassadeur de Philippe II, et le légat pontifical, le cardinal de Plaisance, s'occupent ouvertement des affaires françaises. La Bretagne sous son gouverneur, le duc de Mercœur, se conduit entièrement selon la règle ligueuse, la Bourgogne, la Champagne en partie ; dans les autres provinces, la guérilla oppose royaux et partisans de la Sainte Union quand, comme en Provence, le combat n'est pas tripartite où se mettent à mal les hommes d'Henry IV, ceux de la Ligue et ceux de l'envahisseur savoyard. En Languedoc où Damville tient pour le roi, le nouveau duc de Joyeuse entraîne les ultracatholiques de Toulouse. Les parlements de ces provinces, Aix, Toulouse, Rennes, Dijon, Grenoble, composés de conseillers ligueurs, administrent et jugent pour la Sainte Union ; Henry IV, qui a établi le siège de son gouvernement à Tours, les double par des chambres de justice peuplées de royaux. En Languedoc se tiennent des états provinciaux ligueurs et des états provinciaux pronavarristes.

Il n'y a pas non plus en ces années de fer de véritables et décisives victoires militaires, capables de faire pencher le succès du côté de l'un ou l'autre camp. En août 1589, Henry IV décide de demeurer dans le Nord contrairement aux avis de ses amis lui conseillant de regagner son petit royaume de Guyenne ; il poursuit le siège de Paris tout en s'efforçant de conquérir la Normandie d'où il pourrait attendre les secours anglais. La bataille d'Arques en septembre 1589, assez incertaine mais plutôt favorable, lui assure la prise de Dieppe, et donc l'ouverture sur la mer, ainsi que celle d'Eu. Mais Paris reste capitale de la Ligue, ville symbole de la résistance au souverain hérétique, dont le siège persistant et l'éventuelle saisie légitimeraient Henry IV comme le continuateur d'Henri III. En novembre, son armée s'empare des faubourgs, serrant l'étreinte qui coupe le ravitaillement, installe la famine dont les royaux espèrent la dilution des énergies ligueuses. Au début de l'année 1590, la Normandie s'effrite sous les coups du premier Bourbon, de nombreuses petites villes se rendent, la région de Tours est nettoyée, Vendôme, haut lieu de la nouvelle dynastie, est conquise à son tour, où Henry renoue avec ses aïeux. La campagne s'enlise au point qu'à Mayenne comme au roi le risque s'impose d'un véritable engagement où le doigt de Dieu pourra se poser sur le vainqueur. A Ivry, le 14 mars 1590, les troupes d'Henry ont raison de celles de Mayenne plus nombreuses, largement composées de soldats flamands, allemands, suisses, payés par Philippe II ; ce dernier justifie ces secours par « le danger imminent de la Sainte Église catholique », annonçant de surcroît qu'il est prêt à employer sa propre vie pour extirper l'hérésie de France et délivrer le roi légitime Charles X de la prison de Tours où le tient avant sa mort Henry IV. La victoire, on le sait, appartient au premier Bourbon, son panache blanc légendaire fait merveille sur le champ de bataille où s'alignent en masse, jusqu'à 6000, les morts de l'armée ligueuse. La propagande henricienne fait mousser l'heureuse issue du combat, n'omettant guère d'inscrire l'intervention divine en faveur du camp bourbonien : « Il a plu à Dieu », proclament les communiqués à l'usage des alliés étrangers, « de m'accorder ce que j'avais le plus désiré : d'avoir moyen de donner une bataille à mes ennemis... ». La relation officielle d'Ivry, le *Discours véritable sur la victoire...* célèbre un autre thème, celui du roi combattant à la tête de sa valeureuse noblesse, car ces gentilshommes français viennent de défendre « leur roi », « leur patrie », et « leurs fortunes et familles qu'ils voyaient que l'on voulait exposer en proie aux étrangers ». Mayenne perd beaucoup avec cette défaite ; vaincus, les mercenaires étrangers pèsent sur son image de marque comme ils ont pesé sur celle de Condé et de Coligny lors des premiers troubles. Le Guise, de surcroît, laisse à douter en France comme en Espagne de sa réputation d'homme de guerre à tel point que dans Paris ligueur les prédicateurs taisent un temps la défaite.

Les affaires d'Henry IV, si elles marquent un tour plus favorable, ne progressent pas rapidement. Après Ivry, le siège est mis à nouveau devant Paris d'avril à août, étreinte mortelle où la faim s'installe en maîtresse provoquant peut-être 30000 morts sur une population de 200000 âmes. Les Parisiens résistent, corsetés par un gouvernement révolutionnaire faisant régner la terreur, fanatisés par leurs certitudes religieuses. Même alors que l'investissement se fait à la fin de 1590 et au début de 1591 moins systématique, les tentatives de pénétration des royaux sont déjouées ; désormais, la célébration des journées de l'Escalade (10 septembre 1590) et de celle des Farines (20 janvier 1591) appartient avec celle des Barricades à la saga ligueuse. Des fêtes, des processions en perpétuent le souvenir glorieux, propres à entretenir l'unanimisme qui commence à fléchir.

Cependant qu'Henry de manière besogneuse récupère une à une quelques villes de la région parisienne, Chartres et Noyon en avril et août 1591, qu'il met à la fin de septembre sans succès le siège devant Rouen, qu'en 1592 le tiers parti las d'attendre sa conversion parle de nouveaux prétendants, la Ligue connaît elle aussi des dissensions. Mayenne, en grand seigneur, supporte mal de se voir contrôler par le conseil de l'Union et s'efforce de le neutraliser en lui retirant un certain nombre d'affaires qu'il confie à son conseil. Dès 1592, il expédie à Henry IV l'ancien secrétaire d'État Villeroy, catholique ligueur qui, sans être extrémiste, tente un compromis et déjà négocie son ralliement ; le duc, trop gourmand et trop féodal, met la barre trop haute. Le Lorrain mène son jeu sans tenir compte de la ligue populaire, tout comme Condé l'avait fait lors des premiers troubles, à tel point qu'en 1593 le Manant déplore « cette sangsue de noblesse qui s'est entendue avec ces grandes familles pour ruiner les prédicateurs et les Seize[1] »...

Au-delà de la distance prise par Mayenne avec le gouvernement des Seize, la ligue parisienne connaît bien des clivages. La communion des années 1588, 1589, et même encore 1590, se ternit de la lassitude et des privations du siège, de l'exaspération des habitants enfermés dans la ville car, pour plus relâché qu'il se fasse, l'investissement dure, et avec lui le rationnement. Les conseillers au Parlement, les officiers, les marchands opulents, se lassent des contraintes comme des excès. Cette élite ne peut surveiller ses domaines situés hors-les-murs, ni non plus trafiquer : le blocus l'en empêche ; elle

1. Miquel Pierre, *op. cit.*, p. 383.

prend conscience que sa carrière et sa fortune se trouvent dans les mains d'une monarchie française et unificatrice, capable de ramener l'ordre. Favorables au ralliement de la ville à Henry IV, ces nouveaux Politiques, dont certains se trouvent à Paris presque malgré eux, soutiennent à l'intérieur même de l'espace urbain une propagande par tracts et par pamphlets probourbonienne. Surveillés, dénoncés, épuisés, en porte-à-faux avec les dirigeants des différents conseils, ils se trouvent contraints de temporiser. A l'intérieur même du noyau dur des ligueurs, certains, comme le président Brisson, qui le paiera de sa vie en novembre 1591, après avoir été partisans de Charles X, reconnaîtraient Henry IV s'il se convertissait ; ils ne sont guère éloignés des Politiques que nous venons d'évoquer. Enfin, demeurent les plus décidés, les Boucher, les Bussy, les La Chapelle-Marteau ; mettant la religion au-dessus de tout, ils n'acceptent aucun compromis et, en accord avec Philippe II, proposent comme souveraine en France l'infante Isabelle-Claire mariée à un prince français. Méfiants à l'égard du Parlement (qu'ils épurent...), à l'égard des nobles et des hommes ajoutés à la milice et aux divers conseils par Mayenne, ils conduisent dans la ville une politique de terreur. Sans vouloir les anéantir, puisque sans eux Paris capitulerait, Mayenne s'efforce de les affaiblir, du moins de les contenir. Pour cela, il convoque pour janvier 1593 les états généraux et peut-être a-t-il dans l'esprit de leur proposer sa candidature à la Couronne royale ? Henry IV, outré de l'audace du Lorrain, l'accuse de crime de lèse-majesté, car seuls, clame-t-il, les rois possèdent la prérogative de réunir les trois états du royaume ; de surcroît, il englobe dans cette condamnation ceux qui répondraient à cette convocation. Curieusement, les députés provinciaux qui se glissent vers Paris, guettés par les soldats du Béarnais, attendus dans la capitale par les agents de Philippe II dispensateurs d'or, sont plus ligueurs, plus « espagnols » que leurs pairs de la capitale ; les gens du tiers représentant celle-ci affichent une opinion modérée, ils sont relativement hostiles à l'étranger ibérique, conscients d'une réalité nationale française. En revanche, leurs collègues provinciaux excluent Henry IV du trône, exigent la publication du concile de Trente, ils prônent la souveraineté des états généraux appelés à élire un roi, qui ne serait pas forcément français. Bizarre assemblée ridiculisée par les auteurs de la *Satire Ménippée*! Le jour de l'ouverture, Mayenne annonce sa candidature; il a auparavant manipulé l'assemblée, elle compte une centaine de députés, en lui injectant quelques hommes de sa clientèle et quelques conseillers, ligueurs modérés, du Parlement et de la Chambre des comptes. Ce rééquilibrage lui a paru nécessaire dans la mesure où les mandatés provinciaux acquis aux convictions de la Ligue extrême, sans doute aussi achetés par Philippe II, ne sont pas hostiles à l'élection d'Isabelle-Claire[1].

Le Béarnais administre en ce mois de janvier la preuve de son intelligence politique comme de celle de son entourage. De son camp installé à Suresnes, il propose aux états généraux une rencontre entre royaux et députés afin de déterminer les moyens d'éteindre les troubles et de conserver « la religion catholique et l'État ». Malgré les résistances au sein de la Ligue dure, grâce à l'exaspération croissante du peuple parisien qui hait le huis clos auquel on le condamne, la proposition est acceptée, la conférence se tient à Suresnes dans les derniers jours d'avril 1593. Afin de protéger les négociateurs d'un éventuel coup de main armé, un armistice de dix jours est décidé le 4 mai dans un espace de quatre lieues autour de Paris et de Suresnes. La joie des Parisiens, qui échappent à leur ghetto, éclate alors qu'ils se répandent hors des murs — L'Estoile décrit les dévotions rendues à la Vierge dans les sanctuaires de la périphérie[2]. Le 17 mai, l'évêque Renaud de Beaune annonce à l'assemblée de Suresnes la conversion du roi, la nouvelle est assortie d'une prolongation de la trêve pour une durée de trois mois. Le coup de théâtre soigneusement préparé avec les conseillers royaux ne laisse rien au hasard : une réunion de prélats chargés de l'instruire dans la religion catholique est prévue à Mantes le 15 juillet, la cérémonie publique d'abjuration ou de réconciliation selon qu'on la considère d'un œil huguenot ou d'un œil papiste est programmée pour le 25 juillet. Foin de promesses vagues, foin d'attente d'un « concile national », Henry IV s'affirme

1. Babelon Jean-Pierre, *op. cit.*, p. 537.
2. Garrisson Janine, *Henry IV*, *op. cit.*, p. 249.

décidé à regagner l'Église romaine. Nous savons déjà les raisons profondes de ce choix. Le roi et ses conseillers protestants et catholiques n'entretiennent plus d'illusion sur une victoire par les armes, les prétendants surgissent de toute part, le royaume se démantèle des appétits espagnols, lorrains, savoyards ; dans l'entourage même d'Henry un tiers parti se renforce de la lassitude d'un pays déchiré par la guerre et se montre favorable à la désignation du jeune cardinal de Bourbon. L'annonce de la conversion enclenche la « dynamique de paix [1] ».

Henry IV et le compromis d'État.

Le processus se déroule comme une mécanique en apparence bien huilée. Le rite de passage qui transforme le prince du sang turbulent, le protecteur des Églises réformées en roi Très Chrétien se déploie avec lenteur pendant plus de deux ans. Mais cet espace chronologique n'est-il pas convenable au regard du traumatisme subi ? Les étapes se marquent, scandées par un cérémonial spécifique : la réconciliation avec l'Église romaine à la basilique Saint-Denis le 25 juillet 1593, le sacre du roi à Chartres (Reims étant encore occupée par les ligueurs) le 27 février 1594, l'entrée d'Henry IV au petit matin du 22 mars 1594 dans « sa » capitale et, enfin, pour couronner le parcours, l'absolution pontificale accordée le 17 septembre 1595. Lente et longue progression du souverain vers la plénitude de sa fonction sacrée, temps égrené au cours duquel tombe le vieux pourpoint du Béarnais et fleurissent les lys du premier monarque Bourbon. Périple accompli par un seul, tant de fois décrit au point que les images en demeurent, de nos jours encore, gravées dans la tête des écoliers.

Dès la cérémonie de l'abjuration, les ralliements s'opèrent avec une déconcertante facilité. Il serait trop long d'énumérer les villes qui s'ouvrent au cours de l'année 1594..., en Normandie, en Bourgogne, en Picardie, en Champagne, dans le Midi. Ces allégeances ne sont pas toutes aussi spontanées qu'elles le paraissent. Pour convaincre Paris et juguler les

1. L'expression est d'Élie Barnavi, *Le Parti*, *op. cit.*, p. 230.

derniers assauts des ligueurs jusqu'au-boutistes, une préparation minutieuse à l'aide de tracts promettant le pardon aux habitants, « même de ceux que l'on appelait vulgairement les Seize », a été effectuée, le gouverneur a été acheté, quelques échevins aussi ; le scénario a été mis sur pied comme un « mécanisme d'horlogerie », de manière à éviter une effusion de sang. A Paris comme à d'autres villes, on promet remise d'impôts, conservation des libertés municipales, proscription du culte protestant, maintien d'une milice urbaine et donc absence de garnison royale. Le ralliement des villes tient souvent au ralliement d'un homme qui en est le gouverneur. Dans ce cas, promesses et versements financiers se combinent pour transformer un ligueur sincère et mystique en bon royaliste ; l'honneur nobiliaire s'estime dans ces jours à des sommes exorbitantes. Villars-Brancas, gouverneur de Rouen, fait allégeance pour lui et pour quelques cités normandes en échange d'une charge d'amiral de France, du gouvernement des bailliages de Rouen et de Caux et d'environ 3 millions de livres. Le maréchal de la Ligue, Brissac, gouverneur de Paris, garde son titre et reçoit pour la vente de cette ville un million et 695 000 livres. Les Guise ne sont pas en reste : le jeune duc, fils du Balafré, négocie Reims, la Champagne et sa nouvelle fidélité contre presque 4 millions, auxquels s'ajoute le gouvernement de la Provence. Le rachat du royaume aux gentilshommes ligueurs aurait sans doute coûté au Trésor royal la somme de 32 millions, soit une année de recette fiscale. Mais cette évaluation chiffrée peut tenir compte des dignités et des charges confirmées (parce que accordées auparavant par Mayenne) ou octroyées, des postes lucratifs, des assignations sur les impôts indirects mis à recouvrement. De longues et difficiles négociations, quelquefois de véritables traités (celui de Folembray en 1595 concrétise le ralliement de Mayenne), des marchandages, des promesses, voilà comment, au-delà d'une (relative !) émergence d'un sentiment national, s'opère le ralliement des Grands et des moins grands au premier Bourbon. Aussi bien est-il vrai que l'« État royal » se constitue par une justaposition d'intérêts particuliers et qu'il triomphe par sa capacité à en rassasier le plus grand nombre. Henry IV, pour avoir vécu bien des drames qui l'ont rendu sceptique sur la nature humaine, ne s'en étonne guère ;

à Sully, conseiller d'État et déjà spécialiste en 1594 des problèmes financiers, s'irritant des sommes exigées par les ligueurs, le premier Bourbon réplique :

« Vous êtes bête d'user de tant de remises, ne vous souvient-il plus des conseils que vous m'avez tant de fois donnés... qui étaient de séparer par intérêts particuliers tous ceux qui étaient ligués... sous des prétextes généraux [1]. »

Machiavel n'a dit guère mieux... il n'aurait pas davantage dénié cette autre réplique au même : « Nous payerons tout des mêmes choses que l'on nous livrera telles, lesquelles, s'il nous fallait les prendre par la force, nous coûteraient dix fois autant. »

Pour autant le ralliement, aussi chèrement payé soit-il, n'est pas total, car la Ligue n'est pas morte. En 1594, il reste Mayenne en Bourgogne, Aumale en Picardie ; Marseille s'est donné un dictateur ligueur et Mercœur s'incruste en Bretagne. L'Espagne ouvre sa bourse avec la même générosité, renflouant par la Franche-Comté et par les ports bretons les bandes des derniers *desperados* ligueurs. Le peuple non plus n'est pas tout à fait réveillé de son rêve théocratique ; l'immense majorité s'ébroue à la paix retrouvée, puisque les militants de la Sainte Union n'ont jamais représenté qu'une minorité des villes, mais quelques-uns jugent la conversion du « renard béarnais » trop rapide, trop opportune. Le couteau des régicides concrétise cette méfiance à l'égard d'un roi dont, pensent-ils, le cœur demeure hérétique. En 1593, Pierre Barrière s'est confessé à plusieurs ecclésiastiques de son projet de tuer le tyran « d'usurpation » ; dénoncé par un gentilhomme italien, il est écartelé en août. Le 27 décembre 1594, Jean Châtel, écolier des jésuites, attente en plein Louvre à la vie du roi [2]. Un interrogatoire poussé convainc les juges de l'influence des pères sur le jeune homme — ceux-ci l'auraient persuadé qu'une action aussi pieuse que d'éliminer un souverain infidèle au pape et à Dieu contribuerait « à la diminution de ses peines » ; Clément VIII, il est vrai, n'a pas encore accordé son absolution. Alors que Châtel subit le supplice des régicides, le Parlement de Paris montre son

1. Cité par Jean-Pierre Babelon, *op. cit.*, p. 596.
2. Chevallier Pierre, *op. cit.*, p. 125-132.

gallicanisme en demandant et en obtenant l'expulsion des jésuites de son ressort. Si l'on considère qu'en 1594 débute le fameux soulèvement des Croquants, dits encore Tard-Avisés, on peut juger que le royaume éparpillé n'est pas tout à fait ressoudé.

La déclaration de guerre à l'Espagne intervient en janvier 1595 comme un acte de grande politique. A l'intérieur, il s'agit de discréditer les princes ligueurs encore à l'œuvre, les faisant passer pour traîtres à leur patrie, puisque les hostilités officielles sont ouvertes contre Philippe II ; entreprise nationale, ce combat doit repousser l'ennemi hors des frontières du royaume, reprenant la politique extérieure d'Henri II. Il doit de surcroît montrer aux pays alliés de la France qu'Henry IV, pour bon catholique qu'il est devenu, n'entend pas capituler devant l'homme de l'Escurial. La guerre est difficile, car elle se déroule sur plusieurs fronts. Un succès à Fontaine-Française, non loin de Dijon, transformé par la propagande bourbonienne en éclatante victoire, suscite un enthousiasme immense, « c'est pour la première fois », écrit Jean-Pierre Babelon, « le patriotisme de 1914 [1] ». La Bourgogne redevient royale, Mayenne se soumet, tenté par plus de 2,5 millions de livres. Un autre succès à La Fère est contrebalancé par le coup de main victorieux des Espagnols sur Calais. En mars 1597, c'est la catastrophe, les soldats de Philippe II s'emparent d'Amiens, près de Paris, dans cette Picardie fragile et tout récemment encore ligueuse. Un effort gigantesque en hommes, en artillerie (c'est Maximilien de Béthune, baron de Rosny, futur duc de Sully, qui s'en occupe), oblige l'armée étrangère à quitter la ville dans laquelle Henry IV fait son entrée le 25 septembre 1597. Dans les premiers jours de 1598 le roi repart vers la Bretagne où Mercœur résiste encore, les villes bretonnes ligueuses se rendent, le gouverneur fait allégeance contre argent et contre honneur : sa fille épousera César de Vendôme, fils du monarque et de Gabrielle d'Estrées. Les pourparlers de paix avec l'Espagne sont enclenchés depuis janvier à Vervins en Vermandois. Philippe II accepte sa défaite, sa fille ne régnera pas sur la France, non plus que la seule religion catholique, la Bretagne ni la

1. Babelon Jean-Pierre, *op. cit.*, p. 611.

Provence non plus que la Picardie ne lui appartiendront jamais, le grand rêve d'une monarchie universelle Habsbourg se dilue comme une bulle de savon. A Vervins, on reconduit les clauses du Cateau-Cambrésis comme si quarante ans de guerres, d'affrontements, de pogroms et d'assassinats n'avaient jamais existé. La parenthèse tragique des troubles civils et religieux se ferme par un *statu quo* entre les deux grandes puissances européennes, sinon que les Espagnols restituent quelques villes dans le Nord et en Bretagne. A ce point qu'Henry IV, s'estimant tellement certain de ce destin international, clôt cette parenthèse sans consulter ses partenaires anglais, hollandais, allemands et suisses.

Les protestants, pour avoir à quelques exceptions près aidé leur ancien protecteur à gravir les marches du trône, renâclent de ce que depuis août 1589 Henry IV se préoccupe de rassurer les catholiques du royaume, faisant planer, telle au loin l'étoile du berger, sa conversion, semblant oublier que près d'un million de ses sujets appartient à la foi calviniste. En 1591, l'édit de Mantes vise à contenter la minorité, renouant en accordant liberté de conscience et liberté de culte avec les textes antérieurs. La conversion du roi à la religion dominante, quoique approuvée, voire conseillée, par ses amis huguenots, Sully et Duplessis-Mornay, reste en travers de la gorge de beaucoup ; Agrippa d'Aubigné en termes lyriques la déplore. A tel point que le malentendu s'aggrave entre Henry IV et les Grands de la religion, frustrés de la reconnaissance qu'ils étaient en droit d'espérer. Henry de La Tour d'Auvergne, vicomte de Turenne, duc de Bouillon, quitte avec son contingent l'armée royale lorsqu'elle mène en 1596 le siège très dur d'Amiens. Les huguenots réactivent le système fédéral mis en œuvre après la Saint-Barthélemy — l'assemblée politique de Sainte-Foy étend en 1594 la « république calviniste » à tout le royaume ; on parle même d'un nouveau protecteur, en la personne de Maurice de Nassau, fils de Guillaume d'Orange. En pleine guerre contre l'Espagne, les gentilshommes discutent entre eux puis avec les représentants du roi des termes d'une constitution religieuse et civile intégrant protestants et protestantisme à l'État ; une assemblée permanente mais gyrovague se tient à Saumur, à Loudun, Châtellerault, et Vendôme, où se mêlent des nobles, des notables et des ministres. L'exaspération monte au point qu'une levée d'armes est envisagée (comme au temps de Condé) sous les ducs de Bouillon et de La Trémoille. Les succès d'Henry IV sur les Espagnols, la reprise d'Amiens, des ports bretons, les pourparlers engagés pour la future paix de Vervins, le mettent en position de force, de telle manière que les commissaires royaux menacent de publier l'édit sans l'accord de l'assemblée politique. L'Édit de Nantes est enfin paraphé en avril 1598 [1].

Précédé d'un long préambule qui exprime le souhait royal d'un retour de ses sujets protestants à la religion catholique d'État, suggérant ainsi le caractère provisoire de dualité confessionnelle du royaume, l'édit comporte 92 articles de fond, 56 articles secrets ou particuliers réglant des situations au cas par cas, et une troisième partie de « brevets » où sont prévues les sommes versées par le Trésor au corps protestant. La liberté totale de conscience est reconnue aux réformés qui du coup se trouvent juridiquement « capables de tenir tous états, dignités, offices et charges publiques... » sans être assujettis au serment de catholicité. Les offices royaux avaient été à vrai dire quasiment fermés aux tenants du calvinisme par Henri III, l'édit de juillet 1585 les leur interdisant absolument [2]. Or grande est chez les huguenots la soif d'offices comme dans toute la bourgeoisie française, aussi à Mantes en 1591 le nouveau roi admet aux charges d'État les religionnaires ; la protestation des parlements s'élève, vibrante de la conviction qu'un hérétique ne peut servir l'État, émus d'avoir à partager le pactole de la fonction publique, qui refuse d'ouvrir aux protestants les cours de justice et autres institutions royales. On verra de quelles difficultés seront faits pour les huguenots friands de charges les lendemains de l'Édit de Nantes.

Les articles 3 à 5 concernent la liberté de culte. La marge de manœuvre du roi est étroite sur ce point entre les exi-

1. Sur l'édit de Nantes, voir Garrisson Janine, *L'Édit de Nantes et sa révocation...* Paris, Éd. du Seuil, 1985, chap. I. Voir aussi les considérations stimulantes de Le Roy Ladurie Emmanuel, *L'État royal*, *op. cit.*, p. 294.

2. Mousnier Roland, *La Vénalité des offices sous Henry IV et Louis XIII*, Paris, PUF, 1971, p. 589-590.

gences des villes ligueuses, celles des barons révulsés par le moindre chant de psaumes et celles des protestants décidés à conserver le plus grand nombre de lieux d'exercice. Avant que de définir en cette matière les droits de la minorité, l'édit précise que le culte catholique sera rétabli partout où il avait été chassé et que les biens ecclésiastiques confisqués ou occupés seront restitués. Quant aux huguenots, ils possèdent le droit de célébrer leur culte aux endroits où il existait en 1596 et jusqu'à la fin du mois d'août 1597, et dans ceux où il était autorisé par les édits de Nérac et de Fleix, c'est-à-dire dans une ville par bailliage ainsi que dans les faubourgs d'une seconde. Bien évidemment les seigneurs hauts-justiciers auront leur ministre et leur temple (culte de fief). L'exercice religieux public est interdit aux protestants dans les villes qui l'ont exigé lors de leur ralliement, Paris par exemple, dans les cités épiscopales, sur les terres des Grands ligueurs.

Au-delà de ces clauses un peu frileuses quant à la liberté de culte, les huguenots se trouvent nantis de super-privilèges, tel le « corps » juridique ou l'« ordre » particulier qu'ils souhaitent représenter. Quelque 150 places de sûreté, tant villes, bourgs, châteaux, leur sont accordés ; le roi en paie les garnisons composées d'un gouverneur et de soldats protestants. Une justice spécifique apte à juger les procès où un huguenot est partie leur est accordée, mais ce n'est pas nouveau dans les édits de tolérance ; ces chambres de l'édit fonctionneront auprès des parlements de Paris, Toulouse, Bordeaux, Grenoble. Le Trésor royal se charge d'entretenir les ministres et d'assurer les dépenses des collèges et des académies religionnaires. L'article 43 des « secrets » reconnaît l'existence des assemblées politiques à condition qu'elles se tiennent devant un juge royal.

Tel qu'il est, cet édit, œuvre de circonstances, fruit d'un rapport de forces entre les exigences protestantes, les blocages catholiques et les prérogatives royales, exprime la nécessité d'en finir avec la guerre civile plus qu'une volonté d'appliquer la notion philosophique de tolérance. Il n'en demeure pas moins unique en Europe, bien qu'en plusieurs pays coexistent de fait des religions différentes sans que cette coexistence soit garantie par un édit royal ; la monarchie française justifie ainsi l'un des fondements de sa doctrine politique : l'État de droit.

En cela, l'Édit de Nantes s'apparente aux textes antérieurs promulgués sous Charles IX et sous Henri III, celui de janvier 1562, celui de Saint-Germain, celui de Beaulieu ou de Nérac. Sinon qu'arrivant après quarante ans de troubles civils et religieux il apparaît aux catholiques français comme définitif (malgré les restrictions du préambule), comme la charte d'établissement d'une autre religion que la religion romaine. Aussi Henry IV et son Conseil éprouvent-ils une grande peine à le faire enregistrer par les parlements. Ceux-ci prennent le prétexte des places de sûreté violant la loi fondamentale de non-aliénabilité du royaume pour refuser de le publier dans leur ressort. Il faut de la part des commissaires royaux et du souverain lui-même une belle dose de persévérance contraignant les magistrats toulousains par un lit de justice et les autres par de nouvelles négociations et des concessions de dernière heure ; la chambre de l'édit de Paris compte en définitive 16 catholiques pour un seul huguenot lorsque enfin en 1599 la cour l'enregistre, ce que fait Toulouse en 1600, Rouen en 1609. Les résistances des parlements se font l'écho d'un malaise plus profond, celui des ligueurs convaincus dont l'amertume se nourrit d'avoir combattu pour rien ; ils manifestent au Mans, à Tours, à Paris. L'assemblée du clergé de 1598 réclame déjà la suppression des chambres de l'édit, l'interdiction des synodes, confortée par le désespoir de Clément VIII à l'annonce du texte législatif : « Cela me crucifie », aurait-il énoncé.

Le malentendu ancien et renouvelé se creuse entre un souverain qui, conscient d'un rapport de forces, se veut par la loi l'arbitre de ces forces et une population majoritairement catholique prise en charge par une Église vivifiée refusant la dualité religieuse. De cette ambiguïté se nourrissent les convictions des régicides. De cet inévitable compromis naissent sur le terrain les multiples problèmes d'application de l'édit. Des commissions, composées de magistrats appartenant à chacune des confessions, sont prévues, elles déterminent les lieux de culte, ceux de possession nombreux dans le Centre-Ouest et le Midi, ceux de concession plus fréquents dans le Nord et le Centre, enfin les exercices de fiefs disséminés dans le royaume. A nouveau, des négociations, des marchandages... en France septentrionale surtout lorsqu'il faut créer des exercices là où ils n'ont jamais existé. Le Conseil ne cesse d'intervenir, procédant à des échanges, à des remaniements, à des restrictions, faisant œuvre d'arbitre impartial, du moins avant qu'en 1610 Henry IV ne soit assassiné.

Conclusion

Les guerres de Religion ne s'achèvent pas sur la « paix » d'Henry IV, elles s'atténuent, elles s'estompent, cessant d'appartenir à une obsédante histoire. Mais leurs racines subsistent ; elles n'en finissent pas de pousser çà et là durant le règne du premier Bourbon et celui de son fils Louis XIII leurs surgeons en forme de révoltes nobiliaires, de levées d'armes des huguenots, de complots ou de pressions conduits par les dévots, héritiers de la tradition ligueuse. Mais peut-on encore parler de guerres de Religion ? Ainsi formulée, l'appellation ne se trouve presque jamais chez les contemporains. Ils évoquent les troubles civils, les dissensions civiles, ne posant l'adjectif religieux que pour en faire un masque. Au XIXe siècle, le terme guerres de Religion s'impose, absolvant du coup les catholiques comme les protestants de la révolte politique conduite par chacun des partis contre la monarchie des derniers Valois et du premier Bourbon.

Car, n'en déplaise aux esprits épris de synthèse, cette période des guerres dites de Religion s'émiette en une infinité de crises particulières que l'on pourrait sans doute appeler ruptures si le premier Bourbon, non sans mal et sans cicatrices prêtes à se rouvrir, n'avait renoué les fils de cet écheveau soudainement dévidé. Avancera-t-on que la société française face à l'Un, au Léviathan, s'éparpille pour mieux le repousser ? La noblesse, ces 40000 ou 50000 hommes, du mince hobereau ou Grand prestigieux, non pas dans son ensemble, mais pour beaucoup d'entre elle, n'a cessé au long de ces quarante ans et pendant longtemps encore de proposer face au Prince autoritaire la solution de rechange d'un gouvernement collectif dans lequel les conseils et les états généraux peuplés de gentilshommes pour le tout ou pour partie seraient les éléments institutionnels de ce régime aristocratique qu'ils revendiquent. Que l'opinion religieuse protestante ou trop rigidement catholique de certains d'entre eux les écarte de l'exercice du pouvoir au niveau de l'État, et les voilà qui forment un parti, proclament *urbi et orbi* « les raisons qui les ont meus à prendre les armes... ». Ainsi, en ces périodes de factions, l'affaiblissement de l'autorité monarchique crée un vide favorable à l'émergence de quelques personnalités charismatiques silencieuses et dans l'ombre lorsque règne l'Un. A tel point qu'un Condé, qu'un Guise, qu'un Damville, qu'un Navarre (et combien d'autres de plus petite envergure, Coligny, Lesdiguières, Tavannes, Mercœur, Mayenne, Joyeuse...) diffractent comme en un miroir éclaté le rayonnement qui d'ordinaire émane du roi seul ; du moins en était-il ainsi au temps des premiers Valois d'Angoulême.

Resurgissement des grands barons au profil carnassier, un peu oubliés depuis le retentissant procès fait par Louise de Savoie et François 1er au connétable Charles de Bourbon, mais, avec eux et par eux, réveil (ou manifestation) des provinces qui s'investissent dans ces leaders ou plutôt que ces leaders investissent grâce à leur parentèle, leur clientèle, leurs vassaux et leurs manants. L'on voit grincer à nouveau les articulations fraîchement soudées dans la mouvance française. Cette Guyenne où l'on criait encore en 1548 « Vive l'Angleterre » lors de la révolte de la gabelle, constitue bien le repaire où s'agrippe pour mieux prendre son envol Henry de Navarre. Le couloir rhodanien, le Dauphiné, la Provence, lambeaux de l'ancienne Lotharingie, deviennent l'enjeu cicatriciel de gouverneurs protestants, de gouverneurs ligueurs, du duc de Savoie, alors même que les peuples, comme en 1579, ne s'en mêlent pas. La France du Nord ne se trouve pas pour autant dans le camp des Valois, d'un bloc indéfectible. La Picardie où naît la première Ligue à Péronne, la vallée de la Loire où les protestants depuis Louis de Condé possèdent de solides têtes de pont, Orléans fugacement, mais Saumur, La Charité ; la Bretagne, où en 1598 s'accrochent encore le Lorrain Mercœur et des garnisons espagnoles... Les responsables de l'État royal connaissent bien ce mal séculaire quand un homme et une province font cause commune contre les règles du centre, Michel de L'Hospital comme Birague, le chancelier d'Henri III et de Catherine de Médicis, réduisent autant qu'ils peuvent le faire les pouvoirs accordés aux Grands gouverneurs, sans y réussir... ouvrant la voie à Richelieu.

Les villes participent au long de ce demi-siècle de l'éparpillement français. Les protestants comme les ligueurs s'efforcent de contrôler les organisations municipales ainsi que l'espace urbain. Les uns comme les autres considèrent ce monde souvent clos de murs comme l'idéal d'une gestion chrétienne, et les deux termes ne sont pas aussi antinomiques qu'ils le paraissent, d'un ensemble limité de fidèles. Les catholiques y déploient dans un décor familier de processions les cérémonies de l'unanimisme religieux et communal, les protestants s'efforcent d'y faire régner « l'ordre politique » teinté de puritanisme que Calvin tenta d'instaurer à Genève. La crise économique qui nourrit les bandes des hobereaux pillards et des barons revendicateurs mobilise aussi le peuple des villes prêt à participer à la ferveur ligueuse ou à la rigueur huguenote. Le pouvoir royal ne s'y trompe pas, lorsque, multipliant le nombre des officiers, mais c'est aussi pour nourrir son Trésor, il implante dans les villes autant d'hommes susceptibles de les intégrer à la décision monarchique ; dans la même perspective de contrôle, il s'ingénie (sans réel succès) à organiser les métiers libres en corporations, il cherche à limiter la liberté des élections des consuls ou des échevins, voulant en cela resserrer les centres de pouvoir.

Ligueurs et huguenots collectivement réagissent les uns par rapport aux autres comme des silex frappés en des étincelles de violence spécifique qui colore brutalement l'histoire de ce presque demi-siècle. Pourtant, leur implantation dans le champ du politique s'opère de manière tout à fait similaire selon un *tempo* traditionnel tout à la fois nobiliaire et chrétien. Les guerres dites de Religion signifient la revendication du multiple face à l'autorité d'un seul ; du côté protestant, un système de représentation plus aride exalte l'individu acteur et moteur dans son groupe ; du côté catholique, le foisonnement, amplifié en retour, des signes induit une mystique sociale où l'irrationnel se perçoit comme une cohérence du système tout entier. Sans doute deux univers mentaux radicalement différents, mais ceux-ci se coulent dans l'histoire selon des processus éprouvés et largement inventoriés.

Les grands vaincus de cette désorganisation sont les paysans. Victimes de la crise économique qui lamine le groupe des moyens propriétaires et multiplie les propriétaires parcellaires, un bref instant ils se sont imaginés profiter de l'alternative ecclésiastique proposée par le protestantisme en se libérant du poids de la dîme. Les Églises se sont chargées de les détromper avec célérité. Au-delà de l'épisode antidécimal, ils se sont peu investis dans le débat religieux du siècle, tolérants par nécessité existentielle comme le sont lors de leur grande révolte de 1594 les Croquants ; avec équanimité, ils massacrent, lorsque l'occasion s'en présente, les soudards protestants ou les soudards catholiques qui les vampirisent sans retenue. Car, en ce cas aussi, il faudrait changer la terminologie actuelle, retrouvant celle des contemporains lorsqu'ils disent « les troubles » ; en effet, la guérilla bien plus que la guerre constitue le quotidien des Français de ces décennies. Obsédante, multivore, elle menace les gens, les biens, quand le moindre capitaine perché dans son repaire soumet à sa terreur locale le plat pays qui l'entoure. Omniprésente en cette forme dans les provinces du Sud, elle est dans celles du Nord moins permanente mais non moins ravageuse. Les reîtres au service du parti protestant mutilent en se retirant vers l'Est les pays qu'ils traversent — c'est le cas en 1570, en 1576 et en 1587 et 1588. La reconquête des régions outre-Loire par Henry IV installe pour presque dix ans la Normandie, l'Ile-de-France, la Champagne, la Picardie sous la domination des soldats. Dès le début des troubles, la dimension guerrière intervient comme l'élément principal de la crise économique : celle-ci anéantit l'équilibre de la paysannerie, accroît la distance de la ville et des campagnes, détruit la cohésion de la communauté rurale. Mais, si les gens de la terre paient certainement plus cher dans le Midi et le Centre-Ouest le fait d'appartenir à des provinces « en proie », il n'est pas vain d'énoncer que l'âge noir des cultivateurs prend place aux alentours de 1560 lorsque capitaines et gens de guerre se mettent en mouvement.

Les protestants globalement sortent affaiblis des troubles que par leur existence ils ont pour large part contribué à faire naître. Diminués en nombre, amoindris en puissance par les conversions de gentilshommes — elles se feront plus fréquentes au siècle suivant —, ils se trouvent privilégiés politiquement par l'Édit de Nantes, mais le mouvement historique de l'État luttant dès Henry IV contre les états et les corps les rend vulnérables, dépendants du bon vouloir de l'autorité souveraine. De celle-ci, désormais, ils se font les loyaux sujets pour un temps du moins, jusqu'à ce que, inquiets et menacés par le flot montant de la dévotion et de l'opinion pro-espagnole, ils reprennent les armes, échouant définitivement à former un ordre dans le royaume. La monarchie autoritaire et centralisée — étrangement ! — sort renforcée de la contestation généralisée dont elle fut l'objet. Gardant toujours le cap — et de quelle violence cette maintenance s'est-elle accompagnée pour n'être point submergée par l'un ou l'autre des partis ? —, elle réussit à faire surnager l'idée de l'État. Grâce à une clientèle importante puisque la royauté résulte du bénéfice que tire d'elle un groupe disparate où se mêlent noblesse, bourgeoisie financière des traitants et des partisans, officiers de la fonction publique. Grâce à une bureaucratie déjà solide, enracinée par la volonté des premiers Valois d'Angoulême au point que l'alternative de type aristocratique et communal proposée par les ligueurs comme par les huguenots ne peut satisfaire les ambitions bourgeoises et même, dans une certaine mesure, nobiliaires. Car les nobles deviennent les meilleurs clients de l'État quand il se fait entrepreneur de guerre, d'où l'extrême habileté d'Henry IV déclarant à l'Espagne des hostilités nationales.

Curieusement, au travers des passions françaises déchaînées, ces tenants de l'État royal se sont construit une idéologie. Elle est gallicane, car ces idéologues, souvent bourgeois, ont cessé de rêver à la Chrétienté universelle ; elle est unitaire, car ils ne peuvent exister que par l'unicité du pouvoir ; elle est historique, car ils ne peuvent se concevoir que dans un mouvement d'ensemble projeté dans le temps ; enfin, elle est rationnelle, car le service (ou le bénéfice) de l'organisation monarchique s'évalue en calculs, en négociations, en rapports de forces. Un tel système de pensée pénètre avec des fortunes diverses, des soubresauts et des ratés les élites françaises ralliées à l'État puisque leur soumission « est liée au désir de chacun de porter le nom d'Un devant l'autre ».

Chronologie
1559-1598

	Histoire politique	Économie et société	
1559	Traité du Cateau-Cambrésis. Mort d'Henri II, François II, roi.		**1559**
1560	Conjuration d'Amboise. Mort de François II, avènement de Charles IX.	États généraux à Orléans.	**1560**
1561		Édit de Janvier.	**1561**
1562	Massacre de Vassy. Première guerre de Religion.		**1562**
1563	Assassinat de François de Guise.	Édit de pacification d'Amboise.	**1563**
1565		Début de la révolte des Morisques d'Andalousie. Grand hiver.	**1565**
1566	Début de la révolte des Gueux aux Pays-Bas. Diète d'Augsbourg. Les « Casseurs » iconoclastes aux Pays-Bas.	Ordonnance de Moulins.	**1566**
1567	Deuxième guerre de Religion. Répression de la révolte des Gueux.		**1567**
1568	Troisième guerre de Religion.	Édit de pacification de Longjumeau.	**1568**
1569	Batailles de Jarnac et de Moncontour.		
1570		Édit de pacification de Saint-Germain.	**1570**
1571	Bataille navale de Lépante.	Augmentation du prix des grains.	**1571**

	Religion, spiritualité	Vie intellectuelle et artistique	
1559	Premier *Index vaticanus*. Premier synode calviniste à Paris.	Amyot, traduction des *Vies parallèles* de Plutarque.	**1559**
1560	Fondation de l'Église nationale écossaise presbytérienne.	Début des travaux du Palais des Offices à Florence.	**1560**
1561	Colloque de Poissy.	Francis Bacon († 1626).	**1561**
1562	Troisième session du concile de Trente. Réforme du Carmel en Espagne.	Lope de Vega († 1635).	**1562**
1563	Fin du concile de Trente.	Début des travaux de l'Escurial à Madrid.	**1563**
1564	Confession de foi anglicane d'Élisabeth Ire.	Shakespeare († 1616), Marlowe († 1593), Galilée († 1642).	**1564**
1565	Publication du catéchisme romain.		**1565**
1566	Pie V, pape.		**1566**
1567	Naissance de saint François de Sales († 1622).		**1567**
1568		Début des travaux de l'église des Jésuites à Rome.	**1568**
1570	Excommunication d'Élisabeth Ire. Réforme du Missel.	Monluc dicte la 1re rédaction de ses *Commentaires*.	**1570**
1571		Tirso de Molina († 1648). Kepler († 1630).	**1571**

	Histoire politique	Économie et société	
1572	Massacre de la Saint-Barthélemy. Quatrième guerre de Religion.	Prix des grains très élevé.	**1572**
1573	Henri de Valois élu roi de Pologne.	Prix des grains à son paroxysme. Édit de Boulogne.	**1573**
1574	Mort de Charles IX, avènement d'Henri III. Cinquième guerre de Religion.	Banqueroute de Philippe II.	**1574**
1576	Paix de Beaulieu. Formation de la première Ligue en France.	États généraux de Blois.	**1576**
1577	Sixième guerre de Religion.	Réforme monétaire. Édit de Poitiers.	**1577**
1579	Éclatement des Pays-Bas : Union d'Utrecht et d'Arras. Septième guerre de Religion.	Carnaval de Romans. Révolte du Dauphiné. Grande ordonnance de Blois. Édit de Bergerac.	**1579**
1580	Philippe II fait valoir ses droits sur le Portugal.	Édit de pacification de Fleix.	**1580**

	Religion, spiritualité	Vie intellectuelle et artistique	
1572	Grégoire XIII, pape.		**1572**
1573		Ben Jonson (†1637).	**1573**
1575	Fondation de l'ordre des Capucins à Rome.		**1575**
1576	Fondation de la congrégation de l'Oratoire en Espagne.	Jean Bodin, *La République*. La Boétie, *Discours de la servitude volontaire* ou le *Contr'Un*.	**1576**
1577		Les comédiens italiens jouent à Blois. Rubens (†1640). D'Aubigné se met à la composition des *Tragiques*.	**1577**
1578		Du Bartas, *La Semaine ou Création du Monde*.	**1578**
1579		Début des travaux du théâtre Olympique à Vicence.	**1579**
1580		Garnier, *Les Juives*. Palissy, *Discours admirables*.	**1580**
1581	Saint Vincent de Paul (†1660).		**1581**
1582		Ambroise Paré, *Discours de la Licorne*.	**1582**
1583		Hugo Grotius (†1645).	**1583**

	Histoire politique	Économie et société	
1584	Mort du duc d'Anjou. Assassinat de Guillaume d'Orange.		**1584**
1585	Traité de Joinville entre Philippe II et les ligueurs. Traité de Nemours. Huitième guerre de Religion. Seconde Ligue catholique.	Épidémie de peste.	**1585**
1586		Grande famine dans le Sud.	**1586**
1587	Exécution de Marie Stuart. Bataille de Coutras.		**1587**
1588	« Invincible Armada ». Journée des Barricades à Paris, assassinat des Guise.	États généraux de Blois.	**1588**
1589	Assassinat d'Henri III. Henry IV roi.		**1589**
1590	Siège de Paris. Bataille d'Ivry.		**1590**
1591	Excommunication d'Henry IV.	Édit de Mantes.	**1591**
1592		Prix des grains très élevé.	**1592**
1593	États généraux de la Ligue. Abjuration d'Henry IV.	Prix des grains très élevé.	**1593**
1594	Sacre d'Henry IV à Chartres. Henry IV entre dans Paris.	Manifeste des Croquants.	**1594**
1595	Guerre contre l'Espagne (1598). Sully conseiller des finances. Victoire d'Henry IV à Fontaine-Française.	Assemblée politique protestante à Saumur.	**1595**
1598	Paix de Vervins.	Édit de Nantes.	

	Religion, spiritualité	Vie intellectuelle et artistique	
1585	Sixte Quint, pape.		**1585**
1588		Malherbe, *Les Larmes de Saint-Pierre*. La Noue, *Discours politiques et militaires*. Montaigne, *Essais*.	**1588**
1590	Grégoire XIV, pape.		**1590**
1592	Clément VIII, pape.		**1592**
1593		*Le Dialogue du Manant et du Maheustre*.	**1593**
1594	Attentat de Châtel et expulsion des jésuites du royaume. Début de la querelle de la grâce. Pithou, *Les Libertés de l'Église gallicane*.	*Satire Ménippée*.	**1594**
1595	Assemblée du clergé.		**1595**
1596		Pasquier, *Les Recherches de la France*.	**1596**
1598	Assemblée du clergé.		**1598**

Orientation bibliographique

Instruments de travail et sources imprimées.

D'Aubigné Agrippa, *Histoire universelle*, Paris, Renouard, 1886-1909.

Bédier Joseph et Hazard Paul, *La Littérature française*, Paris, Larousse, 1948, t. 1.

Castellion Sébastien, *Conseil à la France désolée*, éd. Valkhoff Marius, Genève, Droz, 1967.

Gassot Jules, *Sommaire Mémorial (souvenirs) (1555-1625)*, Paris, Champion, 1934.

Haton Claude, *Mémoires contenant le récit des événements accomplis de 1553 à 1587*, éd. Félix Bourquelot, Paris, Imprimerie nationale, 1857, 2 vol.

Isambert, de Crusy et Taillandier, *Recueil général des anciennes lois françaises*, Paris, Belin, 1829.

L'Estoile Pierre de, *Journal de... pour le règne d'Henri III (1574-1589)*, Paris, Gallimard, 1943.

Loyseau Charles, *Traité des offices*, Paris, 1609.

Histoire politique et institutionnelle.

Boutier Jean, Dewerpe Alain et Nordman David, *Un tour de France royal. Le voyage de Charles IX (1564-1566)*, Paris, Aubier, 1984.

Chaunu Pierre et Gascon Richard, *L'État et la Ville (1450-1660)*, Paris, PUF, 1977, t. I.

Lavisse Ernest, sous la direction de, *Histoire de France*, t. 6, Paris, Hachette, 1904.

Le Roy Ladurie Emmanuel, *L'État royal de Louis XI à Henri IV*, Paris, Hachette, 1987.

Mousnier Roland, *La Vénalité des offices sous Henri IV et Louis XIII*, Paris, PUF, 1971.

Naef Henri, *La Conjuration d'Amboise*, Genève, Droz, 1922.

De Paschal Pierre, *Journal de ce qui s'est passé en France durant l'année 1562...*, Paris, Didier, 1950.

Zeller Gaston, *Les Institutions de la France au XVIe siècle*, Paris, PUF, 1948.

Histoire économique et sociale.

Bercé Yves-Marie, *Croquants et Nu-Pieds*, Paris, Gallimard-Julliard, coll. « Archives », 1974.

Bercé Yves-Marie, *Histoire des Croquants*, Paris, Éd. du Seuil, 1988.

Bezard Yvonne, *La Vie rurale dans la région parisienne de 1450 à 1560*, Paris, Firmin-Didot, 1929.

Chartier Roger, Compère Marie-Madeleine, Julia Dominique, *L'Éducation en France du XVIe au XVIIIe siècle*, Paris, SEDES, 1976.

Chartier Roger, *Figures de la gueuserie*, Paris, Montalba, 1982.

Duby Georges et Wallon Armand, sous la direction de, *Histoire de la France rurale*, Paris, Éd. du Seuil, 1975.

Gascon Richard, *Grand Commerce et Vie urbaine au XVIe siècle : Lyon et ses marchands (vers 1520-1580)*, Paris-La Haye, Mouton, 1971, 2 vol.

Geremek Bronislaw, *Truands et Misérables dans l'Europe moderne (1350-1600)*, Paris, Gallimard-Julliard, coll. « Archives », 1978.

Goubert Pierre, *Beauvais et le Beauvaisis de 1600 à 1730*, Paris, EPHE, coll. « Démographie et sociétés », 1960.

Gutton Jean-Pierre, *La Société et les Pauvres. L'exemple de la Généralité de Lyon (1534-1789)*, Paris, 1971.

Gutton Jean-Pierre, *La Société et les Pauvres en Europe (XVIe-XVIIIe siècle)*, Paris, PUF, 1974.

Hauser Henri, *Ouvriers du temps passé*, Paris, Alcan, 1909.

Jacquart Jean, *La Crise rurale en Ile-de-France, 1550-1670*, Paris, Colin, 1974.

Jouanna Arlette, *Le Devoir de révolte. La noblesse française et la gestation de l'État moderne, 1559-1661*, Paris, Fayard, 1989.

Le Roy Ladurie Emmanuel, *Histoire du climat depuis l'an mil*, Paris, Flammarion, coll. « Champs », 1983, 2 vol.

Le Roy Ladurie Emmanuel, *Paysans du Languedoc*, Paris, SEVPEN, 1966, 2 vol.

Merle Louis, *La Métairie et l'Évolution agraire de la Gâtine poitevine de la fin du Moyen Age à la Révolution*, Paris, SEVPEN, 1958.

Histoire religieuse.

Barnavi Élie, *Le Parti de Dieu. Étude sociale et politique de la Ligue parisienne (1585-1594)*, Louvain, Nauwelaerts, 1980.

Benedict Philip, *Rouen during the Wars of Religion*, Cambridge, University Press, 1981.

Garrisson Janine, *L'Édit de Nantes et sa révocation. Histoire d'une intolérance*, Paris, Éd. du Seuil, 1985.

Garrisson Janine, *Protestants du Midi (1559-1598)*, Toulouse, Privat, 1981.

Garrisson Janine, *La Saint-Barthélemy*, Bruxelles, Complexe, 1987.

Garrisson Janine, *Les Protestants au XVIe siècle*, Paris, Fayard, 1988.

Geisendorf Paul, *Le Livre des habitants de Genève (1549-1587)*, Genève, Droz, 1957 et 1963, 2 vol.

Kingdon Robert, *Geneva and the Coming of the Wars of Religion in France*, Genève, Droz, 1956.

Kingdon Robert, *Myths about the Saint-Bartholomew's Day Massacres, 1572-1576*, Cambridge Massachusetts, Londres, Harvard University Press, 1988.

Latreille André, Delaruelle Étienne et Palanque Jean-Rémy, *Histoire du catholicisme en France*, Paris, SPES, 1963.

Lebigre Arlette, *La Révolution des curés, Paris, 1588-1594*, Paris, Albin-Michel, 1980.

Lebrun François, sous la direction de, *Histoire de la France religieuse*, Paris, Éd. du Seuil, 1988.

Livet Georges, *Les Guerres de Religion*, Paris, PUF, « Que sais-je ? », 1962.

Miquel Pierre, *Les Guerres de Religion*, Paris, Fayard, 1980.

Pernot Michel, *Les Guerres de Religion en France (1559-1598)*, Paris, SEDES, 1987.

Sutherland Nicola Mary, *The Massacre of Saint-Bartholomew and the European Conflict (1559-1572)*, Londres, Mac Millan, 1973.

Histoire des idées et des représentations.

Boucher Jacqueline, *La Cour de Henri III*, Ouest-France, 1986.

Crouzet Denis, *Les Guerriers de Dieu*, Paris, Champ Vallon, 1990, 2 vol.

Davis Natalie, *Les Cultures du peuple*, Paris, Aubier, 1979.

Delumeau Jean, *La Peur en Occident*, Paris, Fayard, 1978.

Institoris Henry et Sprenger Jacques, *Le Marteau des sorcières*, Grenoble, Jérôme Millon, 1990.

Le Roy Ladurie Emmanuel, *Le Carnaval de Romans, de la Chandeleur au mercredi des Cendres, 1579-1580*, Paris, Gallimard, 1979.

Mesnard Pierre, *L'Essor de la philosophie politique au XVIe siècle*, Paris, Vrin, 1969.

Morin Louis ou François, sire de Cromé, *Dialogue d'entre le Maheustre et le Manant*, publié par P. M. Ascoli, Genève, Droz, 1977.

Muchembled Robert, *La Sorcière au village*, Paris, Gallimard-Julliard, coll. « Archives », 1979.

Touchard Jean, *Histoire des idées politiques*, Paris, PUF, 1971.

Yardeni Myriam, *La Conscience nationale en France pendant les guerres de Religion (1559-1598)*, Paris-Louvain, Nauwelaerts, 1971.

Quelques personnages.

Babelon Jean-Pierre, *Henri IV*, Paris, Fayard, 1982.

Bourassin Emmanuel, *Charles IX*, Paris, Arthaud, 1986.

Buisson Albert, *Michel de L'Hospital (1503-1573)*, Paris, Hachette, 1950.

Chevallier Pierre, *Henri III*, Paris, Fayard, 1985.

Chevallier Pierre, *Les Régicides*, Paris, Fayard, 1989.

Cloulas Ivan, *Catherine de Médicis*, Paris, Fayard, 1979.

Cocula-Vaillières Anne-Marie, *Brantôme. Amour et gloire au temps des Valois*, Paris, Albin Michel, 1986.

Constant Jean-Marie, *Les Guise*, Paris, Hachette, 1984.

Garrisson Janine, *Henry IV*, Paris, Éd. du Seuil, 1984.

La Ferrière Hector de et Baguenault de Puchesse Gustave, *Lettres de Catherine de Médicis*, Paris, Documents inédits de l'histoire de France, 1880-1909, 10 vol. et index.

Palm Frank, *Politics and Religion in Sixteenth-Century France. A Study of the Career of Henry of Montmorency-Damville, Uncrowned King of the South*, Boston-New York, 1927.

Roekler Nancy, *Jeanne d'Albret, reine de Navarre*, Paris, Imprimerie nationale, 1979.

Index

Adrets, François de Beaumont, baron des, 154.
Albe, Ferdinand Alvarez, duc d', gouverneur des Pays-Bas, 50, 52, 61, 161, 164, 172, 173, 177.
Albret, famille d', 63, 165.
Alençon, Hercule François de Valois, duc d', Monsieur, 51, 53, 58, 60, 62, 67, 69, 70, 73, 96, 98, 115, 119, 132, 133, 137, 182-185, 190, 195.
Andelot, François de Châtillon, sire d', 98, 143, 153, 155.
Anjou, Henri de Valois, duc d', voir Henri III.
Anthenac, Bézian d', commerçant pastellier, 17.
Armagnac, Georges d', cardinal, 104, 113.
Arnauld, Antoine, conseiller d'État, 138, 139.
Aubigné, Agrippa d', capitaine et poète, 56, 153, 222.
Aumale, Claude de Guise, duc d', 71, 118, 200.

Babelon, Pierre, historien, 222.
Baccou, capitaine, 44.
Baïf, Jean Antoine de, poète, 55, 60.
Barrière, Pierre, régicide, 221.
Beaune, Renaud de, prélat, conseiller d'État, archevêque de Bourges, 205, 218.
Beauvais, François de, sire de Briquemaut, 177, 186.
Bellay, Jean du, prélat et diplomate, 127.
Belleau, Rémi, poète, 55, 60.
Bellièvre, Pomponne de, secrétaire d'État, surintendant des finances, puis chancelier, 53, 186, 189, 193, 202.
Belloy, Pierre du, écrivain politique, 137, 138.
Benedict, Philippe, historien, 89, 125.
Bèze, Théodore de, réformateur, 94, 95, 145, 150, 178.
Birague, René de, chancelier de France et cardinal, 172, 182, 183, 190, 230.
Biron, Armand de Gontaut, baron de, maréchal, 180, 198, 207.
Bodin, Jean, magistrat et philosophe, 131, 133, 134, 136, 141.
Bordini, évêque de Cavaillon, 103.
Boucher, Jean, curé de la paroisse de Saint-Benoît, 122, 123, 217.
Bourbon, famille de, 86, 152.
Bourbon, Antoine de, roi de Navarre, 56, 62, 63, 149, 155.
Bourbon, Charles, cardinal de, Charles X, roi de la Ligue, 117, 120, 195, 201, 202, 208, 209, 215, 217.
Bourbon-Vendôme, Charles, cardinal de Vendôme, puis de Bourbon, 209, 219.
Brissac, Charles Ier de Cossé, comte de, maréchal de France, 69.

Brissac, Charles II de Cossé, comte puis duc de, maréchal de France, 182, 185, 202, 220.
Brisson, Barnabé, président au Parlement de Paris, 126, 217.
Brulart, Nicolas de, marquis de Sillery, secrétaire d'État, 53, 202.
Bullant, Jean, architecte, 55.
Bussy-Leclerc, Jean Leclerc dit, magistrat ligueur, 217.

Calvin, Jean, réformateur, 77, 78, 81, 91, 99, 106, 145, 153, 231.
Caput, charpentier et soldat huguenot, 44.
Carcès, Jean, sire de Pontavès, comte de, 184.
Cartier, Jacques, explorateur, 43.
Castellion, Sébastien, théologien et humaniste, 130, 131.
Catherine de Médicis, 32, 46-53, 55-62, 65, 74, 101, 102, 112, 120, 128, 130, 140, 143, 148-151, 153, 157, 158, 160, 161, 163, 166, 171-173, 182-185, 188-190, 197, 199, 201, 206, 209.
Caumont, Charles de, abbé et seigneur de Clairac, 86.
Caumont La Force, famille, 86.
Cavaignes, Arnaud, conseiller au Parlement, 177, 186.
Cellerié, Pierre, orfèvre et capitaine, 44.
César, Monsieur, duc de Vendôme, fils naturel d'Henry IV, 222.
Champier, Symphorien, médecin et chroniqueur, 37.
Charles Borromée, saint, archevêque de Milan, 103.
Charles VIII, 148, 203.
Charles IX, 48, 50, 52, 56, 59, 61, 76, 94, 96, 102, 108, 111, 143, 148, 151, 158, 160, 163, 165, 166, 171, 172, 176, 177, 180-183, 188, 194, 226.
Charles de Valois, comte d'Auvergne puis duc d'Angoulême, fils naturel de Charles IX, 57.
Charles III, duc de Lorraine, 209.
Charles-Emmanuel, duc de Savoie, 173, 203, 209.
Charpentier, Jacques, pamphlétaire, 133.
Châtel, Jean, régicide, 106, 221.
Châtillon, famille, 86, 144.
Châtillon, François de, fils de Coligny, 188.
Châtillon, Odet, comte-évêque de Beauvais, cardinal, 85, 143, 152.
Chaumont, Jean de, évêque d'Aix, puis capitaine protestant, 85.
Cheisolm, évêque d'Avignon, 103.
Cheverny, Philippe Hurault, comte de, chancelier, 189, 190, 193, 202.
Clément, Jacques, régicide, 68, 75, 121, 206.
Clément VII, pape, 221, 226.
Coconas, Anniba, comte de, 182.
Coligny, Gaspard de, amiral de France, 43, 53, 56, 59, 61, 68, 76, 85, 98, 112, 143, 147, 148, 151, 153, 156, 158, 162-166, 169, 170, 172-175, 177, 186, 215, 230.
Condé, Henri Ier de Bourbon, prince de, 59, 66, 67, 69, 75, 98, 132, 133, 178, 179, 182, 184, 185, 187, 188, 198.
Condé, Louis Ier de Bourbon, prince de, 48, 53, 63, 65, 66, 69, 75, 86, 94, 97, 111, 112, 119, 143, 145, 146, 149, 151-160, 162-165, 170, 186, 209, 215, 216, 230.
Constant, Jean-Marie, historien, 73.
Coquille, Guy, jurisconsulte et publiciste, 138, 140, 141.
Cossé, voir Brissac.
Cotton, Pierre, jésuite, 106.
Crouzet, Denis, historien, 157.
Crussol-Uzès, famille, 86, 154.

Daffis, Jean, avocat, 126.

Damville, Henri de Montmorency, sire de, maréchal puis duc, 66, 69, 70, 74, 132, 133, 182-187, 214, 230.
Davis, Natalie, historienne, 30, 44.
Desportes, Philippe, poète, 60.
Deux-Ponts, Wolfgang de Bavière, duc de, 98.
Diane de Poitiers, duchesse de Valentinois, 47.
Dohna, Fabian de, baron, capitaine des mercenaires allemands, 199.
Dorat, Jean Dinemandi, dit, poète et humaniste, 55.
Dorléans, Louis, avocat, 121, 123.
Du Bourg, Anne, conseiller au Parlement, 144.
Du Bourg, Antoine, chancelier, 127.
Du Fail, Noël, conteur, 42.
Du Ferrier, Arnaud, magistrat et ambassadeur, 102.
Du Four L'Évesque, Pierre, pamphlétaire, 122.
Du Moulin, Charles, jurisconsulte, 34.
Duperron, Jacques, cardinal, 105.
Duplessis-Mornay, Philippe, conseiller d'Henry de Navarre, 96, 105, 132, 137, 222.
Duranti, Jean Étienne Durant dit, président au parlement de Toulouse, 126.
Duras, Symphorien de Durfort, sire de, gentilhomme protestant, 147, 154.
Du Vair, Guillaume, homme d'État et philosophe, 138.

Egmont, Lamoral, comte d', 165.
Elbeuf, René de Guise, marquis d', 71, 118.
Élisabeth Ire, 52, 53, 61, 97, 118, 121, 150, 155, 180, 198, 200.
Élisabeth de Valois, fille d'Henri II, femme de Philippe II, 161, 209.
Épernon, Jean-Louis de Nogaret de La Valette, duc d', 59, 120, 196, 200.
Épinac ou Espinac, Pierre d', archevêque de Lyon, 103.
Érasme, Didier, humaniste et écrivain, 129.

Fabre, paysan et capitaine, 44.
Feria, Lorenzo Suarez de Figueroa, duc de, ambassadeur, 214.
Fizes, Simon, sire de Sauve, secrétaire d'État, 53.
Foix, Paul de, comte de Carmaing, conseiller d'État, 189.
François Ier, 50, 53, 55, 60, 63, 77, 148, 171, 178, 189, 194, 203, 209.
François II, 48, 56, 65, 70, 94, 111, 143, 148.
Fresne du, secrétaire d'État de Catherine de Médicis, 53.

Gascon, Richard, historien, 28, 37.
Genlis, 172.
Gondi, Albert de, baron puis duc de Retz, conseiller d'État, maréchal, général des galères, 172, 183.
Goubert, Pierre, historien, 13, 25.
Gouberville, Gilles, sire de, gentilhomme normand, 12, 16.
Goulaine de Laudonnière, René, explorateur, 43.
Grégoire XIV, pape, 141.
Grimaldi, évêque d'Avignon, 103, 104.
Guillaume Ier, dit le Taciturne, comte de Nassau, prince d'Orange, 52, 56, 61, 69, 165, 169, 170, 172, 175, 185.
Guise, famille de, 48, 49, 56, 57, 59, 65, 67, 68, 70, 74, 76, 94, 119, 120, 123, 128, 143, 145, 146, 148, 152, 173, 174, 182, 187, 189, 195-197, 200, 205, 206, 215, 220.

Guise, Catherine, duchesse de Montpensier, 71.
Guise, Charles de, duc de Mayenne, 71, 117, 123, 138, 198, 205, 206, 215-218, 220-222.
Guise, François de Lorraine, duc de, 53, 65, 69-71, 113, 152, 155, 157, 173.
Guise, Henri Ier de Lorraine, 3e duc de, 51, 66, 71, 73, 74, 98, 116-118, 122, 166, 169, 172, 173, 185, 189, 197, 199, 201, 204, 208, 230.
Guise, Louis, cardinal de, 71, 144.
Guise, Louis, 2e cardinal de, 71, 117, 189, 202, 204.

Habsbourg, famille des, 78, 144, 171, 223.
Harlay, Achille de, comte de Beaumont, magistrat et juriste, 207.
Haton, Claude, curé de Provins, 15, 111, 167.
Henri II, 8, 46, 48, 53, 55, 57, 60, 65, 77, 78, 94, 128, 143, 144, 161, 171, 178, 189, 190, 194, 222.
Henri III, 11, 31, 38, 49, 51-53, 55-61, 67, 68, 70, 73-76, 96, 98, 102, 108, 116, 117, 119-121, 125, 132, 136, 138, 143, 160, 165, 166, 172-174, 180-183, 185-208, 224, 226, 230.
Henry IV, 11, 20, 22, 31, 49, 51-53, 58, 59, 63, 66, 68, 70, 73-75, 93, 96-98, 102, 105, 106, 117, 119, 121, 122, 124, 125, 129, 133, 136-138, 140, 141, 164, 169, 170, 173, 175, 178, 179, 182, 184, 186, 188, 195, 198, 199, 205-209, 214-224, 226, 227, 229, 230, 232, 233.
Henri VIII, 150.
Henri II d'Albret, roi de Navarre, 63, 77.
Hornes, Philippe de Montmorency, comte de, 165.
Hotman, François, sire de Villiers Saint-Paul, jurisconsulte, 95, 96, 146.
Humières, Charles d', marquis d'Ancre, sire de, gouverneur de Péronne, 115.

Ignace de Loyola, saint, fondateur de la Compagnie de Jésus, 106.
Institoris, Henry, inquisiteur, 23.
Isabelle-Claire, infante d'Espagne, 209, 217, 218.

Jacquart, Jean, historien, 13, 19.
Jean Casimir de Bavière, comte palatin, 98, 163, 185, 186, 191.
Jeanne d'Albret, vicomtesse de Béarn, reine de Navarre, 52, 62, 63, 66, 86, 91, 107, 140, 151, 164, 165, 171.
Jeannin, Pierre, magistrat et diplomate, 138, 209.
Jouanna, Arlette, historienne, 115.
Joyeuse, famille de, 155, 214, 230.
Joyeuse, Anne, duc de, amiral de France, 59, 68, 120, 193, 196, 198.
Joyeuse, François, cardinal de, 103, 107, 138.

La Bruyère, Jean, marchand parfumeur, 115.
La Bruyère, Mathias, magistrat, 115.
La Chapelle-Marteau, Michel, prévôt des marchands, 202, 217.
La Molle, Joseph-Boniface de, 182.
La Noue, François, capitaine et écrivain, 71, 132, 133, 184, 185.
La Renaudie, Godefroi de, gentilhomme périgourdin, 145, 146.
La Rochefoucauld, famille, 86.
La Rochefoucauld, François, évêque puis cardinal, 103.
La Rochefoucauld, François III, comte de, 155.

Lassus, Roland de, musicien, 55.
La Tour d'Auvergne, Madeleine de, mère de Catherine de Médicis, 47.
La Trémoille, Claude, duc de Thours, 207, 224.
La Trémoille, Louis III, sire de, 115.
Laubespine, Claude, secrétaire d'État, 53.
Laubespine, Claude II, secrétaire d'État, 55.
Léon X, pape, 47.
Le Roy Ladurie, Emmanuel, historien, 9, 12, 21, 115.
Lescot, Pierre, architecte, 55.
Lesdiguières, François de Bonne, sire de, 184, 230.
L'Estoile, Pierre de, chroniqueur, 15, 74, 125, 197, 198.
Le Veneur, Tanguy, sire de Carouges, gouverneur de Normandie, 115.
L'Hospital, Louis de, marquis de Vitry, 207.
L'Hospital, Michel de, chancelier de France, 48, 50, 52, 69, 102, 128-131, 140, 141, 143, 146, 148, 149, 159, 160, 163, 165, 230.
Longueville, Henri Ier d'Orléans, duc de, 177.
Lorraine, Charles de Guise, cardinal de, 52, 65, 70, 73, 128, 150, 169.
Louis XII, 9, 203.
Louis XIII, 102, 229.
Loyseau, Charles, juriste, 33, 90.
Luther, Martin, réformateur, 42.

Machiavel, Nicolas, homme d'État et historien, 48, 134, 135, 221.
Maligny, Edmée de, capitaine huguenot, 147.
Mandelot, François de, gouverneur de Lyon, 115.
Marcel, Claude, orfèvre et prévôt des marchands, 32, 33, 71, 175.
Marguerite d'Angoulême, duchesse d'Alençon puis reine de Navarre, 63.
Marguerite de France, femme d'Emmanuel-Philibert, duc de Savoie, duchesse de Berry puis de Savoie, 128.
Marguerite de Valois, 47, 49, 63, 66, 71, 166, 173, 174.
Marie de Lorraine, reine d'Écosse, 146.
Marie Stuart, 56, 118.
Marillac, Jean de, évêque de Vienne, 148.
Maugiron, favori d'Henri III, 59.
Maurevert ou Maurevel, Charles de Louvier, sire de, 173.
Mayenne, duc de, voir Guise Charles.
Médicis, Laurent de, chef de Florence, 47.
Mercœur, Philippe-Emmanuel de Lorraine, duc de, 118, 198, 221, 222, 230.
Méru, Charles de Montmorency, sire de, 183.
Moneins, Tristan de, lieutenant général du roi, 37.
Mongiron, lieutenant du roi, 38, 155.
Monluc, Blaise de, maréchal de France et écrivain, 21, 87, 113, 147, 155.
Monluc, Jean de, évêque de Valence, 85, 131, 148.
Montaigne, Michel de, écrivain, 135, 136, 141.
Montbrun, Charles Dupuy, sire de, capitaine huguenot, 147, 182, 184, 186.
Montendre, cordonnier et sergent, 44.
Montgomery, Gabriel, sire des Lorges, comte de, capitaine, 155, 182, 184, 186.
Montmorency, famille, 71, 182.
Montmorency, Anne de, connéta-

ble, 16, 37, 53, 68, 69, 71, 113, 143, 152, 155, 163.
Montmorency, François, duc de, maréchal, 69, 132, 185.
Montpensier, Louis de, duc de, 113, 115.
Morel, François de, pasteur, 145.
Morin, François ou Louis, sire de Cromé, pamphlétaire, 123.
Morvilliers, Jean de, évêque d'Orléans puis garde des Sceaux, 148, 189.
Mouvans, Paul de Richieu, sire de, gentilhomme provençal, 147, 154.
Muchembled, Robert, historien, 23.

Nassau, Ludovic de, 52.
Nassau, Maurice de, 223.
Navarre, Henri III de, voir Henry IV.
Neufville, Nicolas de, sire de Villeroy, secrétaire d'État, 53, 138, 189, 201, 202.
Nevers, Louis de Gonzague, duc de, 118, 172, 183.

O, François, marquis d', surintendant des finances, 193.
Olivier, François, chancelier de France, 127, 128, 146.
Oudot, Nicolas, imprimeur, 42.

Palissy, Bernard, écrivain et potier, 147.
Paré, Ambroise, chirurgien et écrivain, 42.
Pasquier, Étienne, juriste et historien, 130, 138, 139.
Paul IV, pape, 52, 151.
Philippe II, 50, 52, 56, 61, 73, 118, 161, 170, 172-174, 198, 200, 202, 204, 215-217, 222.
Pibrac, Guy Du Faur, sire de, magistrat et écrivain, 189.
Pie V, pape, 160.
Pinart, Claude, secrétaire d'État, 202.
Pithou, Pierre, avocat et juriste, 139, 141.
Poltrot de Méré, Jean, gentilhomme huguenot, 75.
Pons, Pons de, sire de Lacaze, 155.
Poyet, Pierre, chancelier de France, 127.

Quélus, Jacques de Lévis, comte de, 59.

Ravaillac, François, régicide, 75.
Rémond, Florimond de, conseiller au Parlement, 110.
Renée de France, duchesse de Ferrare, 69, 91.
Révol, Louis, secrétaire d'État, 53.
Ribault, Jean, explorateur, 43.
Roechi, évêque de Cavaillon, 103.
Ronsard, Pierre de, poète, 55, 60, 131.
Rose, Guillaume, évêque de Senlis, 123.

Sacrato, évêque de Carpentras, 103.
Saint-André, Jacques d'Albon, maréchal de, 69, 113, 155.
Saint-Romain, Jean, capitaine, voir de Chaumont.
Serres, Olivier de, agronome, 18.
Sixte Quint, pape, 140, 198.
Soissons, Charles de Bourbon, comte de, 209.
Soubise, Jean de Parthenay-Larchevesque, sire de, 146.
Sourdis, François de, archevêque de Bordeaux, 103.
Sprengler, Jacques, inquisiteur, 23.
Sully, Maximilien de Béthune, baron de Rosny, puis duc de, 222, 223.

Tarugi, évêque d'Avignon, 103.
Tavannes, Gaspard de Saulx,

comte de, maréchal, 155, 165, 169, 172, 230.
Thérèse d'Avila, sainte, fondatrice des Carmélites, 106.
Thoré, Guillaume de Montmorency, sire de, fils du connétable, 69, 132, 183.
Tiraqueau, André, juriste, 34.
Tournon, François, cardinal, 69, 104, 113.
Turenne, Henri de La Tour d'Auvergne, vicomte de, puis duc de Bouillon, 69, 184, 199, 223, 224.

Valois d'Angoulême, famille, 8, 56, 74, 94, 154, 171, 207, 233.
Versoris, député de Paris, 134.
Villars, Nicolas de, évêque d'Agen, 107.
Villars, Honorat de Savoie, marquis de, comte de Tende, 178, 184.
Villars-Brancas, André, sire de, gouverneur de Rouen, 220.
Villegagnon, Nicolas Durant, sire de, explorateur, 43.
Villeroy, voir Neufville.
Vivés, Louis, humaniste, 41.

Wurtemberg, Christophe, duc de, 152.

Yver, Jacques, conteur, 60.

Table

Documents

Tableau simplifié de la famille royale des Valois, 54.

Les Bourbons, chefs du parti protestant, 64.

Tableau généalogique simplifié de la famille de Guise, 72.

Églises réformées, XVIe siècle. Le croissant huguenot du Midi et du Centre-Ouest de la France, 84.

Catégories sociales de la population protestante par type de source, 88.

Les réfugiés français à Genève, 210.

Les premières guerres de 1560 à 1572, 211.

Les guerres de 1572 à 1585, 212.

Les dernières guerres de 1585 à 1601, 213.

Introduction 7

1. *Des hommes pour la guerre* 9

Le pain incertain, 9. – La condition paysanne, 12. – La redistribution de la propriété, 15. – L'accroissement de la pauvreté paysanne, 17. – Les révoltes, 20. – L'épidémie de sorcellerie, 22. – La détérioration des rapports sociaux dans les villes, 25. – Crises, chômage et conflits du travail, 27 . – Blocage du système corporatif, 31. – La disqualification du travail féminin, 34. – Colères et coups de chaleur à la ville, 36. – Les autorités et les nouveaux pauvres, 39.

2. *Hommes et femmes du pouvoir* 46

Catherine de Médicis ou le compromis, 46. – Les fils régnants de Catherine, 56. – La cour des Valois, 58. – Les princes du sang : François d'Alençon, 60. – Les princes du sang : les Bourbons, 62. – Les Grands : les Montmorency, 68. – Les Grands : les Guise, 70. – Menaces sur les puissants, 74.

3. *L'Église et le parti protestants* 77

La rupture : les textes et les faits, 78. – Le protestantisme : géographie et société, 82. – Les enjeux variables du parti protestant, 93. – Les moyens du parti, 97. – L'iconoclasme, 98.

4. *L'Église et le parti catholiques* 101

Le concile de Trente. Les évêques réformateurs, 101. – La religion populaire. L'anti-protestantisme, 107. – Les interférences de la foi, 109. – Les prémices de la Ligue, 113. – La Ligue de 1584, 117. – Son programme, 120. – La violence de la Ligue, 124.

5. *Les voix des Politiques* 127

Michel de L'Hospital, 127. – Mécontents et Politiques, 132. – Catholiques et protestants royaux, 137. – Le sentiment de la France, 138.

6. *Chronique des années 1559-1598* 143

1. Les guerres de Condé (1559-1570) 143

La conspiration d'Amboise, 144. – Une volonté d'apaisement, 147. – Vassy et la première guerre de Religion, 152. – Le roi visite son royaume, 158. – Les deuxième et troisième guerres de Religion, 162.

2. La Saint-Barthélemy. Les guerres des barons (1570-1584) 168

Les prémices de la Saint-Barthélemy, 168. – La Saint-Barthélemy, 171. – Ses conséquences dans le royaume, 177. – Le royaume démantelé, 181. – Lorsque l'État essaie de surnager..., 188.

3. La guerre des trois Henri. Guerre et paix sous Henry IV (1584-1598) . . . 195

Le réveil de la Ligue, 195. – La bataille de Coutras, 198. – Blois ou l'assassinat des Guise, 202. – Paris et l'assassinat d'Henri III, 204. – La guerre d'Henry IV (1589-1594), 206. – Henry IV et le compromis d'État, 219.

Conclusion 229

Chronologie, 1559-1598 235

Orientation bibliographique 243

Index 249

Du même auteur

Tocsin pour un massacre
Ou la saison des Saint-Barthélemy
Éditions du Centurion, 1968

Protestants du Midi (1559-1598)
Toulouse, Privat, 1980, 1991

L'Homme protestant
Hachette, 1980
Bruxelles, Complexe, 2000

Henry IV
Seuil, 1984

L'Édit de Nantes et sa révocation
Histoire d'une intolérance
Seuil, 1985
et « Points Histoire », n° 94, 1986

1572, la Saint-Barthélemy
Bruxelles, Complexe, 1987, 2000

Les Protestants au XVIe siècle
Fayard, 1988, 1997

Le Comte et le Manant
roman
Payot, 1990
LGF, 1994

Royauté, Renaissance et Réforme (1483-1559)
Seuil, « Points Histoire », n° 207, 1991

Ravaillac, le fou de Dieu
roman
Payot, 1993

Marguerite de Valois
Fayard, 1994

Meurtre à la cour de François Ier
roman
Calmann-Lévy, 1995

L'Édit de Nantes
Chronique d'une paix attendue
Fayard, 1998

Henri IV, le roi de la paix
Tallandier, 2000, rééd. 2006

Meurtres à la cour de Henri IV
roman
Calmann-Lévy, 2001

Les Derniers Valois
Fayard, 2001

Par l'inconstance des mauvais anges
roman
Stock, 2002

Catherine de Médicis
L'impossible harmonie
Payot, 2002

L'Affaire Calas
Miroir des passions françaises
Fayard, 2004

Gabrielle d'Estrées
Aux marches du palais
Tallandier, 2006

Henri IV
Seuil, « L'Univers Historique », 2008

SOUS LA DIRECTION

Une histoire de la Garonne
Ramsay, 1982

Montauban solaire et mesurée
Autrement, 1993

EN COLLABORATION

La Saint-Barthélemy ou les résonances d'un massacre
Delachaux-Niestlé, 1976

Histoire des protestants en France
Privat, 1977, 2001

Histoire d'Occitanie
Hachette, 1979

Histoire vécue du peuple chrétien
Privat, 1979

Histoire de Montauban
Privat, 1985

COMPOSITION : CHARENTE PHOTOGRAVURE À L'ISLE-D'ESPAGNAC
IMPRESSION : NORMANDIE ROTO IMPRESSION S.A.S. À LONRAI
DÉPÔT LÉGAL : OCTOBRE 1991. N° 13689-5 (103394)
IMPRIMÉ EN FRANCE

Éditions Points

Le catalogue complet de nos collections est sur Le Cercle Points, ainsi que des interviews d'auteurs, des jeux-concours, des conseils de lecture, des extraits en avant-première…

www.lecerclepoints.com

Collection Points Histoire

H1. Histoire d'une démocratie : Athènes
Des origines à la conquête macédonienne
par Claude Mossé

H2. Histoire de la pensée européenne
1. L'éveil intellectuel de l'Europe du IXe au XIIe siècle
par Philippe Wolff

H3. Histoire des populations françaises et de leurs attitudes devant la vie depuis le XVIIIe siècle
par Philippe Ariès

H4. Venise, portrait historique d'une cité
par Philippe Braunstein et Robert Delort

H5. Les Troubadours, *par Henri-Irénée Marrou*

H6. La Révolution industrielle (1770-1880)
par Jean-Pierre Rioux

H7. Histoire de la pensée européenne
4. Le siècle des Lumières
par Norman Hampson

H8. Histoire de la pensée européenne
3. Des humanistes aux hommes de science
par Robert Mandrou

H9. Histoire du Japon et des Japonais
1. Des origines à 1945, *par Edwin O. Reischauer*

H10. Histoire du Japon et des Japonais
2. De 1945 à 1970, *par Edwin O. Reischauer*

H11. Les Causes de la Première Guerre mondiale
par Jacques Droz

H12. Introduction à l'histoire de notre temps
L'Ancien Régime et la Révolution
par René Rémond

H13. Introduction à l'histoire de notre temps
Le XIXe siècle, *par René Rémond*

H14. Introduction à l'histoire de notre temps
Le xxe siècle, *par René Rémond*
H15. Photographie et Société, *par Gisèle Freund*
H16. La France de Vichy (1940-1944)
par Robert O. Paxton
H17. Société et Civilisation russes au xixe siècle
par Constantin de Grunwald
H18. La Tragédie de Cronstadt (1921), *par Paul Avrich*
H19. La Révolution industrielle du Moyen Âge
par Jean Gimpel
H20. L'Enfant et la Vie familiale sous l'Ancien Régime
par Philippe Ariès
H21. De la connaissance historique, *par Henri-Irénée Marrou*
H22. André Malraux, une vie dans le siècle
par Jean Lacouture
H23. Le Rapport Khrouchtchev et son histoire
par Branko Lazitch
H24 Le Mouvement paysan chinois (1840-1949)
par Jean Chesneaux
H25. Les Misérables dans l'Occident médiéval
par Jean-Louis Goglin
H26. La Gauche en France depuis 1900
par Jean Touchard
H27. Histoire de l'Italie du Risorgimento à nos jours
par Sergio Romano
H28. Genèse médiévale de la France moderne, xive-xve siècle
par Michel Mollat
H29. Décadence romaine ou Antiquité tardive, iiie-vi^e siècle
par Henri-Irénée Marrou
H30. Carthage ou l'Empire de la mer, *par François Decret*
H31. Essais sur l'histoire de la mort en Occident
du Moyen Âge à nos jours, *par Philippe Ariès*
H32. Le Gaullisme (1940-1969), *par Jean Touchard*
H33. Grenadou, paysan français
par Ephraïm Grenadou et Alain Prévost
H34. Piété baroque et Déchristianisation en Provence
au xviiie siècle, *par Michel Vovelle*
H35. Histoire générale de l'Empire romain
1. Le Haut-Empire, *par Paul Petit*
H36. Histoire générale de l'Empire romain
2. La crise de l'Empire, *par Paul Petit*
H37. Histoire générale de l'Empire romain
3. Le Bas-Empire, *par Paul Petit*
H38. Pour en finir avec le Moyen Âge
par Régine Pernoud
H39. La Question nazie, *par Pierre Ayçoberry*
H40. Comment on écrit l'histoire, *par Paul Veyne*

H41. Les Sans-culottes, *par Albert Soboul*
H42. Léon Blum, *par Jean Lacouture*
H43. Les Collaborateurs (1940-1945)
par Pascal Ory
H44. Le Fascisme italien (1919-1945)
par Pierre Milza et Serge Berstein
H45. Comprendre la révolution russe
par Martin Malia
H46. Histoire de la pensée européenne
6. L'ère des masses, *par Michaël D. Biddiss*
H47. Naissance de la famille moderne
par Edward Shorter
H48. Le Mythe de la procréation à l'âge baroque
par Pierre Darmon
H49. Histoire de la bourgeoisie en France
1. Des origines aux Temps modernes, *par Régine Pernoud*
H50. Histoire de la bourgeoisie en France
2. Les Temps modernes, *par Régine Pernoud*
H51. Histoire des passions françaises (1848-1945)
1. Ambition et amour, *par Theodore Zeldin*
H52. Histoire des passions françaises (1848-1945)
2. Orgueil et intelligence, *par Theodore Zeldin* (épuisé)
H53. Histoire des passions françaises (1848-1945)
3. Goût et corruption, *par Theodore Zeldin*
H54 Histoire des passions françaises (1848-1945)
4. Colère et politique, *par Theodore Zeldin*
H55. Histoire des passions françaises (1848-1945)
5. Anxiété et hypocrisie, *par Theodore Zeldin*
H56. Histoire de l'éducation dans l'Antiquité
1. Le monde grec, *par Henri-Irénée Marrou*
H57. Histoire de l'éducation dans l'Antiquité
2. Le monde romain, *par Henri-Irénée Marrou*
H58. La Faillite du Cartel, 1924-1926
(Leçon d'histoire pour une gauche au pouvoir)
par Jean-Noël Jeanneney
H59. Les Porteurs de valises
par Hervé Hamon et Patrick Rotman
H60. Histoire de la guerre d'Algérie, 1954-1962
par Bernard Droz et Évelyne Lever
H61. Les Occidentaux, *par Alfred Grosser*
H62. La Vie au Moyen Âge, *par Robert Delort*
H63. Politique étrangère de la France
(La Décadence, 1932-1939)
par Jean-Baptiste Duroselle
H64. Histoire de la guerre froide
1. De la révolution d'Octobre à la guerre de Corée, 1917-1950
par André Fontaine

H65. Histoire de la guerre froide
2. De la guerre de Corée à la crise des alliances, 1950-1963
par André Fontaine
H66. Les Incas, *par Alfred Métraux*
H67. Les Écoles historiques, *par Guy Bourdé et Hervé Martin*
H68. Le Nationalisme français, 1871-1914, *par Raoul Girardet*
H69. La Droite révolutionnaire, 1885-1914, *par Zeev Sternhell*
H70. L'Argent caché, *par Jean-Noël Jeanneney*
H71. Histoire économique de la France du XVIIIe siècle à nos jours
1. De l'Ancien Régime à la Première Guerre mondiale
par Jean-Charles Asselain
H72. Histoire économique de la France du XVIIIe siècle à nos jours
2. De 1919 à la fin des années 1970
par Jean-Charles Asselain
H73. La Vie politique sous la IIIe République
par Jean-Marie Mayeur
H74. La Grèce archaïque d'Homère à Eschyle
par Claude Mossé
H75. Histoire de la « détente », 1962-1981
par André Fontaine
H76. Études sur la France de 1939 à nos jours
par la revue « L'Histoire »
H77. L'Afrique au XXe siècle, *par Elikia M'Bokolo*
H78. Les Intellectuels au Moyen Âge, *par Jacques Le Goff*
H79. Fernand Pelloutier, *par Jacques Julliard*
H80. L'Église des premiers temps, *par Jean Daniélou*
H81. L'Église de l'Antiquité tardive, *par Henri-Irénée Marrou*
H82. L'Homme devant la mort
1. Le temps des gisants, *par Philippe Ariès*
H83. L'Homme devant la mort
2. La mort ensauvagée, *par Philippe Ariès*
H84. Le Tribunal de l'impuissance, *par Pierre Darmon*
H85. Histoire générale du XXe siècle
1. Jusqu'en 1949. Déclins européens
par Bernard Droz et Anthony Rowley
H86. Histoire générale du XXe siècle
2. Jusqu'en 1949. La naissance du monde contemporain
par Bernard Droz et Anthony Rowley
H87. La Grèce ancienne, *par la revue « L'Histoire »*
H88. Les Ouvriers dans la société française
par Gérard Noiriel
H89. Les Américains de 1607 à nos jours
1. Naissance et essor des États-Unis, 1607 à 1945
par André Kaspi
H90. Les Américains de 1607 à nos jours
2. Les États-Unis de 1945 à nos jours, *par André Kaspi*
H91. Le Sexe et l'Occident, *par Jean-Louis Flandrin*

H92. Le Propre et le Sale, *par Georges Vigarello*

H93. La Guerre d'Indochine, 1945-1954
par Jacques Dalloz

H94. L'Édit de Nantes et sa révocation, *par Janine Garrisson*

H95. Les Chambres à gaz, secret d'État
par Eugen Kogon, Hermann Langbein et Adalbert Rückerl

H96. Histoire générale du XXe siècle
3. Depuis 1950. Expansion et indépendance (1950-1973)
par Bernard Droz et Anthony Rowley

H97. La Fièvre hexagonale, 1871-1968, *par Michel Winock*

H98. La Révolution en questions, *par Jacques Solé*

H99. Les Byzantins, *par Alain Ducellier*

H100. Les Croisades, *par la revue « L'Histoire »*

H101. La Chute de la monarchie (1787-1792)
par Michel Vovelle

H102. La République jacobine (10 août 1792 - 9 Thermidor an II)
par Marc Bouloiseau

H103. La République bourgeoise
(de Thermidor à Brumaire, 1794-1799), *par Denis Woronoff*

H104. L'Épisode napoléonien
Aspects intérieurs (1799-1815), *par Louis Bergeron*

H105. La France napoléonienne
Aspects extérieurs (1799-1815)
par Roger Dufraisse et Michel Kerautret

H106. La France des notables (1815-1848)
1. L'évolution générale
par André Jardin et André-Jean Tudesq

H107. La France des notables (1815-1848)
2. La vie de la nation
par André Jardin et André-Jean Tudesq

H108. 1848 ou l'Apprentissage de la République (1848-1852)
par Maurice Agulhon

H109. De la fête impériale au mur des fédérés (1852-1871)
par Alain Plessis

H110. Les Débuts de la Troisième République (1871-1898)
par Jean-Marie Mayeur

H111. La République radicale ? (1898-1914)
par Madeleine Rebérioux

H112. Victoire et Frustrations (1914-1929)
par Jean-Jacques Becker et Serge Berstein

H113. La Crise des années 30 (1929-1938)
par Dominique Borne et Henri Dubief

H114. De Munich à la Libération (1938-1944)
par Jean-Pierre Azéma

H115. La France de la Quatrième République (1944-1958)
1. L'ardeur et la nécessité (1944-1952)
par Jean-Pierre Rioux

H116. La France de la Quatrième République (1944-1958)
2. L'expansion et l'impuissance (1952-1958)
par Jean-Pierre Rioux

H117. La France de l'expansion (1958-1974)
1. La République gaullienne (1958-1969)
par Serge Berstein

H118. La France de l'expansion (1958-1974)
2. L'apogée Pompidou (1969-1974)
par Serge Berstein et Jean-Pierre Rioux

H119. Crises et Alternances (1974-1995)
par Jean-Jacques Becker
avec la collaboration de Pascal Ory

H120. La France du XXe siècle (Documents d'histoire)
présentés par Olivier Wieviorka et Christophe Prochasson

H121. Les Paysans dans la société française
par Annie Moulin

H122. Portrait historique de Christophe Colomb
par Marianne Mahn-Lot

H123. Vie et Mort de l'ordre du Temple, *par Alain Demurger*

H124. La Guerre d'Espagne, *par Guy Hermet*

H125. Histoire de France, *sous la direction de Jean Carpentier et François Lebrun*

H126. Empire colonial et Capitalisme français
par Jacques Marseille

H127. Genèse culturelle de l'Europe (Ve-VIIIe siècle)
par Michel Banniard

H128. Les Années trente, *par la revue « L'Histoire »*

H129. Mythes et Mythologies politiques, *par Raoul Girardet*

H130. La France de l'an Mil, *Collectif*

H131. Nationalisme, Antisémitisme et Fascisme en France
par Michel Winock

H132. De Gaulle 1. Le rebelle (1890-1944)
par Jean Lacouture

H133. De Gaulle 2. Le politique (1944-1959)
par Jean Lacouture

H134. De Gaulle 3. Le souverain (1959-1970)
par Jean Lacouture

H135. Le Syndrome de Vichy, *par Henry Rousso*

H136. Chronique des années soixante, *par Michel Winock*

H137. La Société anglaise, *par François Bédarida*

H138. L'Abîme 1939-1944. La politique étrangère de la France
par Jean-Baptiste Duroselle

H139. La Culture des apparences, *par Daniel Roche*

H140. Amour et Sexualité en Occident
par la revue « L'Histoire »

H141. Le Corps féminin, *par Philippe Perrot*

H142. Les Galériens, *par André Zysberg*

H143. Histoire de l'antisémitisme 1. L'âge de la foi
par Léon Poliakov
H144. Histoire de l'antisémitisme 2. L'âge de la science
par Léon Poliakov
H145. L'Épuration française (1944-1949), *par Peter Novick*
H146. L'Amérique latine au XXe siècle (1889-1929)
par Leslie Manigat
H147. Les Fascismes, *par Pierre Milza*
H148. Histoire sociale de la France au XIXe siècle
par Christophe Charle
H149. L'Allemagne de Hitler, *par la revue « L'Histoire »*
H150. Les Révolutions d'Amérique latine, *par Pierre Vayssière*
H151. Le Capitalisme « sauvage » aux États-Unis (1860-1900)
par Marianne Debouzy
H152. Concordances des temps, *par Jean-Noël Jeanneney*
H153. Diplomatie et Outil militaire
par Jean Doise et Maurice Vaïsse
H154. Histoire des démocraties populaires
1. L'ère de Staline, *par François Fejtö*
H155. Histoire des démocraties populaires
2. Après Staline, *par François Fejtö*
H156. La Vie fragile, *par Arlette Farge*
H157. Histoire de l'Europe, *sous la direction de Jean Carpentier et François Lebrun*
H158. L'État SS, *par Eugen Kogon*
H159. L'Aventure de l'Encyclopédie, *par Robert Darnton*
H160. Histoire générale du XXe siècle
4. Crises et mutations de 1973 à nos jours
par Bernard Droz et Anthony Rowley
H161. Le Creuset français, *par Gérard Noiriel*
H162. Le Socialisme en France et en Europe, XIXe-XXe siècle
par Michel Winock
H163. 14-18 : Mourir pour la patrie, *par la revue « L'Histoire »*
H164. La Guerre de Cent Ans vue par ceux qui l'ont vécue
par Michel Mollat du Jourdin
H165. L'École, l'Église et la République, *par Mona Ozouf*
H166. Histoire de la France rurale
1. La formation des campagnes françaises
(des origines à 1340)
sous la direction de Georges Duby et Armand Wallon
H167. Histoire de la France rurale
2. L'âge classique des paysans (de 1340 à 1789)
sous la direction de Georges Duby et Armand Wallon
H168. Histoire de la France rurale
3. Apogée et crise de la civilisation paysanne
(de 1789 à 1914)
sous la direction de Georges Duby et Armand Wallon

H169. Histoire de la France rurale
4. La fin de la France paysanne (depuis 1914)
sous la direction de Georges Duby et Armand Wallon
H170. Initiation à l'Orient ancien, *par la revue « L'Histoire »*
H171. La Vie élégante, *par Anne Martin-Fugier*
H172. L'État en France de 1789 à nos jours
par Pierre Rosanvallon
H173. Requiem pour un empire défunt, *par François Fejtö*
H174. Les animaux ont une histoire, *par Robert Delort*
H175. Histoire des peuples arabes, *par Albert Hourani*
H176. Paris, histoire d'une ville, *par Bernard Marchand*
H177. Le Japon au XXe siècle, *par Jacques Gravereau*
H178. L'Algérie des Français, *par la revue « L'Histoire »*
H179. L'URSS de la Révolution à la mort de Staline, 1917-1953
par Hélène Carrère d'Encausse
H180. Histoire médiévale de la Péninsule ibérique
par Adeline Rucquoi
H181. Les Fous de la République, *par Pierre Birnbaum*
H182. Introduction à la préhistoire, *par Gabriel Camps*
H183. L'Homme médiéval
Collectif sous la direction de Jacques Le Goff
H184. La Spiritualité du Moyen Âge occidental (VIIIe-XIIIe siècle)
par André Vauchez
H185. Moines et Religieux au Moyen Âge
par la revue « L'Histoire »
H186. Histoire de l'extrême droite en France, *Ouvrage collectif*
H187. Le Temps de la guerre froide, *par la revue « L'Histoire »*
H188. La Chine, tome 1 (1949-1971)
par Jean-Luc Domenach et Philippe Richer
H189. La Chine, tome 2 (1971-1994)
par Jean-Luc Domenach et Philippe Richer
H190. Hitler et les Juifs, *par Philippe Burrin*
H192. La Mésopotamie, *par Georges Roux*
H193. Se soigner autrefois, *par François Lebrun*
H194. Familles, *par Jean-Louis Flandrin*
H195. Éducation et Culture dans l'Occident barbare (VIe-VIIIe siècle)
par Pierre Riché
H196. Le Pain et le Cirque, *par Paul Veyne*
H197. La Droite depuis 1789, *par la revue « L'Histoire »*
H198. Histoire des nations et du nationalisme en Europe
par Guy Hermet
H199. Pour une histoire politique, *Collectif*
sous la direction de René Rémond
H200. « Esprit ». Des intellectuels dans la cité (1930-1950)
par Michel Winock
H201. Les Origines franques (Ve-IXe siècle)
par Stéphane Lebecq

H202. L'Héritage des Charles (de la mort de Charlemagne aux environs de l'an mil), *par Laurent Theis*
H203. L'Ordre seigneurial (XIe-XIIe siècle) *par Dominique Barthélemy*
H204. Temps d'équilibres, Temps de ruptures *par Monique Bourin-Derruau*
H205. Temps de crises, Temps d'espoirs, *par Alain Demurger*
H206. La France et l'Occident médiéval de Charlemagne à Charles VIII *par Robert Delort* (à paraître)
H207. Royauté, Renaissance et Réforme (1483-1559) *par Janine Garrisson*
H208. Guerre civile et Compromis (1559-1598) *par Janine Garrisson*
H209. La Naissance dramatique de l'absolutisme (1598-1661) *par Yves-Marie Bercé*
H210. La Puissance et la Guerre (1661-1715) *par François Lebrun*
H211. La Monarchie des Lumières (1715-1786) *par André Zysberg*
H212. La Grèce préclassique, *par Jean-Claude Poursat*
H213. La Grèce au Ve siècle, *par Edmond Lévy*
H214. Le IVe Siècle grec, *par Pierre Carlier*
H215. Le Monde hellénistique (323-188), *par Pierre Cabanes*
H216. Les Grecs (188-31), *par Claude Vial*
H218. La République romaine, *par Jean-Michel David*
H219. Le Haut-Empire romain en Occident d'Auguste aux Sévères, *par Patrick Le Roux*
H220. Le Haut-Empire romain. Les provinces de Méditerranée orientale, d'Auguste aux Sévères, *par Maurice Sartre*
H221. L'Empire romain en mutation, des Sévères à Constantin (192-337) *par Jean-Michel Carrié et Aline Rousselle*
H225. Douze Leçons sur l'histoire, *par Antoine Prost*
H226. Comment on écrit l'histoire, *par Paul Veyne*
H227. Les Crises du catholicisme en France *par René Rémond*
H228. Les Arméniens, *par Yves Ternon*
H229. Histoire des colonisations, *par Marc Ferro*
H230. Les Catholiques français sous l'Occupation *par Jacques Duquesne*
H231. L'Égypte ancienne, *présentation par Pierre Grandet*
H232. Histoire des Juifs de France, *par Esther Benbassa*
H233. Le Goût de l'archive, *par Arlette Farge*
H234. Économie et Société en Grèce ancienne *par Moses I. Finley*

H235. La France de la monarchie absolue 1610-1675
par la revue « L'Histoire »
H236. Ravensbrück, *par Germaine Tillion*
H237. La Fin des démocraties populaires, *par François Fejtö et Ewa Kulesza-Mietkowski*
H238. Les Juifs pendant l'Occupation, *par André Kaspi*
H239. La France à l'heure allemande (1940-1944)
par Philippe Burrin
H240. La Société industrielle en France (1814-1914)
par Jean-Pierre Daviet
H241. La France industrielle, *par la revue « L'Histoire »*
H242. Éducation, Société et Politiques.
Une histoire de l'enseignement en France de 1945 à nos jours
par Antoine Prost
H243. Art et Société au Moyen Âge, *par Georges Duby*
H244. L'Expédition d'Égypte 1798-1801, *par Henry Laurens*
H245. L'Affaire Dreyfus, *Collectif Histoire*
H246. La Société allemande sous le IIIe Reich
par Pierre Ayçoberry
H247. La Ville en France au Moyen Âge
par André Chédeville, Jacques Le Goff et Jacques Rossiaud
H248. Histoire de l'industrie en France
du XVIe siècle à nos jours, *par Denis Woronoff*
H249. La Ville des Temps modernes
sous la direction d'Emmanuel Le Roy Ladurie
H250. Contre-Révolution, Révolution et Nation
par Jean-Clément Martin
H251. Israël. De Moïse aux accords d'Oslo
par la revue « L'Histoire »
H252. Une histoire des médias des origines à nos jours
par Jean-Noël Jeanneney
H253. Les Prêtres de l'ancienne Égypte, *par Serge Sauneron*
H254. Histoire de l'Allemagne, des origines à nos jours
par Joseph Rovan
H255. La Ville de l'âge industriel
sous la direction de Maurice Agulhon
H256. La France politique, XIXe-XXe siècle, *par Michel Winock*
H257. La Tragédie soviétique, *par Martin Malia*
H258. Histoire des pratiques de santé
par Georges Vigarello
H259. Les Historiens et le Temps, *par Jean Leduc*
H260. Histoire de la vie privée
1. De l'Empire romain à l'an mil
par Philippe Ariès et Georges Duby
H261. Histoire de la vie privée
2. De l'Europe féodale à la Renaissance
par Philippe Ariès et Georges Duby

H262. Histoire de la vie privée
3. De la Renaissance aux Lumières
par Philippe Ariès et Georges Duby
H263. Histoire de la vie privée
4. De la Révolution à la Grande Guerre
par Philippe Ariès et Georges Duby
H264. Histoire de la vie privée
5. De la Première Guerre mondiale à nos jours
par Philippe Ariès et Georges Duby
H265. Problèmes de la guerre en Grèce ancienne
sous la direction de Jean-Pierre Vernant
H266. Un siècle d'école républicaine
par Jean-Michel Gaillard
H267. L'Homme grec
Collectif sous la direction de Jean-Pierre Vernant
H268. Les Origines culturelles de la Révolution française
par Roger Chartier
H269. Les Palestiniens, *par Xavier Baron*
H270. Histoire du viol, *par Georges Vigarello*
H272. Histoire de la France
L'Espace français, *sous la direction*
de André Burguière et Jacques Revel
H273. Histoire de la France
Héritages, *sous la direction*
de André Burguière et Jacques Revel
H274. Histoire de la France
Choix culturels et Mémoire, *sous la direction*
de André Burguière et Jacques Revel
H275. Histoire de la France
La Longue Durée de l'État, *sous la direction*
de André Burguière et Jacques Revel
H276. Histoire de la France
Les Conflits, *sous la direction*
de André Burguière et Jacques Revel
H277. Le Roman du quotidien
par Anne-Marie Thiesse
H278. La France du XIXe siècle, *par Francis Démier*
H279. Le Pays cathare, *sous la direction de Jacques Berlioz*
H280. Fascisme, Nazisme, Autoritarisme, *par Philippe Burrin*
H281. La France des années noires, tome 1
sous la direction de Jean-Pierre Azéma
et François Bédarida
H282. La France des années noires, tome 2
sous la direction de Jean-Pierre Azéma
et François Bédarida
H283. Croyances et Cultures dans la France d'Ancien Régime
par François Lebrun

H284. La République des instituteurs
par Jacques Ozouf et Mona Ozouf
H285. Banque et Affaires dans le monde romain
par Jean Andreau
H286. L'Opinion française sous Vichy, *par Pierre Laborie*
H287. La Vie de saint Augustin, *par Peter Brown*
H288. Le XIXe siècle et l'Histoire, *par François Hartog*
H289. Religion et Société en Europe, *par René Rémond*
H290. Christianisme et Société en France au XIXe siècle
par Gérard Cholvy
H291. Les Intellectuels en Europe au XIXe, *par Christophe Charle*
H292. Naissance et Affirmation d'une culture nationale
par Françoise Mélonio
H293. Histoire de la France religieuse
Collectif sous la direction de Philippe Joutard
H294. La Ville aujourd'hui
sous la direction de Marcel Roncayolo
H295. Les Non-conformistes des années trente
par Jean-Louis Loubet del Bayle
H296. La Création des identités nationales
par Anne-Marie Thiesse
H297. Histoire de la lecture dans le monde occidental
Collectif sous la direction de Guglielmo Cavallo
et Roger Chartier
H298. La Société romaine, *Paul Veyne*
H299. Histoire du continent européen
par Jean-Michel Gaillard, Anthony Rowley
H300. Histoire de la Méditerranée
par Jean Carpentier (dir.), François Lebrun
H301. Religion, Modernité et Culture
au Royaume-Uni et en France
par Jean Baubérot, Séverine Mathieu
H302. Europe et Islam, *par Franco Cardini*
H303. Histoire du suffrage universel en France.
Le Vote et la Vertu. 1848-2000, *par Alain Garrigou*
H304. Histoire juive de la révolution à l'État d'Israël
Faits et documents, *par Renée Neher-Bernheim*
H305. L'Homme romain
Collectif sous la direction d'Andrea Giardina
H306. Une histoire du Diable, *par Robert Muchembled*
H307. Histoire des agricultures du monde
par Marcel Mazoyer et Laurence Roudart
H308. Le Nettoyage ethnique.
Documents historiques sur une idéologie serbe
par Mirko D. Grmek, Marc Gjidara et Neven Simac
H309. Guerre sainte, jihad, croisade, *par Jean Flori*
H310. La Renaissance européenne, *par Peter Burke*

H311. L'Homme de la Renaissance
Collectif sous la direction d'Eugenio Garin

H312. Philosophie des sciences historiques,
textes réunis et présentés, *par Marcel Gauchet*

H313. L'Absolutisme en France, *par Fanny Cosandey et Robert Descimon*

H314. Le Monde d'Ulysse, *par Moses I. Finley*

H315. Histoire des juifs sépharades, *par Esther Benbassa et Aron Rodrigue*

H316. La Société et le Sacré dans l'Antiquité tardive
par Peter Brown

H317. Les Cultures politiques en France
sous la direction de Serge Berstein

H318. Géopolitique du XVIe siècle
par Jean-Michel Sallmann

H319. Les Relations internationales
2. De la guerre de Trente Ans ans à la guerre de succession d'Espagne, *par Claire Gantet*

H320. Des traités : de Rastadt à la chute de Napoléon
par Jean-Pierre Bois

H323. De Nuremberg à la fin du XXe siècle
(tome 6, Nouvelle histoire des relations internationales / inédit), *par Frank Attar*

H324. Histoire du visuel au XXe siècle, *par Laurent Gervereau*

H325. La Dérive fasciste. Doriot, Déat, Bergery. 1933-1945
par Philippe Burrin

H326. L'Origine des Aztèques, *par Christian Duverger*

H327. Histoire politique du monde hellénistique
par Edouard Will

H328. Le Saint Empire romain germanique, *par Francis Rapp*

H329. Sparte, histoire politique et sociale
jusqu'à la conquête romaine, *par Edmond Lévy*

H330. La Guerre censurée, *par Frédéric Rousseau*

H331. À la guerre, *par Paul Fussel*

H332. Les Français des années troubles, *par Pierre Laborie*

H333. Histoire de la papauté, *par Yves-Marie Hilaire*

H334. Pouvoir et Persuasion dans l'Antiquité tardive
par Peter Brown

H336. Penser la Grande Guerre, *par Antoine Prost et Jay Winter*

H337. Paris libre 1871, *par Jacques Rougerie*

H338. Napoléon. De la mythologie à l'histoire
par Nathalie Petiteau

H339. Histoire de l'enfance, tome 1
par Dominique Julia et Egle Becchi

H340. Histoire de l'enfance, tome 2
par Dominique Julia, Egle Becchi

H341. Une histoire de l'édition à l'époque contemporaine
xixe-xxe siècle, *par Elisabeth Parinet*
H342. Les enjeux de l'histoire culturelle, *par Philippe Poirrier*
H343. Le Monde des révolutions en Amérique
et en Europe à la fin du xviiie siècle, *par Jacques Solé*
H345. Histoire culturelle de la France, tome 3,
par Antoine de Baecque et Françoise Mélonio
H346. Histoire culturelle de la France, tome 4,
par Jean-Pierre Rioux et Jean-François Sirinelli
H347. L'État chez lui, l'Église chez elle, *par Jean-Paul Scot*
H348. La Résistance française : une histoire périlleuse
par Laurent Douzou
H349. Histoire culturelle de la France, tome 2,
par Jean-Pierre Rioux & Jean-François Sirinelli
H350. La France et les Juifs de 1789 à nos jours
par Michel Winock
H351. Historiographie de la guerre d'Algérie,
par Raphaëlle Branche
H352. L'Armée de Vichy, *par Robert O. Paxton*
H353. La Guerre froide 1917-1991, *par André Fontaine*
H354. Le Modèle politique français, *par Pierre Rosanvallon*
H355. Les Origines religieuses de la Révolution française
par Dale Van Kley
H356. Une histoire du Chat, *par Laurence Bobis*
H357. À la recherche du Moyen Âge, *par Jacques Le Goff*
H358. Les Quatre Parties du monde, *par Serge Gruzinski*
H359. Histoire des peurs alimentaires, *par Madeleine Ferrières*
H360. Le Grand Voyage de l'Obélisque, *par Robert Solé*
H361. La Vie à en mourir. Lettres de fusillés 1941-1944
par Guy Krivopissko
H362. Bleu. Histoire d'une couleur, *par Michel Pastoureau*
H363. Mitterrand, une histoire de Français, *par Jean Lacouture*
H364. Le Siècle des intellectuels, *par Michel Winock*
H365. Histoire des paysans français
par Emmanuel Le Roy Ladurie
H366. La Plus Vieille Cuisine du monde, *par Jean Bottéro*
H367. Histoire de la France politique 1. Le Moyen Âge
par Philippe Contamine
H368. Histoire de la France politique 2.
La Monarchie, entre Renaissance et Révolution
par Joël Cornette
H369. Histoire de la France politique 3.
L'Invention de la démocratie
par Serge Berstein, Michel Winock
H370. Histoire de la France politique 4.
La République recommencée
par Serge Berstein, Michel Winock

H371. Le Fascisme en action, *par Robert O. Paxton*
H372. Louis XIV. Les Stratégies de la gloire, *par Peter Burke*
H373. Ressentiment et Apocalypse, *par Philippe Burrin*
H374. Jésuites. Une multibiographie, t. 1, Les Conquérants *par Jean Lacouture*
H375. Jésuites. Une multibiographie, t. 2, Les Revenants *par Jean Lacouture*
H376. Sexe et pouvoir à Rome, *par Paul Veyne*
H377. Le Petit Livre des couleurs *par Michel Pastoureau & Dominique Simonnet*
H378. Les Droites aujourd'hui, *René Rémond*
H379. Les Chamanes de la Préhistoire *par Jean Clottes & David Lewis-Williams*
H380. Chronologie du xxe siècle, *par Bernard Phan*
H381. S'amuser au Moyen Âge, *par Jean Verdon*
H382. La Conversion d'Hermann le Juif *par Jean-Claude Schmitt*
H383. Une histoire de pirates. Des mers du Sud à Hollywood *par Jean-Pierre Moreau*
H384. Histoire de la beauté, *par Georges Vigarello*
H385. Chronologie du Moyen Âge, *par Michel Zimmermann*
H386. L'Étoffe du diable, *par Michel Pastoureau*
H387. La Bataille de Paris, *par Jean-Luc Einaudi*
H388. Quinze cent quinze et les grandes dates de l'histoire de France *par Alain Corbin*
H389. Les Origines intellectuelles du IIIe Reich, *par George L. Mosse*
H390. La Légende de Napoléon, *par Sudhir Hazareesingh*
H391. La Prostitution à Paris au xixe siècle *par Alexandre Parent-Duchatelet*
H392. La Guérilla du Che, *par Régis Debray*
H393. L'Orgasme et l'Occident, *par Robert Muchembled*
H394. Mon histoire des femmes, *par Michelle Perrot*
H395. La Reine scélérate, *par Chantal Thomas*
H396. La Pierre de Rosette, *par Robert Solé et Dominique Valbelle*
H397. Mal et modernité, *par Jorge Semprun*
H398. Mémorial de Sainte-Hélène t. 1 *par Emmanuel de Las Cases*
H399. Mémorial de Sainte-Hélène t. 2 *par Emmanuel de Las Cases*
H400. Le Siècle des communismes, *Collectif*
H401. Histoire de la Bretagne 1, *par Joël Cornette*
H402. Histoire de la Bretagne 2, *par Joël Cornette*
H403. Héros et merveilles du Moyen Âge, *par Jacques Le Goff*
H404. Les Templiers, *par Alain Demurger*

H405. La Suisse, l'or et les morts, *par Jean Ziegler*
H406. Chronologie de la Rome antique, *par Yann Riviere*
H407. Les Fondations de l'islam, *par Alfred-Louis de Premare*
H408. Rois et reines de France, *par Bernard Phan*
H409. Histoire de la décolonisation, *par Bernard Droz*
H410. L'Égypte, passion française, *par Robert Solé*
H411. Les Druides. Des philosophes chez les Barbares *par Jean-Louis Brunaux*
H412. Chronologie de la France au XXe siècle, *par Bernard Phan*
H413. Brève histoire du fascisme, *par Renzo De Felice*
H414. La Guerre du Rif. Maroc (1921-1926) *par Vincent Courcelle-Labrousse, Nicolas Marmié*
H415 . Histoires grecques, *par Maurice Sartre*
H416. Les Origines de la solution finale *par Christopher R. Browning*
H417. Batailles, *par Hervé Drevillon*
H418. Les Juifs américains, *par André Kaspi*
H419. 2000 ans d'histoire gourmande, *par Patrice Gélinet*
H420. Nourritures canailles, *par Madeleine Ferrières*
H421. La Croix et le Croissant, *par Richard Fletcher*
H422. Bagnards, *par Marion F. Godfroy*
H423. Chronologie de la Grèce antique, *par Paulin Ismard*
H424. Pierre Mendès France, *par Jean Lacouture*
H425. La Vie sexuelle à Rome, *par Géraldine Puccini-Delbey*
H426. Chronologie de la Grèce antique, *par Paulin Ismard*
H427. Histoire des révolutions, *par Martin Malia*
H428. Histoire de la Prusse, *par Michel Kerautret*
H429. Histoire du débarquement, *par Olivier Wieviorka*
H 430. Les Voix de la liberté, *par Michel Winock*
H 431. L'Europe est-elle née au Moyen Âge ? *par Jacques Le Goff*
H 432. L'Invention de la drague, *par Jean Claude Bologne*
H 433. Bonaparte à la conquête de l'Égypte, *par Robert Solé*
H 434. Chronologie de la Première Guerre mondiale *par Bernard Phan*
H 435. Aux origines de l'histoire des religions *par Philippe Borgeaud*